# マネジメントを超える リーダーシップ

# STAFF ENGINEER

スタッフエンジニア

Leadership beyond the management track by Will Larson

ウィル・ラーソン 著
増井雄一郎 監修・解説　長谷川圭 訳

日経BP

Staff Engineer
Leadership beyond the management track by Will Larson

# 序文

ウィル・ラーソンの最初の著作『An Elegant Puzzle（エレガントなパズル、未邦訳）』が届いたとき、私は不安で胸がいっぱいだった。その本がどうこうという問題ではない。それどころか、洞察に満ちていて、推薦に値するすばらしい作品だった。だが、同書は管理職に携わるマネジャーのために書かれた本だ。そして、私は職場の「マネジャー読書グループ」のメンバーとしてそれを読んだのである。ところが、私はプリンシパルエンジニアであって、マネジャーではない。私は、管理職に携わらない自分がそこにいて大丈夫なのか、と不安を覚えたのだ。

「テクニカルリーダー」の道を進むと決意したエンジニアがさまざまなスキルを身につけようとすると、場違いな領域に足を踏み入れたような気になることがある。業界が成熟し、取り組む問題が大きくなっていくにつれて、ますます多くの企業が、技術戦略を推し進め、複数のチームや組織にまたがるプロジェクトを率い、優れたエンジニアリングのあるべき姿をモデル化し、メンバー全員の競争力を高める能力を有するエンジニアを求めるようになった。そのようなエンジニアは「さまざまな経験」を積んでいなければならない。しかし、あらゆる分野で成功するには、リソース（情報源）やコミュニティを見つけてそこから学ぶ必要がある。つまり、テクニカルリーダーになろうとする者には創造性が求められる。

もちろん、世間にはテクノロジーに関するさまざまな書籍が出回り、数多くのミーティングやカンファレンスが開かれている。しかし、「シニア（上級）」レベル（実際には、おそらくもっと下のレベル）を超えたら、技術的なスキルを磨くだけでは不十分だ。成功するには、ビジネスのニーズを見極め、明確な指示を出し、迫り来る危機を打ち消し、チームにトレードオフを納得させなければならない。要するに、良好な影響を発揮しつづけるのである。エンジニアの本棚に、この点を明らかにする書籍はほとんど存在しない。その代わりに、エンジニアは権限なしでも応用できるテクニックを学ぶかたわら、ビジネス本やマネジメント書を読んで、技術的な意思決定やアーキテクチャなどに関する有益なトピックをつまみ食いするのである。現在のところ、私たちの多くにとってマネジャー読書グループが最善の学習コミュニティだと言える（念のために明記しておくが、そのような場所に招待されることにとても感謝している！　マネジャーのみなさんには、これからもエンジニアである私たちをどんどん招待していただきたい）。

シニアエンジニア向けのリソースが不足しているという事実が、自分たちがなすべき仕事の本質を見失うという大きな問題の原因の１つになっている。「シニアソフトウェアエンジニア」のレベルを超えて昇進したエンジニアは孤独を覚えながら、漠然としてよくわからない新しい役割に身を包み、「インパクト」というこれまた正体不明の概念を用いて自分が正しいことをやっているのかを評価し、すぐに返ってくるのではなく四半期ごとにあるいは年度ごとにもたらされるフィードバックループに適用しようと奮闘する。

上級のエンジニアが社内でないがしろにされていると言いたいのではない。単純に、最上級エンジニアをどうサポートすべきか、経営陣にもわかっていないのである。最も重要な問題についてエンジニアがマネジャーにアドバイスすることが期待される関係において、部下であるエンジニアの取り組みが正しいかどうかなど、マネジャーはどうやって知ればいいのだろうか？　マネジャーとして、社内の全エンジニアの手本となるべき最上級エンジニアに、どんなスキルや行動を期待すればいいのだろう？　そしてもう１つ、避けては通れない問いがある。彼ら最上級エンジニアに、どれほどの量のコードを書かせればいいのだろうか？

すべての企業に共通する普遍的な昇進システムが存在せず、そのため役職名も会社によって異なることも、問題を複雑にしている。だからこそ、ウィルがstaffeng.comを立ち上げて、さまざまな役職を「スタッフプラス」とひとまとめにしたことが、ありがたかった。もちろん、それでもいまだにさまざまな役職名が存在するのは事実だ。しかし少なくとも、議論の対象となる複数の役職をひとことで言い表すことができるようになった。以前は「シニア」よりも上のエンジニアを表現するのに苦労していた場面で、今では「スタッフプラス」が用いられるようになった。

staffeng.comはテクノロジー業界にあっという間に浸透した。まったく新しいサイトが、これほど短期間で、あるトピックに関して絶対的な存在になるのを、私はほかに見たことがない。ウィルは、スタッフエンジニアの定義を定め、その役割を描写し、スタッフエンジニアになる方法をわかりやすくアドバイスし、仕事をより効率的にするために自身が「組織レベルのカイロプラクティック」と呼ぶ秘訣を明かす。じつに巧みに、誰もが気づいていながら漠然としか理解できていない問題を取り上げ、それに明確な輪郭を与え、私たちが目にしていながら見落としていた点を明らかにする。

そのようなアドバイスと並行して、私たちがずっと必要としてきたコミュニティも生まれた。数多くの（スタッフエンジニア、プリンシパルエンジニア、シニアプリンシパル、アーキテクト、テックリード、テックアドバイザーなどを相手にした）インタビューがスタッフ以上の役職につながる道の多さを示している。読者の多くが、自分の置かれた状況に似た、あるいは望むらくは、自分にとって到達可能と思える誰かを見つけることができるだろう。

本書こそ、現在のスタッフエンジニアリングにとって不可欠な考察であり、ウィルがそれを書籍として公開してくれたことがありがたい。『An Elegant Puzzle』と同様、本書も実際の経験をもとに書かれた、明確で、実用的で、実践的なリーダーシップ論だ。しかし、前書とは異なり、本書は「スタッフプラスエンジニア」に向けて書かれた。少なくとも、スタッフプラスエンジニアがターゲットの一部を占める。あなたが自分の役割を理解しようとするスタッフエンジニアなら、あるいはキャリアの岐路に立つ中級エンジニアなら、もしくは会社の最上級エンジニアを成功に導きたいと望むマネジャーなら、本書に多くのヒントを見つけ出せるだろう。

ソフトウェアエンジニアリングの重要性は年々高まりつづけており、当分は止まりそうにない。ウィルはこう言う。「子供に人気の物語でロラックスおじさん[訳注1]が木を代弁するのと同じで、スタッフエンジニアは自らが所属する会社のテクノロジーを代弁する」。手本となるエンジニアに求められるスキルや行動は、私たちエンジニアが書くコードに、採用するアルゴリズムに、さまざまな意思決定に、そして社内で許容されるパターンに直接影響する。

テクノロジーのキャリアを選んだリーダーが、ついに本書のような手引きを書いたのはうれしい限りだ。本書がきっかけとなって、マネジャー読書グループで居心地の悪さを感じていた私たちエンジニアに向けて、今後数多くの書籍やリソースが登場することを願ってやまない。

ターニャ・ライリー
プリンシパルエンジニア、Squarespace

**訳注1** アニメーション映画『ロラックスおじさんの秘密の種』に登場する森の番人。

# まえがき

初めての著書『An Elegant Puzzle』について尋ねられると、私は10年以上をかけてその半分を書き、残りの半分を半年で書いたと答える。ときには執筆が困難を極め、最終的な仕上がりにも変更を加えたい点はあったものの、それでもその創作は私にとって人生のハイライトと呼べるものだった。本を書いたことがある者は、本を書こうと考えている人たちに考え直すよう説得するのが普通だが、私には他人に対して、そして自分に対しても、そんなことをするつもりはない。自ら、もう1冊書きたいと願ったほどだ。

問題は、「何を書くか」だった。そのうちエンジニアリングマネジメントについてもっと書きたいと思うようになるかもしれないが、現時点ではもうすべて言い尽くした感がある。また、私は開発者としてよりもマネジャーとして過ごした時間のほうが長いため、効果的な開発法などについては、著者として適任ではない。いつかインフラ技術について本を書きたいという望みもあるが、これから数年のあいだは、インフラストラクチャについて考える時間を減らそうとも思っている。

最後に、私は自分に問いかけてみた。今の私はどんな分野に挑戦しているのだろうか？　どんな本があれば、テクノロジー業界はポジティブな方向へ進むだろうか？　この2つの問いに共通する答えが「スタッフエンジニア」の役割だった。ほとんどの職業で、人は昇級するにつれて自分の役割が明らかになっていく。ところが私の印象では、エンジニアの多くはスタッフレベルの役職に就いたとたん、方向性を見失うのである。10年以上懸命に働いてようやくスタッフエンジニアになれた仲間たちが、仕事を嫌いになったり、成功する自信をなくしたりするのを見ると、本当に心が痛む。

スタッフレベル以上の役割の仕事に関するテーマを深く掘り下げていくうちに、私は多くの人がそれぞれまったく異なった経緯を通じてそうした役職に到達したことに気づいた。私がいっしょに仕事をしたことがある最高の才能をもつ人々のなかには、シニアエンジニアレベルの役職を通過するのにとても苦労した人が少なくない。昇進に果敢に挑戦するのだが、そのたびにシステムの壁に阻まれて、次の選考時期まで持ち越しになるのである。

本書を書きはじめたとき、最初のステップとして章やトピックの構成を考えた。そのアウトラインを眺めていたとき、この本を私だけの力で書くのは無理だと気づいた。そこで、数多くの仲間たちにインタビューを行い、彼らがどのようにしてスタッフエンジニア職に就いたのか、そして昇進後どのように活躍してきたのかを尋ねたのである。そこで得られた談話を、マネジャーとしてスタッフプラスエンジニアのサポートと昇進と雇用に携わってきた私自身の経験と組み合わせることで、本書は次第に形をなしていった。

本書がテクノロジー分野におけるリーダーシップのあり方を見つめ直し、その新たなビジョンに向かって成長するための助けになることを願っている。

# 目次 Contents

# 第1部

# スタッフとして活躍するために

# 第1章　全体像

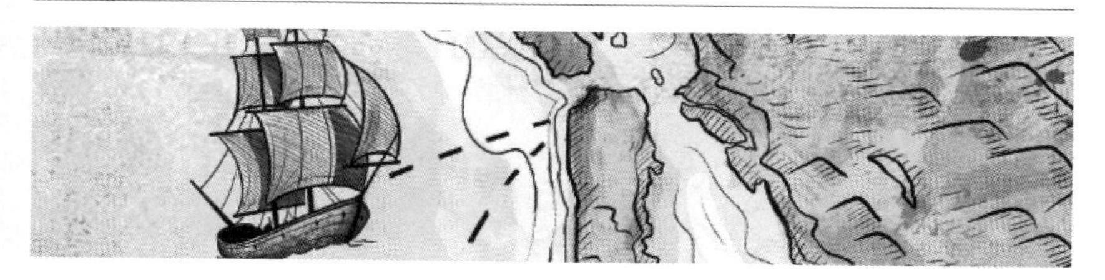

ほとんどのテクノロジー企業で、ソフトウェアエンジニアの役職[1]の1つとして「シニアソフトウェアエンジニア」という階級があり、エンジニアは5年から8年でその役職に就けるように設定されている。基本的に、会社は同レベルを超える昇進を想定しておらず、それ以上出世するのは例外的なケースのみだ。同時に、多くのエンジニアにエンジニアリングマネジメント、つまり管理職の方向へ進む機会が与えられるのもこのレベルである。

カミーユ・フルニエの『エンジニアのためのマネジメントキャリアパス』[2]、ジュリー・ズオの『フェイスブック流 最強の上司』[3]、ララ・ホーガンの『Resilient Management』[4]、そして、私自身の『An Elegant Puzzle』[5]など、過去数年、エンジニアリングマネジメント分野におけるキャリアをテーマにした書籍は数多く出版された。エンジニアリングマネジメントのキャリアは簡単に進めるものではないが、航海をサポートする海図は多く出回っている。

では、エンジニアリングマネジャーにならずに、さらに出世したい場合はどうすればいいのだろうか？　多くの企業は誇らしげに、エンジニアのためにキャリアパスを2本用意していると言う。エンジニアリングマネジメントがその1本で、もう1本はテクニカルリーダーシップへの道だ。テクニカルリーダーシップへの道には「スタッフエンジニア」や「プリンシパルエンジニア」などといった名前のさまざまな中継点がある。そのような2本目の道が用意されているという事実が、業界が進歩したことの証ではあるが、その道へのアクセスとインパクト（実績）を実現するには、まだまだやらなければならないことがたくさんある。

本書では最も頻繁に用いられている役職の順序を標準化することに努め、「シニア（上級）」に始まり、「スタッフ（重要）」、「プリンシパル（主要）」そして「ディスティングイッシュト（際立って優れた）」へとランクが上がると定義した。そしてスタッフ以上の3レベルを指す言葉として「スタッフプラス（中枢）」を用いることにした。すべての会社が、ここに挙げたすべての役職を設定しているわけではなく、組織が大きくなるにつれて１つずつ追加していくのが普通だが、テクニカルリーダーシップに携わるレベルを１つしか設定していない会社では、通常「スタッフ」が役職名として用いられている。別の序列を想定している企業もあるが、それらは少数派である。

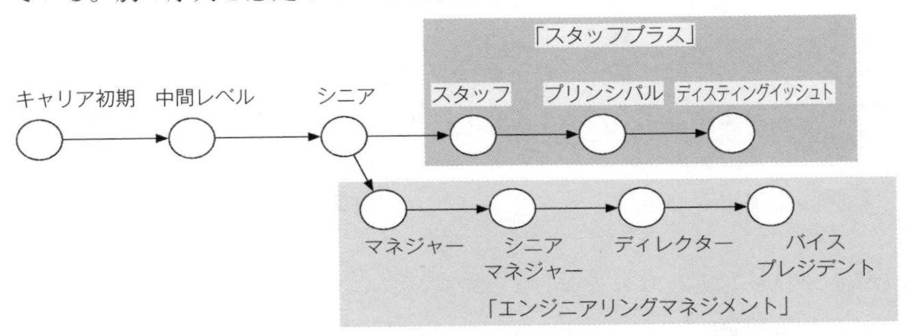


**エンジニアリングのキャリアラダーにおける２本の路線**

テクニカルリーダーシップのキャリアパス（職歴の道筋）には不明瞭な点が多く、スタッフプラスは何をするのか、という一見シンプルな問いにさえ、答えるのが難しい。スタッフエンジニアになりたいと願うシニアエンジニアは、どんなスキルを身につければいいのだろうか？　技術的な能力さえあればいいのだろうか？　実際にスタッフプラスになった人は、何をしたのだろう？　この道を進みたいエンジニアを、マネジャーはどうサポートできる？

スタッフエンジニアの仕事を楽しむことができるだろうか？　それとも、自分に合わない役職に就いたことに何年も苦しむことになるのだろうか？　そうした疑問に答えるのが本書の目的だ。

スタッフプラスの役割に関しては、あまりにもひどい混乱が広がっているため、本書を私の個人的な体験だけをもとに書くわけにはいかない。幸いにも、業界を代表する14人（および日本語版独自）のスタッフプラスエンジニアが昇進までの道のりやスタッフプラスとしての仕事について経験談を寄せてくれた。彼らの知識のおかげで、本書は私一人で書いた場合よりも、ニュアンスも、幅も、視野も豊かになった。

すでにスタッフプラスの役職に就いている人には、本書がマネジメントのキャリアの外側を歩むリーダーの旅をサポートするに違いない。今、スタッフプラスの役職を目指している人には、本書がそこへいたる道筋を示してくれるだろう。

本書は、初めから最後まで通して読むこともできるし、必要な場所だけ拾い読みするのもいい。間違った読み方は存在しない。
本書は次のように構成されている。

- **全体像**　スタッフエンジニアの役割、各企業における扱いの違い、役職の意義
- **スタッフとしての仕事**　その役職における仕事の内容について
- **今いる場所で出世する方法**　現在所属する会社でスタッフプラスの役職に上り詰める方法
- **転職して出世する方法**　スタッフプラスの役職を得るために、いつ、どのようにして会社を変えるのが効果的か
- **ストーリー**　実際のスタッフプラスエンジニアたちが語るそこまでの道のりや仕事内容
- **リソース**　より詳しく知りたい人のためのテンプレートや参考文献

どの会社も、スタッフプラスについて独自の解釈をしているので、本書にはあなた自身の経験と食い違う部分があるかもしれない。そんなときは、納得できる部分だけ取り入れて、それ以外の部分は忘れてしまえばいい！

## スタッフエンジニアの典型

ほとんどの会社では、「キャリアラダー（キャリアアップの道筋）」[6]制度を設けて、社内でスタッフエンジニアに期待される一連の仕事を定義している。そのため、役割に何が求められるのかがはっきりとわかるという利点があるのだが、その一方でキャリアラダーは基本的に個人ではなく集団向けの施策だとも言える。このことはスタッフプラスエンジニアに特に当てはまる。スタッフプラスエンジニアのキャリアラダーでは、１つの役職名の下にさまざまな役割が隠されていることが多いからだ。
各企業におけるスタッフプラスエンジニアの役割について多くの人と話せば話すほど、彼らの体験が４つのパターンに分類できることが明らかになってきた。ほとんどの企業は、それらのうち１つもしくは２つのパターンに該当する。また、別の１パターンは数百人から数千人のエンジニアを抱える会社にのみ見られた。少数ではあるが、テクニカルリーダーシップのパターンを有せず、熟練したエンジニアのすべてをエンジニアリングマネジメントへ

と昇進させる企業もあった。文献では、頻繁に見られるキャラクターはアーキタイプ（典型）と呼ばれ、「ヒーロー」や「トリックスター」などがよく知られている。アーキタイプは典型的なスタッフプラスエンジニアを分類するのにも好都合だ。

スタッフプラスエンジニアにおける一般的なアーキタイプとして次の４つを挙げることができる。

- **テックリード**が与えられたチームをアプローチや実行へと導く。通常は特定のマネジャーと密接に連携するが、ときには２人もしくは３人のマネジャーと協働するすることもある。「テックリードマネジャー」という役職を設けている会社もある。テックリードマネジャーはテックリードの典型に似ているが、テクニカルリーダーシップではなくエンジニアリングマネジメントの役職であり、マネジメントの責任を負う者が就く。
- **アーキテクト**は重要分野において方向性や質、あるいはアプローチに責任を負う。技術的な制約やユーザーのニーズ、あるいは組織レベルのリーダーシップに関する深い知識を組み合わせる任を負う。
- **ソルバー**（解決者）は任意の複雑な問題を深く掘り下げ、前進する道を切り開く。長期にわたって１つの領域にのみ携わる者もいる一方で、組織のリーダーシップの導きに応じて、ホットスポットからホットスポットへと跳び回るソルバーもいる。
- **右腕**（みぎうで）（ライトハンド）は補佐役として会社幹部の関心を代表し、幹部の能力と権限を借りて複雑な組織の運営にあたる。大規模組織において経営陣のリーダーシップを広げる仕組みだと言える。

これらの分類名称は「便利」なために用いるのであって、必ずしもすべてのスタッフプラスエンジニアがこの４つのどれかに該当するわけではない。しかし、私がこれまで出会ってきたスタッフプラスエンジニアは全員この４種類のどれかに分類することができた。もちろん、人によっては分類が簡単な場合もあれば、難しい場合もあった。

### テックリード

#### アーキタイプ「テックリード」のストーリー　＝　ダイアナ・ポジャル、ダン・ナ、リトゥ・ヴィンセント

「テックリード」はスタッフエンジニアとして最も一般的なアーキタイプであり、タスク（課題）の着手と遂行において1つのチームまたは複数のチームを率いる。複雑なタスクを見通し、チームをその解決に導き、その際の障壁を取り除く能力をもつ。多くの場合、チームを成功に導くためにテックリードがチームの置かれた状況を把握し、チーム間の、あるいは部門間の関係の維持に努める。チームのプロダクトマネジャーと密接に連絡を取り合い、ロードマップに変更が生じたときに最初に伝えられるのがテックリードだ。

キャリアの初期に、チームにとって最も複雑な技術プロジェクトをやり遂げた者がテックリードになるが、テックリードになってからは、そのようなプロジェクトはチームに任せるのが普通である。なぜなら、そうすることがチームの成長につながるとともに、テックリード本人がコーディングするブロックが減れば減るほど、チームのインパクトが大きくなることを知っているからだ。コーディングすることが減っても、テックリードはチームの技術的なビジョンを決める中心人物であり、複雑な問題に取り組むチームをまとめる役割を担う。

多くの人にとって、スタッフエンジニアとして積む最初の経験がテックリードとしての役割だ。それにはいくつかの理由がある。アジャイル開発法を用いる組織ではチームを重視することが多く、そのような会社はテックリードを早期に育成する傾向が強いことが1つ目の理由だ。そして、ほとんどの会社が、ある時点でアジャイル開発を試みるのである。もう1つの理由は、テックリードとしての日々の仕事はかつてのシニアエンジニアとしての活動内容と大部分で一致していることにある。そのため、移行が容易なのだ。そしてもう1点、最も重要な理由として、どの企業もだいたい8人のエンジニアにつき、1人のテックリードを必要としている事実を挙げることができる。要するに、ほかのどのアーキタイプよりも、テックリードの数がはるかに多い。

少し紛らわしいが、テックリードを役職名として用いている会社もあれば、ただの役割とみなしている会社もある。本書のアーキタイプのリストでは、テックリードをスタッフエンジニアとして活動する1つのアプローチとみなしているが、スタッフレベルのエンジニアに期待されるインパクトをまった

テックリードの1週間

| | 月曜日 | 火曜日 | 水曜日 | 木曜日 | 金曜日 |
|---|---|---|---|---|---|
| | オンコール待機 | オンコール待機 | オンコール待機 | オンコール待機 | オンコール待機 |
| 8時 | | アーキテクチャレビューの準備 | | | |
| | | | | | |
| 9時 | | | | | |
| | スタンドアップミーティング | | スタンドアップミーティング | スプリントプランニング | スタンドアップミーティング |
| 10時 | 1：1 | | 面接 | | |
| | 1：1 | | | | |
| 11時 | 1：1 | | | 1：1 | インシデントの回顧 |
| | 1：1 | | | 1：1 | |
| 12時 | ランチ | ランチ | ランチ | ランチ | ランチ |
| 13時 | フォーカスブロック／コーディング | | アーキテクチャレビュー | フォーカスブロック／コーディング | 面接 |
| 14時 | | 面接 | | | |
| 15時 | | | | | スプリントデモ |
| 16時 | | | | | |
| 17時 | | | | | |
| | 子供の世話 | 子供の世話 | 子供の世話 | 子供の世話 | 子供の世話 |

アーキタイプ「テックリード」のスケジュールの例

く残さずに、テックリードとしての仕事をこなしている人も多い。実際のところ、4つのアーキタイプすべてにおいて、スタッフエンジニアではないのに、各アーキタイプとして活動している人に出くわすことがある。スタッフエンジニアとはただの役割ではない。個人の役割と行動とインパクトの、そしてそれらすべてに対する組織の認識の総体なのである。

## アーキテクト

### アーキタイプ「アーキテクト」のストーリー ＝ ジョイ・エバーツ、ケイティ・サイラー＝ミラー、キーヴィー・マクミン

多くの企業で「アーキテクト」という役職名は廃止されたが、スタッフプラスレベルで活躍する人々にとっては、アーキテクトの役割は今も存在している。アーキテクトは企業内の特定の技術分野、たとえばAPIデザイン、フロントエンドスタック、ストレージ戦略、クラウドインフラストラクチャなどを成功に導く任を負う。複雑で、かつ会社の成功にとって中心的な分野に、アーキテクトの存在が求められる。

「アーキテクトは単独でシステムをデザインし、その実装を他人に押しつける人物」という誤った先入観がはびこっている。実際にそのようなケースもあるにはあるのだが、ここでそのような先入観を繰り返すことは、私が取材したアーキテクトたちに対する侮辱だろう。影響力のあるアーキテクトは、ビジネスのニーズ、ユーザーの目的、それらに関連する技術的制約などを深く理解することに多くのエネルギーを費やす。そうやって得た洞察を用いて重要分野における効果的なアプローチ法を特定し、チームに伝え、そのような賢明な判断を積み重ねて培ってきた権力を用いて、アイデアを実行に移すのである。

比較的大きな会社、極めて複雑なあるいは結合型のコードベースをもつ企業、プロダクトマーケットフィット（製品の市場適合性）に対する初期のスプリントで生じた技術的負債の返済に苦心する会社において、アーキテクトの役割が大きくなる傾向がある。アーキテクトにコードベースに深く携わらせる会社もあれば、アーキテクトはコードを書く必要がないと明言する会社もある。どちらのモデルも一部の企業でうまく活用されている。

アーキテクトの1週間

| | 月曜日 | 火曜日 | 水曜日 | 木曜日 | 金曜日 |
|---|---|---|---|---|---|
| | | | | | |
| 8時 | | アーキテクチャレビューの準備 | | | 買収の可能性に関する技術的議論 |
| | | | | | |
| 9時 | 組織ステータスミーティング | | | チームミーティング | |
| | | | | | |
| 10時 | 1：1 | | 面接 | | |
| | 1：1 | | | 1：1 | |
| 11時 | 1：1 | | | 1：1 | インシデントの回顧 |
| | 1：1 | | | 1：1 | |
| 12時 | ランチ | ランチ | ランチ | ランチ | ランチ |
| 13時 | 今週のアーキテクチャレビューにおける提案のレビューとフィードバック | | アーキテクチャレビュー | パイロットチームとともに新規ストレージバックエンドの統合計画の立案 | 面接 |
| | | | | | |
| 14時 | | 面接 | | | 面接 |
| | | | | | |
| 15時 | | 次のエンタープライズローンチのスケーラビリティに関する緊急シンク | アーキテクチャレビューで得たポイントの共有 | | |
| | | | | | |
| 16時 | | | | | |
| | | | | | |
| 17時 | 子供の世話 | | 子供の世話 | 子供の世話 | 子供の世話 |

アーキタイプ「アーキテクト」のスケジュールの例

## ソルバー

### アーキタイプ「ソルバー」のストーリー　＝　バート・ファン、ネルソン・エルヘージ

会社が信頼を置くエージェントとして困難な問題に深くかかわり、その解決に責任を負うのが「ソルバー」だ。ソルバーの任を受けた者は、会社幹部が重要と認め、かつ明確な解決策が欠けているか、もしくは実行する際のリスクが極めて高いと考えられる問題に取り組む。

ほかのスタッフレベルの役割では組織とのすり合わせに多くの労力を割かなければならないのに対し、ソルバーは組織が優先事項と認めた問題にかかわるため、上層部の説得などを行う必要は少ない。その一方で、取り組んでいた問題が解消されると基本的にすることがなくなるので、ある種のはかなさを覚えるし、また「解決済み」の問題を担当しつづけることになるチームの機嫌を損なわないように、手綱さばきの繊細さも必要とされる。

ソルバーは企画や担当の最小単位はチームではなく個人であるとみなす企業でよく見られる[7]。そのような会社では、テックリードよりもソルバーのほうが多く見られるのが普通だ。伝統的な手法で管理されているスプリント中心の会社では、ソルバーはあまり多くない。例外は、会社が比較的大きく成長した場合や、長年の活動を通じて独自の技術的負債を抱え込んだ場合である。

ソルバーの 1 週間

| | 月曜日 | 火曜日 | 水曜日 | 木曜日 | 金曜日 |
|---|---|---|---|---|---|
| 8 時 | | エンタープライズローンチのスケーラビリティ問題の熟考 | スケーラビリティ作業 | | スケーラビリティ作業 |
| 9 時 | | | | チームミーティング | |
| 10 時 | | | 面接 | 1：1 | |
| 11 時 | 1：1<br>1：1 | | | 1：1 | インシデントの回顧 |
| 12 時 | | | ランチ | ランチ | ランチ |
| 13 時 | スケーラビリティに関する「クイックチャット」 | | スケーラビリティ作業 | スケーラビリティ作業 | 面接 |
| 14 時 | エンタープライズローンチのスケーラビリティ問題の熟考 | 面接 | | | 面接 |
| 15 時 | | 次のエンタープライズローンチのスケーラビリティに関する緊急シンク | | | スケーラビリティ作業 |
| 16 時 | | | | | |
| 17 時 | | | 子供の世話 | 子供の世話 | 子供の世話 |

アーキタイプ「ソルバー」のスケジュールの例

### 右腕

**アーキタイプ「右腕」のストーリー　＝　ミシェル・ブー、リック・ブーン**

数百人規模でエンジニアを抱える会社に現れる「右腕」は、4つのアーキタイプのなかで最も数が少ない。「上級の組織リーダーではあるが直接的には経営責任を負わない人物」と定義できるだろう。リック・ブーンは「右腕」としての自身の役割を、上級リーダーから預けられた権限を用いて活動するという点で、ドラマ『ゲーム・オブ・スローンズ』の「王の手」[8]、あるいは『ザ・ホワイトハウス』の「レオ・マクギャリー」[9]に似ていると話す。しかしながら、権威を借りるということは、リーダーのやり方や信念、あるいは価値観に自分を合わせなければならないということでもある[10]。

右腕となった人々はリーダーの会議に同席し、彼らの抱える大きな問題を取り除くことによって、リーダーの影響力をさらに拡大することに努める。このレベルで懸案となる問題には、ビジネス、技術、人、文化、プロセスなどといった複数の要素が必ず関係していて、純粋に技術的なものはありえない。通常、右腕は火事場に飛び込み、アプローチを修正し、最も適したチームに実行権を委ね、そして社内で次の火の手が上がった場所へと直行する。この役割を演じる喜びは、自分が取り組む問題は本当に重要なものばかりだという点にある。その一方で、つねに次の問題へ、次の問題へと渡り歩くことになるので、ある問題が解決される瞬間には立ち会えない。この点は悲しい側面だと言えるだろう。

### あなたにぴったりな役割は？

どのアーキタイプが自分に合っているかを見極めるために、どんな仕事をすると充実感を覚えるか思い出してみよう。そのうえで、自分の会社にどの役割が存在しているか考えてみる。

どの会社もテックリードの務めを果たす能力のあるエンジニアを必要としている。そのため、スタッフエンジニアになって初の役割としては、テックリードが最もとっつきやすいだろう。チームではなく個人の責任を重視する会社はソルバーの育成を急ぐことが多い。逆に、厳格なスプリントまたはアジャイルメソッドを採用する会社ではソルバーの育成は後回しにされるか、まったく育成しない。最近の急成長テクノロジー企業では、エンジニアが100人を超えるとアーキテクトが、1000人を超えると右腕が求められる。エンジニアがそれ以下の場合は、単純に必要とされない。文化的DNAがまっ

**右腕の 1 週間**

| | 月曜日 | 火曜日 | 水曜日 | 木曜日 | 金曜日 |
|---|---|---|---|---|---|
| | | | | | 買収の可能性に関する技術的議論 |
| 8時 | ステータスミーティングの準備 | エンタープライズローンチのスケーラビリティ問題の熟考 | オンボーディングワーキンググループ | | |
| | | | | | |
| 9時 | 組織ステータスミーティング | | | チームミーティング | |
| | | | | | |
| 10時 | 1：1 | | 面接 | | |
| | 1：1 | | | 1：1 | |
| 11時 | 1：1 | | | 1：1 | インシデントの回顧 |
| | 1：1 | | | 1：1 | |
| 12時 | ランチ | | | | |
| 13時 | スケーラビリティに関する「クイックチャット」 | | アーキテクチャレビュー | 四半期計画オフサイト | 面接 |
| | | | | | |
| 14時 | | 面接 | | | 面接 |
| | | | | | |
| 15時 | | 次のエンタープライズローンチのスケーラビリティに関する緊急シンク | エンジニアリング予算レビュー | | |
| | | | | | スケーラビリティステータス |
| 16時 | | | | | |
| | | | | | スケーラビリティステータスのアップデートの送信 |
| 17時 | スケーラビリティステータス | | スケーラビリティステータス | | |
| | | | 子供の世話 | | |

アーキタイプ「右腕」のスケジュールの例

たく異なる会社では、アーキテクトや右腕がもっと早い時期に育成されることも、まったく必要とされないこともある。

これらの役割で成功するには、努力を続ける必要がある。だからこそ、自分にとって充実感につながる仕事の種類を知っておくことが大切だ。テックリードとアーキテクトは長年にわたって特定の人々と特定の問題に取り組むことが多いため、チームとの一体感や共通の目的意識が芽生えやすい。チームとして会社の最優先課題に取り組むこともあれば、幹部がチームの存在を忘れるほど物事があまりに順調に進むこともあるだろう。

ソルバーと右腕は火事場から火事場へと渡り歩くので、週によってともに仕事をする相手が変わる。どちらの役割も経営陣の優先事項に密接に携わり、彼らにとって喫緊の問題を解決することで評価を得る。その一方で、ソルバーと右腕は、形式上はほかの人々とチームを組んでいるのではあるが、基本的にチームの重点分野にはほとんどあるいはまったく関与しないので、仲間意識は乏しい。

どのアーキタイプにも、その役割をとてもやりがいのある仕事とみなして愛している者もいれば、絶望を感じている者もいる。自分の個性に適したアーキタイプを目指すのも大切なことではあるが、あなたのキャリアはまだ30年あるいは40年以上続くことも忘れないでおこう[11]。

## スタッフエンジニアの実際の仕事は？

> スタッフプラスエンジニアの役割の内容はチームのニーズや個々のエンジニアの強みなどによって大きく変わります。私個人の経験から、スタッフプラスエンジニアの責任は時間とともに移り変わると言えるでしょう。それでも、通常スタッフプラスエンジニアの重点は、技術的デザインを発展させてチームのレベルアップを図りながら、会社にとって戦略的価値の高いプロジェクトや取り組みに従事することに置かれます。
>
> — ダイアナ・ポジャル

パーティーなどで親戚に取り囲まれて、“実際のところ”エンジニアというのは何をする仕事なのか、と問い詰められた経験がある人はわかると思うが、この仕事を説明するのは難しい。そんな経験を繰り返すうちに親戚に対しては説得の力のある答えを思いついたとしても、仕事仲間から「スタッフエンジニアは何をする仕事だ？」と尋ねられると、多くの人は頭が真っ白になる。

最も単純な答えとして、スタッフエンジニアはシニアエンジニアとしてうまくこなしてきた仕事の大部分を継続する、と言えるだろう。つまり、関係を構築し、ソフトウェアを書き、各プロジェクトを調整するのである。しかし、この答えは誤解を引き起こす。確かに、スタッフエンジニアはそのようなタスクをこなす。しかしシニアエンジニア時代、それらは仕事の中心だったが、スタッフエンジニアとなった今では副次的なタスクに過ぎない。スタッフエンジニアの日々のスケジュールはアーキタイプごとに少し異なる部分もあるが、基本的には共通している。技術的な方向性を設定および修正し、スポンサー（支援者）あるいはメンター（助言者）として行動し、組織の意思決定をサポートするためにエンジニアリングの状況を伝え、探求し、そしてターニャ・ライリー[12]が「接着剤」[13]と呼ぶ役目をこなすのである。

### 技術的な方向性の設定

> 私は特定分野のために技術的なビジョンの設定を促し、人々をそのビジョンのほうへ動かすとき、自分の仕事のインパクトを最も実感できます。私は、私たち誰もがコードを今よりもよりよく設計したい、あるいは何らかの形で改善したいと望んでいると考えています。ですが、人々の多くはただ漠然と何か今よりもいいものを望んでいて、自分たちが何を求めているのか明確な意識はないようです。私はみんなに正確な目的地（そこに実際に到着できなくてもいいのです）の共通理解を促し、そこにたどり着くためのゲームプランを考える助けをするのが好きなのです。
>
> — ジョイ・エバーツ

子供に人気の物語でロラックスおじさん[14]が木を代弁するのと同じで、スタッフエンジニアは自らが所属する会社のテクノロジーを代弁する。テクノロジーは自分で話すことができないので、代わりに語ってくれる雄弁な誰かが必要なのだ。技術の進歩に貢献する人々は現実的で、慎重で、個々の決断を死活問題とみなすことはなく、むしろ長期的な発展傾向に関心を向ける。スタッフエンジニアは、テクノロジーに特化したパートタイムのプロダクトマネジャーだと考えるとわかりやすいかもしれない。

APIデザインなど、特定の分野を率いる目的で採用されたスタッフプラスエンジニアもいれば、幅広い分野にわたってエディティングあるいはアプローチ調整などを行うスタッフプラスエンジニアもいる。あらゆるケースで共通しているのは、技術的な方向性の設定では、自分が個人的に関心のあるテクノロジーとアプローチを優先することよりも、自分が所属する組織の現実的なニーズを理解して満たすことのほうがはるかに重要となる、という点だ。スタッフエンジニアになる前は、自分がやる気を感じるテクノロジーが採用されるように意思決定に影響を与えようとすることもできたかもしれないが、上級のポジションにいる者は何よりもビジネスと組織に責任を負うのであり、自分のことは二の次だ。

### メンターおよびスポンサーとしての役割

> 今の役職で私は、自分がスポンサーとして後援した誰かがプロダクトを出荷したら、あるいは重要なトピックに携わるエンジニアリングチームのモデルを形づくったり改善したりするサポートができれば、充実感が得られます。毎日必死に仕事をしてテクノロジーの構築とサポートを行っているのは私ではなく、チームなのです。チームの前進、そして何よりもその前進の方向性が、さらに言えば、会社の目的とチームの進む方向が一致していることが、私の成功の尺度なのです。
>
> ― ミシェル・ブー

リーダーは例外的に生産性の高い人物であり、その決断を通じて会社の未来を変える英雄であるという見方が広がっているが、そのような逸話のほとんどは、PRチームが意図的に創作したフィクションだ。個人的な英雄行為よりも、エンジニアの育成のほうがよほど会社の長期的なコースを変える可能性が高い。まわりのエンジニアを育む最善の方法は、メンターあるいはスポンサーとして、彼らを積極的に支援することである。

出世の要件として「メンターシップ」が挙げられているのを見て、深く考えずにその項目にチェックマークを入れるだけの人も多いが、それは残念なことだ。と言うのも、メンターシップこそ、スタッフプラスにとって最も価値ある活動の1つだからだ。自らの経験を分け与え、助言を授け、そして良好な関係を築きながら相手の状況を理解することは、とても大切な仕事なのである。適度な量のメンター活動とそれよりもはるかに多いスポンサー活動を組み合わせることで、スタッフエンジニアは効果を最大に高められる。スポンサーとして、自ら直接メンバーに力を貸して前進を促すのである。ララ・ホーガンが「What does sponsorship look like?」[15]という投稿記事のなかでスポンサーシップとメンターシップの重要な違いを説明しているので、まだ読んでいない人は参考にしよう。

## エンジニアリングの展望を伝える

> 私は個々のプロジェクトやチームよりも上のレベルで行われる高度なエンジニアリング会議に参加しています。技術的なチームにも技術以外のチームにもまたがる種々の問題について議論するスタッフエンジニアリングミーティングを定期的に開いているのです。　―　ダン・ナ

効率の高い組織は、日ごろの意思決定をスムーズに行う。その好例として、潜在的な企業顧客に対する契約のレビュープロセスを挙げることができる。初期のころは、プロダクトチームやエンジニアリングチームにとって不都合な契約が結ばれることがあるかもしれない。しかしそうしたことが数回繰り返されるうちに、レビュープロセスに関与する利害関係者が増え、最終的には正しい時間の正しい場所に正しい人々が集まるようになる。

日ごろの意思決定が得意な会社でさえ、想定外の決断が下されてつまずくことがある。一刻を争う重要な決断の場合、意思決定を行うのに適切な人々を集めることさえままならない。あるいは、結果を変えるかもしれない貴重なインプットのなされないまま組織の再編[16]が行われることも多い。同様に、採用頻度の低い職務（たとえば初期企業における経営幹部やスタッフプラスエンジニアなど、1年に1人だけ採用されるような職務）に対する面接では、重要な側面に関する候補者の資質を評価しないことも多い。ロードマップの計画能力のような大切な資質でさえ、評価対象外にしている企業もあるぐらいだ。

スタッフプラスエンジニアは、そうした意思決定が行われる場に予期せず参加させられることが多い。つまり、意思決定の場にエンジニアリングの状況と展望を伝えることが許され、場合によっては結果を変えることさえでき

るのである。そうした小さなインプットの瞬間は、重要な決断において極めて貴重であり、その瞬間がなければ見逃されていたであろうエンジニアリングの視点をもたらすことができる数少ない機会である。だからこそ、自分自身だけではなく、エンジニアリング全体の利害を代表しているのだという点をつねに意識するよう心がけよう。

### 探索

> インキュベーターにおける今の役職では、一日ずっとプロトタイピングに携わっていますが、以前テックリードだったころはさまざまな仕事をしました。
> ― リトゥ・ヴィンセント

単純な最適化アルゴリズムとして「ヒルクライミング（山登り法）」[17]が知られている。今、山の中腹にいて頂上を目指していると想像してみよう。あたりをぐるりと見回して、近くでいちばん高い場所を見つけ、そこへ向かって歩き出す。目的地に着いたらもう一度見回して、そこから見えるいちばん高い地点へと向かう。それを繰り返せば、どの山であろうと最後には頂上にたどり着けるだろう。では、同じことを霧の深い日にしたらどうだろう。遠くまで見渡せないので近くの高みには登れたとしても、霧が晴れてから視界の外にはもっと高い場所があったことに気づくかもしれない。

ヒルクライミングですべての問題を解消することはできない。しかし、非常に効率が高いため、多くの企業がほかのアプローチに切り替えられずにいる。たとえば、企業取引のサポートに苦心する消費者向け企業や、小規模ライバル社のリリースサイクルに懸命に追いつこうとする成熟企業などだ。あるいは、今の事業の価値があまりにも高いため、その事業の成長率が下がりつつある場面でもほかの新しい事業を優先するのが難しい[18]ケースも考えられるだろう。

長期的見て、企業は探索する方法を学ばなければならない。これは無視できる問題ではない。探索ができなければ消えていくだけだ。あるチームにヒルクライミングを習得させ探索仕事[19]を一任するだけでは心許ない。そこで多くの企業は別のアプローチを採用している。幅広いスキルを有する信頼できる個人を数人選び、リソースを割り当て、数カ月後に彼らが発見したものを確認するのである。そして、その数人にはスタッフエンジニアが含まれることが多い。

探索は必ずしもビジネスに関連するものだとは限らない。会社の仕組みでは対処できないような曖昧かつ重要な問題の場合もある。たとえば、インフラストラクチャにかかる費用を１桁減らすことかもしれない。３年ではなく、６カ月でマルチリージョン戦略を構想しなければならないのかもしれない。プライマリデータベースのディスクスペースがあと３カ月で尽きることが突然明らかになったものの、サイズを増やすアップグレードが単純に不可能であるケースも考えられる（これなどは、急成長を遂げるスタートアップで想像以上に頻繁に起こっている）。

探索は会社が実行するなかでも、最もやりがいがあり、同時に最もリスクの高い仕事に数えられる。探索の任を受けるには、会社から厚く信頼されていなければならないし、会社は会社で、探索が失敗した場合には、その原因は問題の複雑さであって、担当者の能力不足ではないと認めるほどの度量を持ち合わせていなければならない。

### 接着剤になる

ターニャ・ライリーが「Being Glue」というタイトルですばらしい投稿をした。スタッフエンジニアの成功に欠かせない要素は、「絶対に必要ながら、目には見えないタスクをこなしてチームを前進させ、その成果を出荷する」ことだと明らかにしているのだ。華々しさのない仕事だが、成功している組織の多くは舞台裏でインパクトに富む仕事を探索し、それを実行するスタッフエンジニアの１人や数人を抱えている。

### それでもソフトウェアを書くの？

スタッフエンジニアの役割について話しておきながら、スタッフエンジニアが１カ所に集まったときに互いに投げかける問いについて説明しないのは、彼らに対して失礼だろう。その問いとは、「みんな、今でもまだソフトウェアを書く時間がある？」だ。では、その答えは？　もちろん、「時と場合による！」だ。

ラス・カサ・ウィリアムズはこう言う。「私の場合、もちろんチームのエンジニアほどではありませんが、今も頻繁にコードを書いています。開発現場のチームの経験を吸収して自分なりの技術戦略を立てるために（そしてそのほかの小さな決断のためにも）“手をキーボードにのせて”仕事を続けることが重要なのです」

ケイティ・サイラー＝ミラーはこう言う。「私はフロントエンドアーキテクトですが、最近はデータを分析することがとても多いため、もっぱらSQLを書いています。パフォーマンス指標を用いて改善すべき領域を見つけ、どの問題を解消すれば、パフォーマンスと事業の数値を上げるのに最も効果的であるかを見極めるのです。たまにJSやPHPを書くことがあるとしても、それはあくまでチームの障害物を取り除くためや、ちょっとしたパフォーマンス実験をするためだけです」

ジョイ・エバーツはこう言う。「職務が上級になればなるほど、コードと疎遠になっていきます。もちろん、人事部長などとは違って、スタッフエンジニアになっても技術的な問題に深く携わりますし、代理人を通してでも、少しばかりのコーディングをすることはあるでしょう。でも、地位が上がれば上がるほど、まわりの人々の指導や育成（その数もどんどん増えていきます）、会社のパブリックテクノロジーブランドの構築を通じたチームの構築、改善や修正が可能なより大きなテクニカルトレンドの把握、チームにおける技術的なビジョンの確立、あるいは技術的な負債を抱えるプロジェクトに対するリソース割り当ての提唱などがおもな仕事になっていきます」

大半はある程度ソフトウェアを書きつづけるし、まったく書かなくなる者もいるが、キャリアの初期ほどたくさん書きつづけるスタッフエンジニアは存在しない。1週間ぶっ続けでコードを書くことがあるかもしれないが、それが標準になることはないし、もしそんなことが何度も繰り返すようなら、それは重要な仕事をないがしろにしてやりたいことをやっているだけのサインだと言える。だが、自分で書く機会が減った場合も、同僚が書く大量のコードを読むことになるし、コードレビューを頻繁に行う必要もある。

### 時間はかかるがやりがいはある

スタッフプラスの仕事全般に共通するテーマとして、時間枠の拡大を挙げることができる。ソフトウェア開発のキャリアの初期では「記述・検証・出荷の繰り返し」という迅速なフィードバックサイクルになじんでいたとしても、スタッフプラスのレベルではほとんどの場合でフィードバックループが数週間から数カ月、場合によっては数年へと拡大する。初めてスタッフプラスの役職に就いたとき、そのように長い時間枠を前にして、心がくじけそうになるかもしれない。スタッフプラスエンジニアにとって、「今日は何も成し遂げることができなかった」という思いはごく当たり前のことだ。諦めてはいけない！

インパクトという意味でも、個人の成長という点でも、そのような長い時間枠が適用されることになる。私の話した人々は例外なく、ときにはもっとコードを書く時間が欲しいと言い、一日の終わりに今日はほとんど何も達成できなかったと不安になる日があると認めているが、その一方で、誰一人として今の役職に就いたことを後悔していない。

## 肩書きは重要？

シニアエンジニアというキャリアレベル[20]に快適さを感じて安心しているのなら、スタッフエンジニアの肩書きを目指すべきかどうか悩むことがあるかもしれない。昇進するには多くの時間とエネルギーが必要だし、運も味方しなければならない。スタッフエンジニアという肩書きにそこまでの価値があるのだろうか？

答えはもちろん、「あるかもしれないし、ないかもしれない」だ！　スタッフプラスエンジニアの役職に共通する利点として次の３つを挙げることができる。

1. 年功序列という非公式な制度から逃れられる。
2. 「部屋」へのアクセスが容易になる。
3. 現在および将来の報酬が増える。

もう１つの利点として、取り組むプロジェクトを選ぶ権利が増えることを挙げる人もいるが、その一方で、権利が増えることにより事業に対する説明責任も増えるので必ずしも利点ではないと考える人もいる。

### 年功序列という非公式制度

スタッフレベルになってから新しい仕事に携わることが許されるようになったか、という問いかけに対して、ネルソン・エルヘージは次のように答えた。

> 「許される」というのは質問としておもしろいと思うのですが、適切で

はないかもしれません。なぜなら、誰がどの役割を担うことになるかを取り決める公式のポリシーと呼べるものがほとんど存在しないからです。物事のほとんどは、年功序列という非公式な尺度に影響されています。

テクノロジー企業の多くは実力主義を前面に押し出し、才能ある従業員が当然のこととしてトップにのし上がれる態勢が整っていると主張する。ところが個人の功績を測る一般的な方法がまだ存在していないため、そうした会社はネルソンが適切にも「年功序列という非公式な尺度」と呼んだ手段に頼ってしまいがちだ。この尺度は客観的な評価を可能にすると考えられているが、実際には非公式であるがゆえに偏見に左右されやすく、また自信と能力の区別が曖昧になりやすい。

スタッフの肩書きの利点として、自分の能力を繰り返し証明するサイクルからの解放を挙げる人がとても多い。私の話したスタッフプラスエンジニアの全員が非公式尺度について指摘したわけではないが、会社が想定する熟練テクノロジストの典型には該当しない人々は一様にその存在を言及した。

キーヴィー・マクミンはこう語る。

肩書きがあれば、信用を得るために多くのエネルギーを費やす必要がなくなりますし、ほかの人にも、私の立場が受け入れやすくなります。始めから尊重されることが、はっきりとわかります。

スタッフプラスの肩書きがあれば、それまでは自分の力を証明するために費やしていたエネルギーを、評価の対象になる主要な仕事に振り分けることができるようになる。もしあなたが、自分自身を証明するためにそれほど多くのエネルギーを費やしていないのなら、それはそれですばらしいことだ！

おそらくあなたは今の会社に長く在籍していて、過去に何度も実力を証明したから、今はそこに労力を費やす必要がなくなったのだろう。しかし、もしあなたが自分の才能を繰り返し証明することに多くの時間を費やしているのなら、肩書きを得れば多くの時間を取り戻して、別の目的に使えるようになるだろう。

### 部屋へのアクセス

スタッフエンジニアの利点として、「部屋へのアクセス」も頻繁に指摘される。その真意を、ダン・ナは次のように説明する。

> 私は個々のプロジェクトやチームよりも上のレベルで行われる高度なエンジニアリング会議に参加しています。技術的なチームにも技術以外のチームにもまたがる種々の問題について議論するスタッフエンジニアリングミーティングを定期的に開いているのです。たとえばの話ですが、そのようなミーティングで私はエンジニアリング部門のオンボーディングプロセスにおける欠点と思われる問題などを、反発を恐れずに指摘することができます。

重要な決断では、中心的な意思決定が行われるまで時間がかかり、ほかの点は後回しにされるのが普通だ。役職の低いうちは、あなたのフィードバックは——たとえそれが極めて貴重であっても——上層部になかなか届かず、開発や実装がそのまま進んで手遅れになるかもしれないが、上級職になればなるほど、あなたが適切な場所にいる可能性が高くなり、軌道修正がまだ比較的安価なうちに意見をすることができるようになる。

#### 報酬

小規模な企業では臨機応変な報酬制度が敷かれていて、上司との交渉次第で昇給が決まることが多い。そのような会社では、スタッフプラスの役職に昇進しても報酬が増えないという事態も考えられる。しかし、ほとんどの企業は従業員数が100人や200人を超えた時点で、各役職に報酬幅を設定する。そのため、役職のレベルが上がれば、報酬も増えることが保証されている。

どの会社でも、最高幹部と上級管理職が最も多くの報酬を得る。成長するにつれて、どの会社も管理職とエンジニアリング職のあいだに報酬マッピングを策定するので、スタッフプラスの役職に就けば（場合によってはスタッフプラスレベルで最初の役職に就いたときではなく、シニアエンジニアに、あるいはディスティングイッシュトエンジニアになった時点で）報酬は大幅に増えるだろう。

シニアエンジニアとスタッフプラスエンジニアのあいだの報酬差は、会社によって小さい場合も大きい場合もある[21]。キャリアを通じて、そのような報酬差の大きい会社を目指して進めば、スタッフプラスの肩書きを得ることで生涯収入を大幅に増やすことができるだろう。

### おもしろい仕事へのアクセス

多くの人は、昇級すれば目立つ仕事やわくわくする仕事に携わる機会が増えると考えて、スタッフプラスの役職に就く。その考えはある程度は正しいのだが、実際におもしろい仕事にかかわるチャンスが増えるかどうかは、社内でどのアーキタイプのスタッフが求められているかによって決まる。ソルバーは興味深い仕事にかかわることが多い。逆に、テックリードがおもしろい仕事にばかり携わろうとすると、そのチームは弱体化するだろう。

私が取材した人々の話から、興味深い仕事に一貫して関与する最も効果的な方法は、そのような仕事をするという条件で雇われることだと言える。Dropbox のプロダクト・インキュベーターを立ち上げるために雇われたリトゥ・ヴィンセントや、API 戦略をデザインするために Fastly に採用されたキーヴィー・マクミンなどだ。

ただし、それが必ずうまくいくとは限らない。おもしろい仕事がはっきりと目に見えているのに、手に届かないこともあるだろうし、個人の関心を忘れて特定のプロジェクトを追求する義務が課せられることもあるだろう。以前の職務では、個人的な関心事をバックログに忍ばせることもできたかもしれないが、スタッフプラスになった今はメンバーにとって優れた見本になることも大切な責任の１つだ。また、会社にとって最高のプロジェクトが手の届くところにあっても、それを引き受けることであなたよりも多くの恩恵を受けられる人がいる場合には、その人に機会を譲り渡すケースも頻繁に生じるだろう。

### 「より良い」よりも「異なる」仕事を

肩書きは重要ではあるが、必ずしも目指さなければならないというわけではない。スタッフプラスの役職が享受する特典や特権に憧れるのはいいが、それらの背後にはまったく性質の異なるさまざまな仕事が潜んでいることを忘れてはならない。ミシェル・ブーはスタッフの肩書きを欲する人々にこうアドバイスする。

> 自分のやる気をくすぐる仕事よりもスタッフという肩書きを得ることを望んでいる人は、気がついたときには、自分がやりたくない役回りに四苦八苦しているということがよくあります。スタッフプラスエンジニアに、特に守備範囲の広いスタッフプラスエンジニアになれば、シニア

エンジニアのころとはまったく異なる仕事をすることになります。だから一歩下がって、それが本当に自分の求める仕事なのかを考えてみるのが重要なのです。

上級の肩書きには実際にさまざまな利点が伴う。そして、その利点のおかげで、それまでは生存のためでしかなかったキャリアが、さらなる成功にとっての必要条件を備えたキャリアに変わる場合もあるだろう。しかしその一方で、スタッフへの期待が高まるとともに、それまで楽しかった仕事ができなくなることに気づく人も多い。職業生活において、将来に何の影響ももたらさない決断をする機会はほとんどない。スタッフになるか否かの決断も例外ではない。

### 肩書きは魔法ではない

あなたも、特定の肩書きを手に入れることが大きな成果や重要な機会にたどり着く唯一の手段だと信じているエンジニアに出会ったことがあるかもしれない。そのような人は「スタッフの肩書きさえあれば、チームのためにテクノロジースタックを決めることができるのに」などと不満を口にする。

確かに、組織内で権限が増えれば、問題解決のために新しい手段を使えるようになるが、良好に運営されている組織において権限を保ちつづけるには、繊細な配慮や自制が多く求められる。あなたが何らかの問題を抱えていて、今の肩書きのせいでその問題を解決できないと考えているのであれば、肩書きなどよりもアプローチやスキルの向上に力を入れたほうがはるかに有益だと知っておいてもらいたい。問題解決の一歩手前にいるときに、肩書きを得ることで一気に壁を越えることができるケースもあるかもしれないが、肩書きが期待するほどの効力を発揮することはまずない。

この原則の唯一の例外は女性とマイノリティだ。女性とマイノリティの多くはスタッフプラスの称号を得ることで、以前よりもはるかに少ない時間とエネルギーで仕事ができるようになる。肩書きによって彼らの新たな能力が解放されるわけではないが、それまでのキャリアで重くのしかかっていたプレッシャーが少し減るのである。

# 第2章　スタッフとしての役割

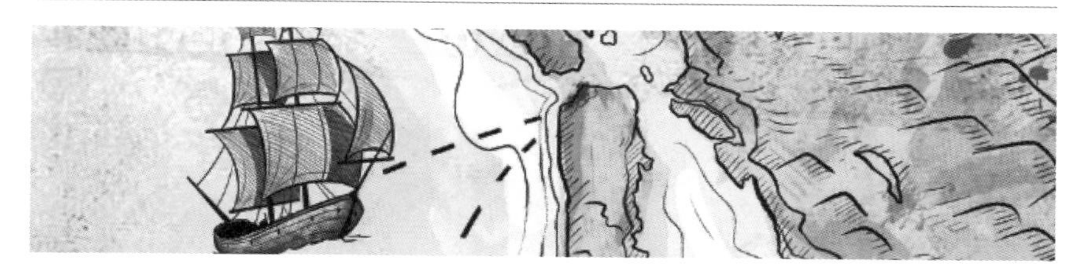

> スタッフエンジニアになれば自分の仕事を自分で管理でき、誰もがあなたに従い、あなたが望むことをするようになると考えるのは間違いだ、という教えこそが、私がこれまで受け取ったなかで最高のアドバイスであり、私もこの教訓をほかの人に伝えるように努めています。事実はまったく逆なのです！
>
> ― ケイティ・サイラー＝ミラー

エンジニアの多くは、エンジニアリングマネジャーのキャリアを選べば数え切れないほどのミーティングや同僚とのすり合わせに煩わされることになると考えて、スタッフプラスへのキャリアパスを進もうとする。ところが、そのようなマインドセット（心構え、考え方）で実際にスタッフプラスの役職に就くと、出鼻をくじかれることになる。確かに、スタッフエンジニアは序列としてはシニアエンジニアの上に位置しているが、役割はまったく異なっていて、以前にはほとんど、あるいはまったくやったことのない仕事に多くの時間を費やすことになる。

スタッフプラスになってから学ぶことが多く、そのため、はじめのうちは多くの人が戸惑い、つまずくのである。スタッフプラスとしてやる仕事の多くで、フィードバックサイクルが以前よりもはるかに長時間になることが、難しさを増す原因にもなっている。REPL[22]の直感的なコーディングをやっていた者がメンターシップや人間関係の構築、あるいは戦略構想などに携わるようになると、フィードバックが得られるまで時間がかかるので、やる気を失ってしまうことが多い。

本章では、そのような学習曲線を克服し、スタッフエンジニアとして働くとはどういうことなのかを知り、個人として満たされながら組織に変革をもたらす方法について論じる。

### 発展しつづけるために大事なこと

本書のための取材、そしてスタッフプラスエンジニアを指導および育成してきた私自身の経験から、個人の発展の要石としていくつかのトピックを挙げることができる。ここに記すものだけが、スタッフプラスに求められる能力ではないが、どれもあなたが大きなインパクトを残せるものであり、逆にここで誤った動きをすれば、キャリアにブレーキがかかることにもなる。

1. **重要なことに力を注ぐ。**キャリアを積み、責任が増えていくなかで、限られた時間を最大限有効に使うために本当に重要なことに集中する。
2. **エンジニアリング戦略を立てる。**会社のビジネス目標をサポートするために、アーキテクチャ、技術選択、組織構造などに関するエンジニアリング戦略を構想し、組織のアプローチを導く。
3. **技術品質を管理する。**時間とともに成長する会社のアーキテクチャやソフトウェアを監視し、その品質を維持する。
4. **権威と歩調を合わせる。**リーダーとして長期的に活躍するために、経営幹部と歩調を合わせつづける。技術分野のリーダーの役割はほかの（基本的には経営部門の）リーダーから付与される代理権限によって決まるため、権威と歩調を合わせ、信頼を得て、期待に応えなければ、代理権限を剥奪されかねない。
5. **リードするには従うことも必要。**物事がどう機能すべきかをはっきりと理解する能力はリーダーにとって強力な武器ではあるが、自分のビジョンを部下や幹部陣のビジョンと融合させる才能も極めて重要である。
6. **絶対に間違えない方法を学ぶ。**「正しいことをする」という考えを変えて、理解とコミュニケーションを重視する。衝突で傷んだ人間関係の修復に力を費やすのをやめて、優先順位や考え方が異なる人々と協力する方法を学ぶのである。そうすることで、あなたの部下があなたの上司にあなたに対する不満を訴えることも減るだろう。
7. **他人のスペース（余地）を設ける。**あなたが直接手助けするのではなく、チームに自由に動ける余地を与えることで、大きな成長を促す。
8. **ネットワークを築く。**自分が上級職に就いたことでフィードバックが得にくくなったときのために、困難な決断について検討し、正直なフィードバックを返してくれる仲間とネットワークを構築する。

賢明な読者は、「スタッフエンジニアの仕事は？」の章で論じた２つの重要なテーマ――「メンターおよびスポンサーとしての役割」ならびに「接着剤になる」――がリストに含まれていないことに気づいたに違いない。どちらもスタッフプラスエンジニアとして成功するには欠かせない要素ではあるものの、それらについて論じた優れた文献はすでに数多く存在するので、私の薄い話よりも、そちらを読むほうが有益だろう。メンターシップとスポンサーシップに関しては、ララ・ホーガンの「What Does Sponsorship Look Like?」を、接着剤になるというテーマについてはターニャ・ライリーの「Being Glue」を薦める。

ここで列挙した領域で慎重に経験を積んでいけば、あなたも新任のスタッフエンジニアから信頼されるリーダーにゆっくりと成長できるはずだ。しかしながら、ここに挙げたものだけが仕事ではない。ときにはエンジニアリングディレクターとそっくりの役割を担うこともあるだろうし、また別のときには若いころにやっていたのと同じような仕事をする必要が生じるかもしれない。

そのように大きな広がりがあるため、スタッフプラスエンジニアの役割を的確に描写することが難しいのである。あなたが強い関心を向けているトピックがここに欠けている場合は、巻末で紹介する参考文献を用いればいいだろう。

## 重要なことに力を注ぐ

> 私は「インパクトが強い」や「インパクトに富む」ではなく、「力に満ちた」や「エネルギーに富む」などと表現するようになりました。「インパクトが強い」は企業目線のような気がするからです。確かに企業中心の考え方も大切なのですが、「エネルギーに満ちた」のほうが内から来る力を言い表しているように思えるのです。活力に満ちた仕事を見つけ、インパクトにあふれる仕事を追求するために、私はStripeで働いています。
>
> ― ミシェル・ブー

人の寿命は限られている。その限られた時間の一部を、私たちは仕事に費やす。たとえキャリアを最優先にした場合でも、人生は仕事以外の要素で満たされている。家族との生活、子供の世話、運動、指導する側あるいはされる側としての活動、趣味、などだ。そうした要素こそが人生を豊かにするのではあるが、その一方で副作用もある。キャリアが深まるにつれて、仕事に費やせる時間が減っていくのだ。

キャリアを積むにつれて、仕事に費やせる時間は減るのに、あなたに対するまわりの期待はどんどん膨らんでいく。充実した人生に欠かせない仕事以外の活動を減らしたり、睡眠時間を削ったりしても、仕事のほうはそんなことお構いなしで、あなたの犠牲に報いてくれないだろう。つまり、長いスパンで考えた場合、キャリアと人生の歩調を合わせるしかないのである。

実際のところ、そのような歩調合わせこそが、キャリアにおける継続的な成功を実現するための中心課題だと言える。上級職になればなるほど、減りつづける時間のなかでより多くを達成することが求められるのだから。この2つの制約のあいだの道は進めば進むほど狭くなっていくが、しっかりと対策を立てれば歩みつづけることができる。

まずは、前進を阻む一般的な障害について話をしよう。その障害とは「スナッキング（つまみ食い）」と「プリーニング（おめかし）」と「ゴーストチェイシング（幽霊追い）」だ。そのあとでポジティブなほうへ目を向けて、本当に重要なことに取り組む方法について論じよう。

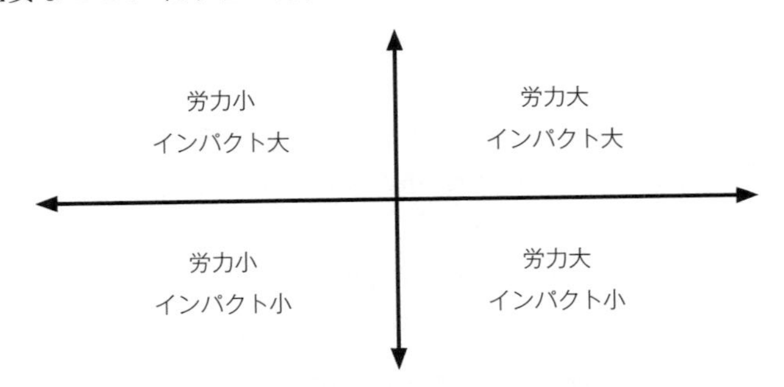


**インパクトの大小と労力の大小の模式図**

## スナッキングを避ける

ハンター・ウォークは、優先する仕事を選ぶときは「スナッキング」を避ける[23]べきだと説く。経営のうまくいっている企業で働いていると、インパクトに富みながら、なおかつ手軽な仕事がそのうち必ず尽きてしまう。そのため、難しいがインパクトの強い仕事にシフトアップするか、簡単だがインパクトの弱い仕事にシフトダウンする必要に迫られる。後者の簡単でインパクトの弱いものを選ぶ態度を、ウォーカーは「スナッキング」と呼ぶ。

忙しいときは、そうしたスナックをつまみ食いすることで、達成感が得られて、精神的にはメリットがあるだろう。しかし、スナッキングから多くを学べることはまずないし、そうした簡単な仕事はほかの人々にも実行が可能だ（しかも、そうした活動を通じて大きく成長する人もいるだろう）。また、インパクトの強い仕事を選んだ場合と比べて、多大な機会費用が発生する。

大きな仕事をやり遂げたあと、次の大きな課題までの期間をちょっとしたスナッキングを通じてモチベーションを保つのは問題ない。しかし、インパクトの強い仕事と弱い仕事に費やしている時間の配分には誠実でいなければならない。上級職では、自分の仕事を自分で決める機会が多くなる。自分がどんな仕事をしているか意図的に把握しておかなければ、知らず知らずのうちにインパクトの強い仕事をすることが減っていき、場合によっては皆無に等しくなることもあるだろう。

### プリーニングをやめる

簡単でインパクトの弱い仕事を優先する「スナッキング」は幅広いカテゴリーだと言える。そのスナッキングのなかでも特に魅惑的な形を、私は「プリーニング」と呼んでいる。プリーニングとは、インパクトが弱く、しかも目立つ仕事をすること。企業の多くは高い視認性と強いインパクトを完全に混同していて、目立つ仕事はインパクトが強いと勘違いしているため、プリーニングとインパクトの区別ができていない。そのため、多くの会社では最上級エンジニアが価値の疑わしい仕事に時間の大半を費やしているのに、それが社内ミーティングで表彰されたりするのである。

もしあなたがキャリアの成長[24]を短期的なものとみなしているのであれば、今所属する組織が抱えるインパクト評価における病に自分を合わせて、プリーニングをやりつづければいいだろう。しかし、今の役割がもっと複雑になった場合[25]も、あるいはほかの組織に異動した場合も成功できるように成長したいと考えるなら、評価される仕事と自己の成長のバランスをとることがはるかに重要になる。

このバランスは、会社選びの際にも考慮すべき重要な点だと言える。会社の価値観を探り、それが自らの成長目標に沿っているかを確かめるのだ。経営陣が仕事の速さや忠誠心を重視する会社では、まさに仕事の速さや忠誠心がその会社での成功を確実にするとしても、驚きに値しない。

都合の悪いことに、プリーニングをうまく続けていくには、自らのインパクトに対する批判に無頓着でなければならず、また、プリーニングにエネルギーを割いていては、本来の仕事に支障をきたすことにもなる。要するに、上級幹部が虚栄心を満たすためにあなたを採用したか、あるいは会社が期待するリーダー像どおりに働くふりをする能力があなたに備わっている場合に限り、プリーニングを続けることができるのである。もしあなたがそのような人物でないのなら、プリーニングを通じて会社を成功に導こうとする試みは必ず失敗に終わる。あなたは真のインパクトを残せなかった責任をとらされる一方で、会社の期待するリーダー像に一致する人物が出世するだろう。

### ゴーストチェイシングをやめる

多くの人は、会社とは合理的なものであり、苦労の割にはインパクトの弱い仕事に多くの時間を費やすのを避けようとするはず、と考える。だが残念なことに、必ずしもそうだとは言えない。就任したばかりの上級リーダーが、目の前の課題の根本を誤解したうえで戦略の転換を図る[26]ケースが、非常に多いのである。前職での状況というゴーストにとりつかれたまま新しい会社を理解しようとするため、自らの経験を絶対に正しいと誤解してしまうのだ。

上級リーダーとして、あなたはエゴを抑え、無意味な仕事に大々的にリソースを注ぐ愚を避けなければならない。ところが、これは意外なまでに難しい。採用プロセスで、完全に壊れた何かを修復するために「救世主」としてあなたを雇いたい、などと何度も言われた場合は特に困難だ。もちろん、あなたの直感が正しい！　戦略の転換を図る前に現状を正しく理解することで、その努力に見合った結果を得ることができるだろう。

最近私が議論した相手は、新任の上級リーダーとは、たとえその努力が無駄に終わると予想していても、それでも“あえて”大きな変化を推し進めるべきだと主張した。そのような変化が積み重なると、会社は次第に新しいリーダーに依存するようになり、実際に何かがうまくいった場合には、チームではなくその新任のリーダーを評価するようになるだろう。あなたが考えるリーダー像がそのようなものであるのなら、自分がひどいリーダーであることを理解すべきだ。そして、個人として会社から不可欠な人物と認められるよりも、会社全体の幸福と成功のほうが重要であると考えられるようになるまで、時間をかけて自分を見つめ直したほうがいいだろう。

## どんな仕事に取り組むべきか？

スナッキングとプリーニングとゴーストチェイシングの問題点を理解したら、次は物事を逆の視点から考えてみよう。つまり、「どんな仕事に取り組むべきか？」という問いだ。重要な仕事を見つけるための最初のステップは、会社が現在どのようなリスクに直面しているかを探ることだ。会社は永遠に繰り返す勝ち抜きトーナメント[27]を戦っている。つまり、将来の成功と今の生存のバランスを保ちながら、その目指した将来を実現しつづけなければならない。あるラウンドで負けそうになっているなら、そのラウンドに全力を注ぐ必要がある。

Digg社で私自身が経験した[28]ような資金難が最もわかりやすい困難と言えるだろうが、問題のすべてが金銭に関係しているわけではない。Twitterのフェイルホエール（fail whale）の安定性問題[29]や、Covid-19の大流行が引き起こした変化への適応なども重要な問題に数えられる。

会社がのっぴきならない状況に陥っているときには、そこに全力を注がなければならない。それが解決するまで、ほかの問題は後回しだ。

## 入り込む余地があり、なおかつ注目が集まる場所で働く

通常、存亡を左右する問題は、効率的に働ける場所ではない。そもそも、四方の壁が崩れようとしている状況では、効率うんぬんなどと言っていられない。あなたも生存にかかわる問題には関与すべきではあるが、もし問題が存亡を左右するほど重要ではないのなら、すでにほかの者が群がっている場所に自分も力を注ぐことには慎重になったほうがいいだろう。人は経営陣が最優先とする項目に意識を向けがちだが、多くの場合、たくさんの人が影響力を発揮しようと奮闘している場所で、本当に有意義なインパクトを残すのは、かなり難しいと言える。

一方、最も効果的に働ける場所とは、会社にとって重要でありながら、まだ活動の余地が残されている領域だ。将来的に重要になることが確実で、しかもあなたが時代に先んじて大いに貢献できる仕事は何だろうか？　今、そこそこうまくいっているが、あなたの関与があれば最高に成功しそうな分野は？

ときには、あなたには関心を向ける“価値がある”と思えるのに、経営陣がその仕事の価値を理解しないため、会社が関心を向けていない仕事が見つかることもある。会社によって異なるが、開発ツールに関する仕事や開発者

の機会均等を促すための仕事などをその例として挙げることができるだろう。多くの企業では、接着剤としての仕事もそれに含まれる。

ほぼ例外なく、その種の誰も関心を向けていない仕事には着手する余地が十分にあるので、初めのうちは順調に進展し、やりがいが感じられるだろう。しかしある時点で、必ず誰かのサポートが必要になるはずだ。そして、会社がそれまで無視あるいは軽視していた仕事にサポートを得るのはかなり難しい。無関心や考え方の食い違いによって当初の勢いがそがれ、時間とともにインパクトも弱まっていく。

であるなら、そのような仕事には手を出さないほうがいいのだろうか？私が言いたいのはそういうことではない。会社が関心を向けない領域にも、極めて重要で、あなたが会社に注意を払うよう呼びかけるべき何かが潜んでいることがある。会社に見落とされてきた価値の存在を教えることは、仕事として最も困難な種類であり、失敗に終わることが多いので、できるだけ数は絞ったほうがいいが、完全に避けるべきではない。上級リーダーは会社が認めるインパクトを最大化するだけでなく、それ以上の倫理的義務を負う。重要なのは、自分が何に直面しているのかを理解し、適切なタイミングを見計らって労力を費やすことなのだ。

### 成長を促す

利用価値は極めて高いにもかかわらず投資不足（余地は十分にあるのに活用不足）になりがちな領域として、チームの育成を挙げることができる。通常、おもに採用ファネル[30]の最適化の形で、雇用に多くが投資される。その一方で、オンボーディング（組織への適用）やメンタリング、あるいはコーチングは会社のエンジニアリングスピードにとって雇用と同じぐらいの影響力がある[31]にもかかわらず、多くの企業で完全に無視されている。

毎週2、3時間をチームの育成に費やすだけでも、あなたの技術力とプルリクエストが忘れ去られた時代になっても、あなたのレガシーは生きつづけるだろう。

### エディティング

驚くほど多くのプロジェクトが、あと1つ何か変更を加えれば成功し、ちょっとした修正で新しい機会が生まれ、あと1回きちんと話し合えば合意に達するという地点で、立ち往生している。そのような小さな変化、迅速な修正、あるいは短い会話などのことを、私はチームアプローチの「エディティング（編集作業）」と呼んでいる。

スタッフプラスエンジニアには組織から与えられた権限、社内で築いてきた人間関係、そして経験から培ってきた眼力があるのだから、ほんの少しの労力を費やすだけで、プロジェクトの結果を変えることができる。これこそが、あなたにできる最も価値のある仕事の1つだと言えるだろう。

簡単かつ迅速、あなた自身にもまわりの人々にもやる気を起こさせ、しかもうまくいけば巨大なインパクトを得られる仕事だからこそ、非常に価値が高い（ただし、やり方がまずいと士気を大きく損なう恐れもあるので、すべてはあなたの手腕にかかっている！）。

### 物事を結末に導く

特殊なエディティングとして、終わりにたどり着けないプロジェクトに終止符を打つことが挙げられる。キャリアの初期にいる才能あるエンジニアは、すでに成果を出しているのにそれに対する賛同を得ることができずにいたり、あるいはプロジェクトを完成させるために何をすればいいのかわからずにいたりすることが多い。チームメイトにプロジェクトを完成させる方法を指導し、問題を引き起こしている摩擦点を微調節する権限を与えるだけで、インパクトを弱めることなく6カ月の停滞が2週間のスプリントに生まれ変わることもある。

プロジェクトは完了して初めて価値を生む[32]。そして、プロジェクトをゴールラインにもたらすことで、リスクがレバレッジに変わる魔法の瞬間が得られるのだ。プロジェクトを完成させるために費やす時間に、無駄な時間は存在しない。

### あなただけができること

重要な仕事の最後のカテゴリーは、あなただけに達成できる類いの仕事だ。おそらく、ほかの誰よりもあなたのほうが短時間で、あるいは優れた形で実行できる仕事が存在するだろう。しかし、ここで重要なのはもっと単純にあなた以外には誰にもできない仕事だ。

具体的には、あなたの関心が向いている先と、あなたが本当に得意なことが交差する点のことである。同僚が“実際に従うことになる”技術戦略を書く[33]ことかもしれない。すばらしい人材に入社を説得することかもしれない。

CEO（最高経営責任者）に技術的負債の返済方法の変更を促すことかもしれない。あるいは、優れたAPI[34]を作成することかもしれない。

それが何であれ、あなたがやらなければ実行されることがない仕事は、重要なことに取り組む最高の機会であり、キャリアを重ねるにつれてどんどん狭く、どんどん深くなっていく類いの仕事でもある。

### これらが重要な理由

自分がキャリア20年目にして、新たな役職を得るために、ある会社で面接を受けていると想像してみよう。面接担当者はあなたが以前のプロジェクトや会社に対して実際にどれほどのインパクトを残してきたか、理解しようとするだろうか？　保証してもいいが、そのようなことはありえない。あなたはとても主観的な尺度で評価されるに違いない。これまでの名声、肩書き、会社歴、以前の職場から入手したあなたの評判、面接におけるあなたの態度などだ。

そのような主観性を逃れることはできないが、重要な仕事を数多くこなすことで、専門性を蓄積することはできる。実際のところ、重要な仕事に集中し、自分を成長させるプロジェクトに携わり、そのような本物の経験に価値を置く会社を渡り歩くことだけが、キャリアのために長期的に実行が可能な唯一の賭けなのである。

## エンジニアリング戦略を立てる

> 私には、エンジニアリング戦略を書くのはとても難しく思えます。というのも、優れた戦略とは退屈なものだし、それを書くという行為も退屈だからです。また、人は「戦略」と聞くと「イノベーション」を思い浮かべるようです
>
> — カミーユ・フルニエ[35]

エンジニアリングに関する戦略とビジョンを自ら理解している企業はほとんど存在しない。業界は戦略やビジョンを書くのは難しいと思い込んでいるようだ。戦略の話をすると、何かミステリアルなことを語っているような印象が生じることもあるが、実際のところは、それらはありふれた文書に過ぎない。優れたエンジニアリング戦略書は退屈だというのは事実だが、ひどい

戦略よりも効果的な戦略を書くほうがじつは簡単なのである。

「エンジニアリング戦略」を作成するには、5つの「デザイン文書」を書けばいい。その5つに共通する類似点を書き出せば、それがエンジニアリング戦略だ。「エンジニアリングビジョン」を作成するなら、5つの「エンジニアリング戦略」を書いて、それらが2年後にもたらすであろう影響を予測する。それがエンジニアリングビジョンだ。

自分が思いついた最高のアイデアをそこに含めるという衝動にどうしても逆らえないなら、準備の段階でそれらを反映させればいい。最高のアイデアをすべて書き込んだ巨大な文書をつくるのだ。そして、それを削除してきれいさっぱり忘れてしまう。そうやって、余計なアイデアを頭から追い払えば、スッキリした頭で次の作業に挑むことができる。

長期にわたって有益なエンジニアリング戦略およびビジョンは、会社が繰り返しボトムアップ式に学習してきた成果である。したがって、あらゆる学習が組織の戦略とビジョンに貢献するのではあるが、その貢献は抽象的である必要はない。たとえあなた自身が戦略とビジョンの作成に直接携わっていないとしても、会社の戦略とビジョンを前進させるために、あなたが今すぐ実行できることがある。

## 「いつ」、そして「なぜ」、それらが必要なのか？

効果的な戦略やビジョンを書くためのレシピを見る前に、まず「いつ、そしてなぜ、それらが必要になるのか？」と問いかけてみよう。迅速にそして自信をもって前に進むことができるように、チームに前もって手渡すツールが戦略である。戦略がなければ何日もの議論が必要になるであろう点に関して、戦略があれば、一部の人だけではなく誰もが迅速かつ断固として決断を下せるようになる。

また、戦略はレンガでもある。レンガを用いて未来の可能性を狭めることで、現実的なビジョンが描けるようになる。同じ議論を3回か4回繰り返したことに気づいたら、戦略を書くときが来た証拠だ。何に投資すればいいのかもわからないほど未来が漠然としているのなら、新たなビジョンを書くべきである。どちらの状況も自分には当てはまらないと思うのなら、今はほかのことをして、のちに必要になったらここへ戻ってくればいい。

### 5つのデザイン文書を作成する

特定のプロジェクトにおいて行った決断やトレードオフを記述するのがデザイン文書だ。会社によっては「RFC」や「技術仕様」とも呼ぶ。おかしな呼称が使われることもある。たとえば、Uberは「RFC」に一本化[36]するまではなぜか「DUCKS」と呼んでいた。優れたデザイン文書は1つの特定の問題を描写し、そのためのソリューション候補について述べ、選ばれたアプローチの詳細を説明する。フォーマットとしてはいくつかの選択肢が存在している。「Design Docs, Markdown, and Git」[37]、「Design Docs at Google」[38]、「Technical Decision-Making and Alignment in a Remote Culture」[39]などの記事を参考にしよう。

特定のプロジェクトにデザイン文書が必要かどうかはその都度判断されることになるが、便利な判断材料がいくつか知られている。あるプロジェクトの成果が将来的に数多くのプロジェクトで流用されると考えられる場合は、そのプロジェクトのデザイン文書を書いたほうがいいだろう。また、ユーザーに大きな影響を与えるプロジェクトにもデザイン文書を作成するのが好ましい。1カ月以上のエンジニアリング時間が必要になるプロジェクトもそうだ。

デザイン文書は現実にもとづいた具体的な仕様書であるため、それらが5つ集まれば、優れた戦略の理想的な下地になる。戦略が抽象的だと、同じチームに属する2人のエンジニアが悪意なしで異なる解釈をしてしまうこともありえるが、具体的な解決策が提示されている場合は、解釈のズレが生じる恐れははるかに小さくなる。

戦略を書く際には以下の点に注目しよう。

- **問題をスタート地点に。**問題の描写が明確であればあるほど、解決策がはっきりと見えてくる。解決策がはっきりと見えないのなら、問題の明確化にもっと多くの時間を費やせばいい。問題を明らかにするのが難しいときは、5人の同僚にそのことを話し、何が欠けているのか尋ねてみる。先入観のない人には真実が見えるはずだ。
- **テンプレートはシンプルに。**たいていの企業はデザイン文書用の便利なテンプレートを用意している。しかし、そのようなテンプレートは数多くの目的に使えるように拡張されていることが多い。シンプルさを欠いたテンプレートはデザイン文書を書く気をそいでしまう。作成者に最も有益な選択を可能にし、最もリスクの高いプロジェクトの詳細を記述しやすくする目的に特化した最小限のテンプレートのほうが好ましい。

- **情報集めとレビューはグループで、記述は一人で。**所与のトピックに対して、あなた個人が最高のデザイン文書を作成するのに必要となるすべての関連情報をもっているケースは極めてまれだろう。作成を始める前に、トピックに関係している人々、特にできあがったデザイン文書から大きな恩恵を受けるであろう人々からインプットを集めよう。しかしながら、文書を実際に書くときには、そのようなサポートに頼らないほうがいい。ほとんどの人は編集者としてよりも著者として優れているからだ。言い換えれば、グループドキュメントをみんなで編集して1本のわかりやすい文書にまとめるほうが、一人でわかりやすい文章を書くよりも、はるかに難しいのだ。したがって、多くの人から意見を取り入れても、書くのは一人でやったほうがいい。ただし、自分の作品に惚れ込んでしまって、レビューしてもらうのを忘れないこと。
- **パーフェクトではなくグッドを。**内容的に少しだけ質の高いものを期限に遅れて出すよりは、ある程度の質の文書をさっさと発表するほうがいい。加えて、ほかの人のデザインにフィードバックを与えるときには、人は他人のデザインも自分が行うデザインと同じように優れていると誤解しがちだという事実を肝に銘じておこう。この誤解は、あなたが上級になればなるほど、毒性が増す。自分の最高の仕事を基準に、ほかの人にも同じぐらい優れたデザインをするよう要求する恐れが強くなるからだ。あなた自身の自己ベストを最低基準とみなすことなく、優れたデザインを行うことを促すよう心がけよう。

優れたデザイン文書を作成できるようになるまでには、多くの経験が必要だろう。スキルを磨きたいなら、実装が完了した時点で自分のデザイン文書をもう一度読み返し、そこに記された計画と実装のあいだの相違点を見極め、何がその違いを生んだのかを考えてみるのがいい。もちろん、デザイン文書を数多く書くことも練習につながる。

### 5つのデザイン文書を1つの戦略にまとめる

会社が5つのデザイン文書を作成したら、それらすべてをじっくりと読んでみよう。複数のデザインに共通する物議を醸した意思決定がないだろうか。

同意しがたい決断がないだろうか。私自身の最近の経験を紹介しよう。Redisが長期的なストレージとして適しているか、それともキャッシュとしてのみ利用価値があるのかという議論が行き詰まった。その際、各デザイン文書をすべて最初から検証するのではなく、Redisの使用に関する最近の意思決定のみをレビューして、なぜそのような決断を下したのかを再考し、その答えを1本の戦略としてまとめたほうが手軽だという結論にいたったのだ。

優れた戦略はトレードオフを促し、その理由を合理的に説明する。不出来な戦略は説明をせずに、戦略がつくられるにいたった文脈から切り離されたポリシーだけを表明する。文脈がなければ、戦略は理解不能になり——彼らはなぜこんな決断を下したのだろう？——状況が変化したときにも修正するのが難しい。参考になる興味深い戦略としては「A Framework for Responsible Innovation」[40]と「How Big Technical Changes Happen at Slack」[41]を挙げることができる。

『良い戦略、悪い戦略』[42]を読んだ人は、ここで言う戦略とは「診断」と「方針」に相当し、「一貫した行動」はデザイン文書にもとづくことがわかるだろう。

戦略文書を作成する際は次のアドバイスを参考にしてもらいたい。

- **今いる場所をスタート地点に。**戦略づくりを始めると、取り組む対象があまりにも漠然としているため何をすべきか戸惑うことが多いが、結局のところ、そこに飛び込んで書きはじめるしかないのである。情報が欠けているからといって、その情報が手に入るのを待っていてもしょうがない。何かが欠けている場合、それは理由があって欠けているのだから。何を書くにしても、のちに修正が必要になる。悪い文書を書けば、自分でもすぐに修正の必要に気づくだろう。いずれにせよ、今いる場所をスタート地点として、今ある情報で書きはじめるのが最善の策だ。
- **具体的に書く。**書いている内容が一般的になってきたと気づいたら、手を止める。具体的に書けないときは、ひとまず追加でいくつかのデザイン文書を書いてみればいい。具体的な記述をすることで整合性が生まれる。一般的なステートメントは整合性の幻想を生むだけである。
- **断定的であること。**優れた戦略は断定的だ。そうでなければ、意思決定を明確に示すことができない。しかし、意見を断定的に述べるだけでは不十分で、あなたの考察を示す必要もある。

・**考察を示す。**若いころの数学の授業では、解答にいたるまでの道筋を示さなければ単位をもらうことができなかった。ここでも同じで、あなたは自分の意見に対して、そう考えるにいたった合理的な道筋を示さなければならない。あなたが考えの道筋を示すことで、戦略文書の最初のバージョンに対する信頼を高めることができるだけでなく、状況が変わった際にほかの人たちがあなたの考察を修正あるいは拡張することが可能になる。

あまりにも当たり前すぎて苦労して書くほどのことではない、と思えるものが最高の戦略になることが多い。「いつデザイン文書を書くべきか」という問いは、戦略として書く価値がある。「どのユースケースにどのデータベースを使う？」という問いも、戦略として書く価値がある。「どのような段階をへてモノリスからマイクロサービスに移行する？」も同じだ。戦略とは高い知性を誇示するための手段であると考えるのをやめることで、はるかに多くの戦略を気軽に書けるようになる。それが最終的に利用されなかったら、その時点で廃棄すればいい。

### 5つの戦略から1つのビジョンを導き出す

戦略を数多く集めていくと、次第に各戦略の相互作用を見通すのが難しくなっていく。たとえば、一方で「Run less software」[43]にならってクラウドソリューションへの依存を高めるという戦略を立てながら、別の戦略では可能な限りデータベースに複雑な作業を任せるという判断をしている場合があるかもしれない。その際、こちらの期待に応えられるデータベースを見つけたものの、それが契約しているクラウドベンダーによって提供されていない場合、両戦略をどのようにすり合わせればいいのだろうか？

最近作成した5つの戦略を読み直して、それらのトレードオフが次の2年から3年でどのように発展するかを予想してみよう。各戦略間の矛盾をほぐし、それらをつなぎ合わせるのである。それこそがエンジニアリングビジョンを書くという行為なのだ。そうやって最後にできあがるのが、ターニャ・ライリー[44]が「将来への固い信念」[45]と呼ぶものであり、それがあれば既存戦略の関係を理解しやすくなり、長期的な使用に耐えられる新たな戦略を書くのも容易になる。

有益なビジョンを得るために、次の点に気をつけよう。

- **2〜3年先を見越して書く。**会社も、組織も、テクノロジーも、あっという間に変わってしまうため、遠い未来のことを考えてもらちがあかない。6カ月後にはお役御免になるビジョンを書くことにも意味がない。そもそも現実問題として、わずか6カ月のあいだに何本の戦略が書けるだろうか？

  そこで、2年から3年先を展望するのがいいだろう。伝統と実績のある会社なら、期間をもう少し延ばしてもいいかもしれない。
- **ビジネスとユーザーを中心に。**効果的なビジョンとは、ユーザーとビジネスに寄り添っている。この関係を緊密に保つことで、会社のリーダーシップチームのコアバリュー（ユーザーとビジネス）とビジョンが一致しつづける。できの悪いビジョンは技術力の高さの上に成り立っている。そのような考え方が会社のリーダーシップチームに受け入れられることは決してない。
- **無謀ではなく楽観的に。**ビジョンは野心的であるべきだが、無謀であってはならない。実現可能な範囲内で、最高の可能性を目指すのである。すべてのプロジェクトが頓挫することなく期限どおりに達成された場合に何ができるかを書き記そう。リソースが無限に使える場合にのみ得られる可能性について書いてはならない。
- **現実的かつ具体的に。**ビジョンは具体的であればあるほどいい。一般的な内容だと同意を得るのは簡単だが、互いに矛盾する戦略の調整には役に立たない。自分で「このぐらいで十分」と思うよりももう少し詳しく書くように努める。詳細なビジョンは宣言的ではなく説明的であり、約束をするのではなく、むしろ未来のテイスト（味）を先取りさせるものである。
- **長さは1ページか2ページ程度に。**現実問題として、多くの人は長い文書を読もうとしない。5、6ページの文章を書いても、最後まで読む人は少ないだろう（もしくは細かい部分は無視してざっと目を通すだけ）。できるだけ短くまとめるように努めながら、もっと詳しく知りたい人のために、ほかの文書への参照を充実させよう。

通常、ビジョンを書き終えたあとに真っ先にすることは、それをエンジニアリング組織全体で共有することだろう。ビジョンの作成に多くのエネルギーを費やした——1つのビジョンのために、5つの戦略を、各戦略のためにそれぞれ5つのデザイン文書を書いた——のだから、完成したらうれしいのは当然だ。ところが、だいたいの場合で人々からの反応がとても薄いので、喜びがあっという間に失望に変わってしまうことが多い。反応が薄い理由はいくつか考えられる。まず、あなたのビジョンを読むのは、おもに自分でも戦略を書くような人々であって、その数はあまり多くない。次に、優れたビジョンには基本的に当たり前のことが書かれているので、読んでもわくわくするどころか、むしろ退屈なのだ。

わくわく感をビジョンの優劣の評価基準にしてはならない。その代わりに、2年前のデザイン文書と先週書いたデザイン文書を読みくらべてみよう。大きな改善が見られるなら、あなたのビジョンは優れていると言える。

## 技術品質を管理する

> 的を射ていて、実在する問題の解消に役立つ企画があるのに、それを提案したチームに企画の実行計画を立てる経験や下地が欠けているとき、その企画の改善に貢献できれば、私はいい仕事ができたと感じます。そのようなケースでは、計画をしっかり練ることで、スコープを大幅に絞りながら得られる価値を最大限にすることができ、その結果、インパクトも早く示すことができるのです。　— ドミトリー・ペトラシュコ

エンジニアとエンジニアリングマネジャー、そして技術系幹部のあいだに共通の見解があるとすれば、それは技術品質が危機に瀕しているという点だろう。その原因と治療法は簡単に診断できる。原因は、エンジニアが品質を重視しないからで、治療法は、より優れたエンジニアを雇い入れるか既存のエンジニアを訓練し直すこと、である。エンジニアばかり責められるのはずるいと思うのなら、この原因と治療法の「エンジニア」を「プロダクトマネジャー」や「経営幹部」で置き換えればいいだろう。わかりやすい悪役がいると話に説得力が出るし、非難の矛先をエンジニアリングのリーダーシップからそらすこともできる。しかし、最も力の弱い者たちに責任を押しつけるのは、ほとんどの場合、そしてここでも、無益だし、間違いでもある。

稚拙な意思決定が品質の低下を引き起こしてるという前提を受け入れると、社内の誰かが間違った判断を下した犯人ということになる。以前のCTO（最高技術責任者）だろうか？　不安げな笑顔で見つめてくるあのスタッフエンジニアだろうか？　それとも、みんな悪い？　その誰でもなくて、しかも奇

妙なことに、あなたのせいでもないときは？

ほとんどの場合、技術品質の低さは危機ですらない。むしろ、予想できる正常な状態だ。エンジニアは普通、自ら決定する権限がある場合、品質の点では合理的な決断を下す。また、成功する企業というものは、規模の拡大、方向転換、あるいはターゲットを個人ユーザーから企業ユーザーに変えるなどの契機に品質基準を引き上げる。したがって、運営が巧みで成功を収めている企業では、かつての技術決定で現在の品質基準を満たせることはまずないと言える。

現在の技術品質と目指す技術品質の差を埋めることは、ミスの穴埋めではなく、効率的なエンジニアリングリーダーシップの条件なのである。

### 品質管理の問題点

エンジニアリングリーダーシップの一員であるあなたの目標は、可能な限り多くのエネルギーをコアビジネスに費やしながら、同時に技術品質を適切なレベルに保つことにある。その際、その多くが対立する複数のタイムフレーム間で品質のバランスをとらなければならない。たとえば、来週までに重要なパートナーシップを実現しなければならないときと、次の四半期に10倍の速さのリリースを可能にするプラットフォームを構築する必要があるときとでは、仕事の内容は大きく異なる。

会社の技術品質の基準が時間とともに変わっていくのに歩調を合わせて、あなた自身の品質の管理方法も次第に変えていく必要がある。

1. 当面の問題を引き起こしている**ホットスポット**（根本原因）を修正する
2. 品質の向上に有効だと知られている**ベストプラクティス**を採用する
3. ソフトウェアの変更時にも品質を維持できる**レバレッジポイント**（大きな成果を得るための介入点）を優先する
4. 会社のソフトウェア変更方法に**技術的ベクトル**を一致させる
5. より深い投資の指針として**技術品質を測定**する
6. 品質確保のためのシステムとツールを開発する**技術品質チーム**を組む
7. **品質プログラム**を実行して、責任の計測、追跡、創造を行う

こうした管理方法では、機能すると思われる最も安上がりで、最も直接的

な手段を選ぶことが大切だ。技術品質は長期戦である。そこに勝ちはなく、あるのは学習と、ゲームを続ける機会の獲得だけだ。

## 一歩ずつ階段を上る

解決する価値のある一般的な問題が見つかるまで目の前にある１つの課題にじっくりと取り組むことには、特別な喜びがあると言える。しかしその一方で、現状の問題を迅速に解決し、すぐに次の問題に移動することも同じように重要だ。

チームや組織にとって適切な品質改善とは何かを考えるとき、通常最も効果的なのは、ひとまず最軽量のソリューションから始めてみて、初期の努力が規模の圧力の下で崩壊したときにのみ、より大規模なソリューションに進むというやり方だろう。チームに適切なコードリンティング（問題発見のためのコード解析ツール）を採用させることができないときに、包括的な品質プログラムを展開したところでうまくいくはずがない。品質プログラムは規模が大きければ効果的だが、実行するのはとても難しい。

だから、まずは簡単なことから始めよう！

たとえそれがうまくいかなくても、難しいことをやって失敗するよりも、簡単なことをやって失敗したほうが、迅速に多くを学ぶことができる。そのため、次にやるときはもっとうまくいくはずだ。そうやって焦らずに時間をかけて、より包括的なアプローチへと近づいていく。若い組織の身軽さ、喜び、無邪気さを捨ててまで、必要もないのに大企業レベルのアプローチを選んで失敗する危険を冒してはならない。

このフェーズは一歩ずつ上がる階段のようなものと捉えるとわかりやすいのだが、実際の企業でそのように理解されていることはほとんどない。あなたにはむしろ、品質のホットスポットを修正し、ベストプラクティスを展開し、アーキテクチャのレビューを行い、そのレビューを捨て、そしてふたたびホットスポットに取り組むことが求められるだろう。中途半端なプロセスは価値ではなく摩擦を増やし、効果がないことをすぐに露呈する。何かがうまく機能しないときは、少し修正を試みて、それでもだめなら喜んで廃止しよう。

## ホットスポット

品質問題に直面すると、誰もが真っ先にプロセスが抱える解消すべき欠陥を探す。デプロイメントが障害を起こしたのなら、開発者がコードの検証を正しく行わなかったからであり、今後はコミットのたびに検証を要求しよう——そうすれば、あのうすのろ開発者もきっと責任を感じるだろう！

「サーベンス・オクスリー法（企業統治を強化し不正会計を防ぐための企業改革法）はリスクを減らさない。何かがうまくいかないときに、誰に責任を負わせるかを明らかにするだけだ」というジョークがある。不幸なことに、笑い事でなくこのジョークは数多くの組織がプロセスを展開する際の様子にも当てはまる。説明責任もそれ自体に意義があるのではあるが、目の前で問題が生じているときは、プロセスを通じて責任の所在を明確にするよりも、その問題をよく理解して、すぐに修正することのほうがはるかに重要だ。

プロセスは、いったん手をつければ人は働き方を変えざるをえなくなるのだから、軽々しくいじるべきではない。プロセスの改善に手を出すよりも先に、パフォーマンスエンジニアのマインドセットを身につけるべきである。目の前の問題を精査し、問題の多くが生じている場所を特定し、そこに焦点を絞るのである。

未検証のデプロイに関する上記の例の場合、デプロイ担当のエンジニアに直接フィードバックを返し、検証習慣の見直しを促せばいいだろう。あるいは、『A Philosophy of Software Design』[46]に記されているように、ソフトウェアデザインにはエラーがつきものであると認めて、「define errors out of existence（存在しないエラーの定義）」アプローチを用いたほうがいいケースもありえるだろう。

開発速度に問題がある場合は、検証ランタイムの最適化、Dockerコンパイルステップの RAM ディスク[47]への移動、あるいは『Software Design X-Rays』[48]で紹介されている技術を用いた特定ファイルの発見などで、改善が期待できるかもしれない。

「Systems thinking」[49]は私がこれまで出会ってきたなかで、最も革新的な思考術だ。しかしときには、現行システムの修正を試みるよりも破棄してしまったほうがいい場合もある。もちろん、新しいトレーニングプログラムを導入してチームに優れたテストの書き方を教えることもできるだろう。その一方で、テストの失敗の98パーセントを引き起こしている1つのファイルを単純に削除してしまうという手もある。これこそが、ホットスポットを特定することの多大なる効果であり、技術品質の向上の際に最初に利用すべき手法である理由だ。

しかしときには、あなたがホットスポットを修正するよりも速いペースで、組織が品質問題を生じさせることもある。その場合はベストプラクティスの採用を検討しよう。

### ベストプラクティス

かつて私が勤めていた会社にはチーム計画に関して規定のプロセスが存在しなかった。そのため、目標期日を見積もることが難しいことに不満を募らせていったエンジニアリングの責任者が、チームに「スクラム（Scrum）」[50]を使うよう義務づけたのだった。命令を出したあと、あるマネジャーがスクラムプロセスを wiki に記した。同社ではスクラムを使用しているという公式発表も行われた。マネジャーたちはどのチームにもスクラムを使うよう命じた。任務完了だ！

ところが、誰一人としてスクラムを使おうとしなかった。みんな以前のやり方を続けるだけ。間違いを認めるのはばつが悪いので、エンジニアリング部門の責任者はスクラムへの移行は大成功に終わったと宣言し、それに異を唱える勇気をもつ者はいなかった。

この悲しい物語は、ベストプラクティスを導入しようとする企業の多くで起こっている出来事を見事に反映していて、ベストプラクティスの評判が悪い理由を示している。理屈としては、企業はホットスポットの修復よりも先にベストプラクティスを採用することでメリットが得られるはずなのだが、それでも私はホットスポットへの対処を先にすることを薦める。組織とリーダーシップがある程度成熟していれば、ベストプラクティスの採用はうまくいくのだが、そこまで成熟するには時間がかかるのだ。

新しいプラクティスを展開するつもりなら、優れたプラクティスは義務づけるものではなく、進化の結果[51]として生じるものだと覚えておこう。ほかの会社がどのようにして同じようなプラクティスを採用しているかを調べ、自分が取り入れようとしているアプローチ方法を明文化し、やる気のある少数のチームとともにそのプラクティスを試してみて、粗い点を取り除き、問題点にもとづいて文書を修正し、ようやく導入にこぎ着ける。急いでも失敗に終わるだけだ。

同時に展開するプロセスの数を制限するのも重要だ。複数の新しいプラクティスを同時に導入しようとすると、チームの注意が散漫になってしまう。また、導入した複数のプラクティスのうちのどれか１つで撤回や修正を検討するときも、その影響を予想するのが難しくなる。少し厳しすぎるかもしれないが、私はどんな場合もベストプラクティスの導入は１つに絞るべきだと考えるようになった。複数のプラクティスにリソースを分散させるのではなく、すべてのエネルギーを１つのプラクティスに注いで成功に導くのである。

１回で１つしか導入できないとなると、どれを優先するかという決断でも慎重にならざるをえない。次のプロセスを選ぶぐらい簡単なことだと思ったかもしれないが、実際には、どのプラクティスが本当にベストであり、どれが世間的にただ有名なだけで中身が伴っていないのかを見極めるのは難しい。本当にベストなベストプラクティスは調査によって裏付けられていなければならない。そして、そのような調査報告として最も優れているのが『Lean と DevOps の科学』[52] だ。

『Lean と DevOps の科学』の挙げる推奨事項はどれもデータにもとづき、内容的にも優れているが、私が個人的に早いうちに導入するのが好ましいと感じたのはトランクベース開発といったバージョン管理、CI/CD（継続的インティグレーション／継続的デリバリー）、本番環境の可観測性（システム開発者のオンコールも含む）、そして極小変更への取り組みだ。ほかにも推薦したいプラクティスがたくさんあるが（優れた社内文書[53] を提唱してキャリアの一時期を過ごした経験がない者がいるだろうか）、私はかつてほど自分の直感を信頼できなくなった。

ホットスポットがあまりにも多くて消火作業が追いつかないときが、ホットスポットの対処からベストプラクティスの導入へと舵を切るタイミングになる。導入途上にあるベストプラクティスが機能しはじめる前に新たなベストプラクティスを採用したいときが、次のステップ「ベストプラクティスからレバレッジポイントへ」の出番になる。つまり、単純に同時に導入するベストプラクティスを増やす[54] のではなく、次の手段に歩を進めるのである。

## レバレッジポイント

ホットスポットの節では、パフォーマンスエンジニアのマインドセットを身につけて修復すべき問題を特定するという話をした。最適化は既存の問題の対処には効果的だが、将来の問題に用いることはできないように意図されている。しかるに、問題になるかどうかわからないことに労力を費やすのは、パフォーマンスエンジニアリングが犯すことのできる最悪の罪だと言える。

しかしながら、ソフトウェアが時間とともにどう変化していくかを観察していると、数は少ないながら、追加の投資によって全体的な品質の低下を防ぎ、将来の品質投資の費用を減らすことが可能なケースが、つまり長期間にわたって品質が維持できるケースが見受けられる。

私はそれらを品質のレバレッジポイントと呼んでいる。そのなかでも最もインパクトの強いポイントはインターフェース、ステートフルシステム、データモデルの3点だ。

「インターフェース」はシステム同士の契約だ。効果的なインターフェースはクライアントをカプセル化実装から切り離す。耐久性の高いインターフェースはすべての本質的複雑性を明示するが、偶発的複雑性は示さない。好ましいインターフェースとは「Eagerly discerning, discerningly eager（熱心に見極める、見極めを切望する＝利便性と柔軟性を備えたAPIを指す）」だ。

「ステート（状態）」はどのシステムでも変更するのが最も難しい部分だ。それゆえに「ステートフルシステム（状態をもつシステム）」はもう1つのレバレッジポイントであると言える。ステートはほかのシステムよりも迅速に複雑になり耐性が高いため、のちに改善しようとすると比較的高くつく。セキュリティ、プライバシー、コンプライアンスなどといったビジネス上の義務を組み込んだステートフルシステムは、変更を加えるのがさらに難しくなる。

「データモデル」はインターフェースとステートの結びつきで、ステートフルシステムの機能を制限する。良いデータモデルは厳格で、サポートしているものだけを表し、無効な状態を防止する。また、良いデータモデルは時間の経過にも対応できる。効果的なデータモデルは、簡単なものなのだ。

実際にこれらのレバレッジポイントを特定する際には、時間をかけて慎重にアプローチしよう。インターフェースには、モック実装に対して半ダースのクライアントを統合する。データモデルには、半ダースのリアルなシナリオを表現する。ステートフルシステムなら、障害モードを実行し、整合性違反を確認し、本番環境シナリオに似た状況でパフォーマンスベンチマークを計測する。

理解したことをすべてまとめて1本の技術仕様書を作成し、チームと共有する。同業者からのフィードバックも集めよう。実装を始めたあとでも、現場の人々の声に耳を傾け、変更を加えることに前向きであること。

レバレッジポイントの活用の隠れた利点は、全社的な歩調合わせを必要としない点にある。一方、技術的なビジョンを書き、ベストプラクティスを導入するには、そのような賛同が必要になる。これが、私がレバレッジポイントから始めることを勧める理由だ。しかしながら、レバレッジポイントの力を使い果たしたのなら、全社的な歩調合わせに重点を移すときが来たと言える。

### 技術的ベクトルを束ねる

有能な組織は、共通のビジョンに向けて努力の大部分を費やす。自分が下す技術的な意思決定のすべてをグリッド上のベクトルとして描いた場合、同じ方向を向いているベクトルが多ければ多いほど、より多くの成果が得られるだろう。逆に、私が知るとても有能なエンジニアの何人かは、とても大きなベクトル線を描けたものの、それらがどれもバラバラの方角を向いていた。そしてのちにリーダーとなった彼らは、会社を傷つけてしまったのである。

技術的な方向性を確実に同調させる方法は、関連する決断のすべてを肩書きのどこかに「アーキテクト」をもつ一人の人物に任せることだ。この方法はとてもうまく機能するが、拡大するのは難しい。また、アーキテクトの判断力は、実際の現場で実際のコードを書く仕事から離れれば離れるほど衰えていく。逆の極端な例として、すべてのチームに独自の決断を下す権利を与えるというやり方も考えられるだろう。しかし、あらゆるツールの使用を認める組織は、どのツールもサポートしない組織でもある。

以下が技術的ベクトルの方向を同調させるための基本的な施策だ。

- **フィードバックを直接与える。**人々の足並みが乱れはじめたら、多くの場合で最初の対策としてプロセスの変更が行われるが、その代わりに、間違った方向を向いていると思える個人に対して、単純にフィードバックを返してみてはどうだろうか。相手があなたの意図を誤解していた場合もあるだろうし、その逆もあるだろうが、ほんの少し話し合うだけで、本来なら不要なはずのプロセスに何年もの時間を費やす必要がなくなるかもしれない。
- **エンジニアリング戦略を洗練させる。**技術仕様から戦略、そしてビジョンにいたるまで、エンジニアリング戦略を洗練させる。
- **アプローチをワークフローとツーリングに反映させる。**明確なビジョンを文書化するのは有益なことだが、文章を読むのを単純に嫌う人もいる。ツールを吟味してワークフローを意図した形にすることで、トレーニングや文書よりもはるかに容易に習慣を育むことができる。たとえば、新規サービスのプロビジョニングの際には、ウェブサイトへ行ってそのサービスの技術仕様につながるリンクを追加する必要があるだろう。一方、そのサービスがオンコール（緊急時対応）設定をまだしていなくて、現在誰かがオンコールにあり、その人物がプッシュ通知を有効にしていなければならない状況では、本番環境へのデプロイをブロックするという方法も考えられる。

- **オンボーディング期間中の新メンバーを訓練する。** いったん根付いてしまった習慣を変えるのは難しい。人々に習慣を新しいものに変えるように促すのは根気のいる作業だ。しかし、チームに加わったばかりの者に正しい方向を示せば、それが習慣として根付き、足並みがそろいつづけるだろう。
- **コンウェイの法則を利用する。** コンウェイの法則によると、ある組織がつくるソフトウェアには、その組織の構造が反映されるそうだ。あなたの組織で構造に不備があるなら、ソフトウェアも同様に不備のある、つまり混乱したものになる。その一方で、組織が効率的に構成されているのなら、品質も向上するということでもある。
- **技術の変化を監視する。** アーキテクチャレビュー[55]、投資戦略、新規ツール導入の規定プロセスを用いて技術の変化を監視する。方向性の乱れのほとんどは、文脈の欠落から生じている。つまりそこが、組織として意思決定に文脈を注入すべきレバレッジポイントなのである。多くの企業ではこの点を最優先するが、私はこれを最後に開けるツールボックスとみなしている。明文化されたビジョンがない状態で、一貫したアーキテクチャレビューを行うことができるだろうか？　人々に、オンボーディング過程ではなく、彼らが何かをデザインしたあとになってようやく戦略を伝えることに意味があるだろうか？

どのアプローチを用いるにせよ、技術的ベクトルの方向合わせには数カ月から数年の期間が必要になる。ビジョン文書を書けばすぐさま組織の足並みがそろうという話ではない。むしろ、サポート体制の確立に積極的に働きかけなければ、ビジョン文書にほこりが積もっていくだけである。

企業の多くは、上記のホットスポットへの対処からベクトルの同調までのステップを１つのアプローチにつなぎ合わせて、技術品質の管理に活用している。あなたの会社もそうなることを願っている。しかしその一方で、それだけでは不十分で、もっと大がかりなアプローチが必要だと考える人もいる。その場合、最初のステップは——だいたいいつもそうであるように——「測定」になる。

### 技術品質を測定する

ほかの分野に比べて、ソフトウェアエンジニアリングの世界のほうが「何かを計測したい」という欲求が強いようだ。『Lean と DevOps の科学』[52]は開発速度を測るメトリック（測定基準）を特定している。そうしたメトリックはプロセスやツールの問題の所在を確かめるのに極めて有効だが、コードがマージされて初めて効力を発揮する。では、ギャップを見つけたり、行動計画を提案したり、改善の試みの成果を評価したりする目的でコードベースの質を測定するにはどうすればいいのだろうか？

コードの質の改善に有益なプロセス測定法はいくつか存在する。たとえば、プルリクエストごとに変更されたファイルの数を記録する。基本的に、プルリクエストが少ないほど品質は高いと言える。あるいは、コードベースのファイルごとにコードの行数を数えてみるのもいい。とても大きなファイルは拡張が難しいと予想することができる。どちらの方法も役に立つので実行してみるのを勧めるが、両方ともコードの質を大ざっぱにしか評価できない。

個人的な経験上、コードの質を測定するのは可能で有益だと言えるが、その際大切なのは「質」を極めて正確に定義することである。定義が詳しければ詳しいほど、コードベースの測定は有益になり、エンジニアが質の改善に役立てやすくなる。このアプローチは『Building Evolutionary Architectures』[56]や「Reclaim unreasonable software」[57]で詳しく論じられている。

質の定義には以下の点を含めるべきだろう。

- コードの何％が静的型付けされているか？
- 何個のファイルに関連するテストがあるか？
- コードベース内のテストカバレッジはどの程度か？
- モジュール間の公開インターフェースはどのくらい狭いか？
- どのくらいの割合のファイルが推奨される HTTP ライブラリを使用しているか？
- エンドポイントは、コールドスタート後 500ms 以内にリクエストに対応するか？

・危険な読み取り後書き込み動作を持つ関数はいくつあるか？　または、プライマリデータベースインスタンスに対して不要な読み取りを行うか？
・どれくらいのエンドポイントが、単一のトランザクション内ですべての状態変更を行うか？
・どれくらいの関数が低粒度のロックを取得するか？
・プルリクエストの半分以上で変更されるホットファイルはいくつあるか？

上記のプロパティのいくつかは自分のコードベースの定義に必要がないと思ったかもしれないが、それは間違ったことではない。定義は、個別のコードベースや個々のニーズに応じて独特であるべきだ。大切なのは、詳細かつ測定可能な定義をつくること。定義の作成の際には異論も出るだろうし、一度決めた定義も、時間とともに修正の必要が生じるだろう。

定義が終わったら、コードベースの品質の測定にインストルメンテーション（性能等を測定するための実装）が欠かせないのではあるが、これがじつに難しい。インストルメンテーションの複雑さこそが、この手法を採用する際の最大の摩擦点になるだろう。しかし、導入に成功すれば、その成果は目を見張るものがある。リアルでダイナミックなクオリティスコアを追跡しつづけることができるし、そのスコアを用いて自らのアプローチに明らかな整合性をもたらすこともできるのだ。これは質の定義をしなければ不可能なことである。

定義およびインストルメント化されたクオリティを手に入れたあなたにとって、「品質チーム」に投資するか、それとも「品質プログラム」に力を入れるかという問いに決断を下すことが次のステップになる。調整が容易で、その影響が予測しやすいこともあり、基本的には品質を担当するチームのほうを優先するのがいいだろう。

### 技術品質チームを立ち上げる

技術品質チームとは、コードベースの質を高めることを任務としたソフトウェアエンジニアで構成されるチームのこと。「デベロッパープロダクティビティ」、「デベロッパーツール」、「プロダクトインフラストラクチャ」などと呼ぶこともできるだろう。いずれの場合も、チームの目標は会社のソフトウェア全体で品質を確保および維持することにある。

しかし、これは一般に品質保証チームと呼ばれているものとは性格を異にしている。どちらもテストに携わるのではあるが、技術品質チームのほうがワークフローから、開発、検証、インターフェースデザインにいたるまで、幅広い権限を有している。

そのようなチームの立ち上げを検討しているのなら、人数は3人から6人に固定するのがいいだろう。チームが小さければ、チームのロードマップにおいてインパクトを重視せざるをえず、実現可能な物事にフォーカスを保ちつづけるのが容易になるからだ。時間の経過とともに、チームは維持するシステムが増え、投資を拡大する必要が生じるだろう（Jenkinsクラスターがその典型例)。また、広範なエンジニアリング組織の1機能としてチームサイズを調節[58]する希望が生じることもあるに違いない。ここで経験から結論を導き出すのは困難なものの、インフラストラクチャエンジニアリングへの投資に加えて、プロダクトエンジニア15人に1人の割合でデベロッパーツーリングに携わるエンジニアを配置するぐらいが適切だろう。

そのようなチームにプロダクトマネジャーが加わることはまれだが、その代わりに、普通は1人か数人のスタッフプラスエンジニア、さらにはエンジニアリングマネジャーのパートナーがプロダクトマネジャーの役割を務める。ときに、技術品質チームがテクニカルプログラムマネジャーを雇い入れることもあるが、基本的には、それはチームが次の節で紹介するような「品質プログラム」を展開してからのことである。

そのようなチームの立ち上げと運用を成功させるには、以下の要素が重要になる。

1. **直感よりもメトリックを信用する。**すべてのプロジェクトで、何らかの形で測定を行うべきだ。品質とは複雑なものなので、直感に頼っていると痛い目に遭うことがある。加えて、会社で上級職に就けば就くほど、そこでの経験は、ほかのメンバーの経験からかけ離れていく。あなたはすでに多くの問題について知識があって、また新しい問題を見つけたときも、すぐにサポートを得ることができるだろう。しかし、ほかのほとんどのメンバーにそれほどの経験はない。そんな状況でも、メトリックはあなたを誠実に導いてくれる。
2. **直感を新鮮に保つ。**コードもプロセスも時間とともに変化していく。加えて、あなたがプロダクト制作に直接携わる機会が減るにつれて、直感が衰えていく。多くの人はチームエンベッディングやチームローテーションを必要な直感を保つのに最適な方法とみなしている。直感を保つために、問題について議論するチャットを監視したり、プロダクト開発者相手に1対1のミーティングを定期的に行ったりする者もいる。最高の人々はその両方を行い、メトリックのダッシュボードを使いこなしている。

3. **ユーザーの声を聞いて学ぶ。**世の中には何が優れているかを単純に知っている人が存在するという考え方があって、「テイストレベル」と呼ばれている。一方、良質な投資を計画する能力のある人にはさまざまな種類がいるが、彼らは生まれつきそのようなスキルを身につけているわけではない。最高の人々はユーザーがやろうとしていることを深く理解し、制約よりもニーズを優先する。

   あなたが開発するツールの採用と使用の容易さが、ツールの効力よりもはるかに重要だ。ツールがパワフルでも、使うのが難しければほとんどの人から敬遠され、少数のパワーユーザーにしか利用されないだろう。この点の理解にはじっくりと時間をかけるべきだ。偶有的複雑性[59]のすべてを隠そう。そしてあなたのツールをサポートなしで初めて使おうとするエンジニアの様子を観察する。ギャップを減らす。そうしたことを10回ほど繰り返すのだ！　もし、あなたがツールのユーザー調査を行わないのであれば、あなたの技術品質チームは失敗に終わるだろう。

4. **少ないことをうまくやる。**エンジニアリング組織全体のためにチームをつくっているのなら、そこで何かをうまくやり遂げれば、組織全体が勢いづくだろう。逆に、何かに失敗すれば、あるいは考え方はすばらしいのに荒削りな部分が多すぎると、誰もが足を引っ張られる。ほとんどいつでも、数を絞って最も重要なことに集中するほうがたくさんの平凡なプロジェクトを推し進めるよりも多くの恩恵を得られるのであるが、このことはツールやワークフローを組織全体に展開しようとするときに特に当てはまる（組織における進行中のプロセスの数を制限するという原則はここにも適用されるのだ！）。

5. **インパクトの出し惜しみをしない。**中央集権的な品質チームと、それがサポートする各チームのあいだには、根本的に緊張関係が生じる。中央の品質チームが全体的に見て最適なアプローチにこだわり、その態度がそれぞれ異なる領域で、あるいはそれぞれの負荷で働く個別チームにとっては重荷になるのだ。代表例として、バックエンドサーバーをJavaScriptで書いていて、機械学習エンジニアにエコシステムを2つもサポートするわけにはいかないという理由でPythonエコシステムの利用を禁止する会社を挙げることができるだろう。特定のチームがgRPCの利用を望んでいるのに、すべてのAPIに会社全体としてREST/HTTP2/JSONを標準採用したケースもある。そのようなケースに最適解は存在しないが、標準化の恩恵と新しい何かにチャレンジした場合の恩恵をバランスよく考慮する[60]ことが重要だ。

上記のアプローチを巧みに用いる技術品質チームがあれば、同じ数のエンジニアが直接製品の開発に携わった場合よりも生産性が“間違いなく”高まる。実際のところ、(割引キャッシュフロー法[61]のエンジニア版である)「割引開発者生産性」が、理論上はそのようなチームのインパクトを測る正しい手段だと言える。ここで「理論上」と強調するのは、そのような計算はほとんどの場合で自負心の評価でしかないからだ。

たとえあなたがかなり成功しているとしても、インパクトが強いとわかっていながら、それを完遂する余裕がないため、手をつけていない仕事がいくつかあるはずだ。組織というものは、チームリソースに関して純粋に合理的な決断を下すことはないため、あなたも重要なプロジェクトを完了するのに必要なリソースが不足する事態や、チームに追加の人員を雇い入れる承認が得られないケースに遭遇することもあるだろう。

チームで抱えきれないほど多くの高インパクトな仕事があるのはすばらしい兆候だ。しかし、その際に引き受けるプロジェクトを慎重に選ばないのであれば、あなたは広い視野をもっていないと言える。言い換えれば、手つかずの仕事があるからといって、必ずしも技術品質チームを拡大する必要はない。しかしながら、本当に重要な仕事があるのにそれに手を出せずにいるのなら、「品質プログラム」の導入の可能性を探ったほうがいいかもしれない。

### 品質プログラムを導入する

品質プログラムはコンピュータコードではなく、組織全体を通じて技術品質の維持を担当するチームが主導するものだ。品質プログラムには、会社が目標とするレベルのソフトウェア品質を達成するのに必要な幅広い権限が付与される。品質プログラムを導入している企業は比較的少ないが、似た仕組みとして、事故後の処理や救済を担当する事故対策プログラムは多くの組織で採用されている。

品質プログラムの実行に必要な技術に関してはこれまで詳しく述べてきたので、ここではそのようなプログラムの効果的な運営に焦点を当てる。最初のステップは、プログラムを共同で管理および運営する力をもつテクニカルプログラムマネジャーを見つけることだ。テクニカルプログラムマネジャーがいなくても、品質プログラムの情報面ではあなた一人でかなりの前進が可能だろうが、じつはそこに落とし穴が潜んでいる。大きな組織内において単独でプログラムを運営すると、妥協の圧力に押しつぶされることになるだろう。

組織内のプログラムの運営は広範なトピックであり、すでに数多くの文献[62]が存在しているが、基本的には次のアプローチが中心になる。

1. **プログラムにスポンサーを見つける。**強力な後ろ盾がなければ、組織に行動の変化を強いることはできない。組織が今の行動に落ち着いたのは、それが現状において最適解だからだ。強力に支援してくれる者がいなければ、それを変えさせることはできないだろう。
2. **持続可能で再現性の高いメトリックを得る。**品質プログラムの責任者はデータセットのメンテナンスに自ら携わり、週に4時間以上の時間を費やしていることが多い。しかし、そのようなやり方はうまくいかない。データには穴が開くだろうし、のちに自動化する際に自分のデータをそこに含めることもできないだろう。そんなことをしていても、本当の変化を引き起こすために必要なエネルギーを浪費するだけだ。メトリックダッシュボードの更新には本質的な価値はない。
3. **影響を受けるすべてのチームにプログラム目標を決め、その目標を達成するための道筋をはっきりと示す。**あなたのプログラムは、関係するすべてのチームのそれぞれに独自の目標を設定しなければならない。たとえば、検証における不安定さの削減やインシデントの際の修復の高速化などだ。その際に大切なのは、あなたがその達成のための道を示すこと！　あまりにも多くのプログラムが、関係チームに目標を達成する方法を示さないまま、プログラムへの参加を要求している。プログラム責任者は対象分野の専門家なのだから、戦略をチーム任せにすべきではない。

4. **チームの目標達成をサポートするためにツールやドキュメントを作成する。**プログラム目標を達成するために各チームが進むべき道がわかったら、その変化の実現をサポートするために何ができるかを考えてみよう！ 「ズバリこれを目指せ」という典型的な事例を示すことかもしれないし、コード内の難航部分を新しいパターンに書き直すプルリクエストを例示することかもしれない。マイグレーションが正しく行われたどうかを検証するテストスクリプトを提供することだってできるだろう。テスト、検証、マージのための変換コミットを自動生成すれば、エンジニアが自分で書く必要がなくなる。可能な限りのサポートを通じて、各チームが、あなたが対処しようとしている問題領域について深い理解がなくても存分に力を発揮できる環境をつくるのである。

5. **目標ダッシュボードをつくって広く共有する。**各チームにプログラム目標を伝えたら、次にダッシュボードを提供する。現状と目標状況の理解を促し、その過程での（願わくば）前進のためのフィードバックを強化するためのダッシュボードだ。理想的なダッシュボードには、各チームの仕事のスコアカードとしての側面と、次に努力する方向を示す標識としての役割の両方が含まれる。

 ダッシュボードは3つのズームレベルをサポートするのが好ましい。ズームアウトレベルはプログラムのインパクトを測るのに便利だ。ズームインレベルを用いれば、個々のチームがほかにどんな仕事が残っているか理解しやすくなる。その中間となる3つ目のレベルを用いて、会社の幹部が各チームに責任をもたせる（そしてプログラムのスポンサーが幹部陣に責任をもたせるために具体的な要求をする）。

6. **目標を達成できずにいる人々の背中を押す。**みんな忙しい。あなたのプログラムをいつも優先できるわけではない。一度はあなたから要求された改善を見事に果たしたものの、のちになってまた改善前の慣行に逆戻りすることだって考えられる。そのため、プログラム目標を達成するのに必要な次のステップに向けて彼らの背中をそっと押してやる必要がある。その際、「関心は有限のリソースである」という点を忘れてはならない。大量のメールや通知で人々の時間を無駄にしていると、そのうち彼らは関心を払わなくなるだろう。

7. **スポンサーとともに定期的にプログラムの状況をレビューする。**プログラムは会社の優先事項において前進するためのもの。そのため、各チーム独自の目標とは一致しない。チームの多くは、グローバルな優先事項に取り組むために、自らの優先事項を後回しにするという苦渋の決断を強いられる。だからこそ、スポンサーとともに全体的な進捗をレビューし、プログラムを優先するチームに進捗状況を示すことが重要なのだ。スポンサーを効果的に用いて全体とチームの優先事項の不一致を橋渡しすることが、プログラムの成功に欠かせない。

多くの点で、プログラムとは終わりのないマイグレーションだと言える。そのため、マイグレーションに有効なテクニックはプログラムにも通用する[63]。

上記のステップをすべて的確に行えば、あなたはプログラムを完璧に運営できるだろう。やることがたくさんあると思ったのではないだろうか。実際のところ、プログラムの多くが失敗に終わっている。失敗のおもな原因として、次の点を挙げることができる。

1. 達成しようとしている現実から切り離されて、完全にプロセスの観点から実行する。
2. 「ゴールを明らかに示す」、「自分のために働いてくれる人々の声を聞く」などといった基本的なステップを無視して、完全に技術的な観点から実行する。
3. プロセスと技術の両観点を単独でカバーしようとする―― 一人ですべてをやろうとしないこと！

うまくいっていないプログラムは、効率の悪い非営利組織に似ている。目標は正しいのに、目指すゴールに到達するための資金が欠けているのだ。技術品質をどう測るにせよ、品質プログラムの実行において最も重要なのは、プログラムの実行がゴールではないということだ。ゴールはあくまで技術品質の確保である。そうした組織プログラムは大規模であり、かなりの勢いを得るため、終了したのちも慣性のプロペラが回りつづけて前に進もうとする。したがって、プログラムを通じても品質が得られなくなったときにはすぐに中止する厳しさをもち、いざ中止に踏み切ったときにはすぐに動きが止まるように軽量に保つことが重要である。

### 小さく始めてゆっくりと拡大する

現状の技術品質が目標品質に明らかに劣っていると気づいたとき、最も一般的な最初の反応は、パニックに陥って数多くのテクニックやソリューションで何とか差を縮めようとすることだろう。だが、鍋に手持ちの食材をすべて放り込んだところで、おいしくなるはずがない。それどころか、うまくいっていた部分さえ見失ってしまうだろう。

技術品質問題で――私たちの誰もが頻繁に経験するように――悪戦苦闘しているのなら、小さなことから始めて、状況が好転するまでそれを繰り返すのである。それがうまくいきはじめたら、さらに別のテクニックを追加し、それをまた繰り返す。そうやってゆっくりと、たとえ進展の遅さを非難されたとしても、本当に機能するプログラムに育て上げていこう。複雑なシステムや相互依存形態の場合、進展の速さはただの見せかけに過ぎない。必要なのは足並みそろった動きなのである。

## 権威と歩調を合わせる

> 私の役割では、私たちが顔を合わせない日が何週間も続くことも頻繁にありますが、それでも私は彼の直接の代理人として働くことが求められています。私は部屋に入って、「マシューならここで何をするだろうか？　何を尋ねようとするだろう？　この問題に対して、どんな指示を与えるだろう？」と考えるのです。毎回、マシューにそれでいいか尋ねるわけにもいきませんから、彼の世界観を深く理解しつづけなければなりません。それがなければ、彼の代理人として、彼の戦略とビジョンを効果的に実現するのに必要な深い信頼を得ることができません。人々は、もしマシューがここにいたら私と同じ答えを出したに違いないと、確信を得たいのです。
>
> ― リック・ブーン

一般に、権威をもつ者には権力があると誤解されている。上級職を目指す人の多くは、出世さえすれば自分のやりたいことがやりたい方法でできるようになると考える。肩書きが柔軟性と自主性をもたらすと信じているのだ。これまで前進を阻んできた摩擦が雲散霧消し、蝶になって風に乗って飛んでいく、と。

だが、現実はそこまで単純ではない。

肩書きは組織的権威と呼べるある種の権威をもたらすのではあるが、そうした一連の権威は、より上位の組織的権威によってあなたに貸与されるものだ。預けられたものは剥奪されることもある。組織的権威を維持できるかどうかは、権威の貸与者（通常はあなたの直属の上司）にどれほど正確に歩調を合わせられるかにかかっている。スタッフプラスの役職で有益でありつづけるには、組織的権威と歩調を合わせつづける術を身につけなければならない。

### セーフティネットの向こう側

会社があなたを成功に導いてくれるといまだに信じているのなら、そんな期待はすぐに捨ててしまおう。今では、あなた自身が会社を、チームを、上司を成功に導く責任の一端を担うのである。

成熟したテクノロジー系企業の多くは昇進パイプラインを敷き、若くして入社した人々がシニアエンジニアの肩書きを得るまでの道のりを予測可能にしている。しかし、シニアまでと比べてスタッフの肩書きを得るのははるかに複雑で、通常は直属のエンジニアリングマネジャーのサポートを受ける必要がある。上記のパイプラインを通じて、これまではマネジャーがあなたの発展を導き、あなたが成功を積み重ねられるようにセーフティネットを広げてきたのだろう。あなたはその状態に慣れているかもしれない。しかし、スタッフ以上の役職に就いたら、そのようなセーフティネットはなくなってしまうか、落ちたときに引っかかることもできないほど小さくなってしまう。上級のスタッフエンジニアあるいはディスティングイッシュトエンジニアになれば、セーフティネットはさらに小さくなる。

スタッフプラスの役割はリーダーシップであり、あなたをそこまで守ってきたサポートシステムは消えてなくなる。あなたは突然、自分の成功のために自分でパズルのピースをつなげ合わせることが求められるようになるのだ。

### 社長を喜ばせるために

Uberのインフラ部門の副社長を補佐する戦略アドバイザーとしての自身の役職を説明したとき、リック・ブーンは自分の役割を『ゲーム・オブ・スローンズ』の「王の手」、あるいは『ザ・ホワイトハウス』の「レオ・マクギャリー」にたとえた。レオ・マクギャリーといえば、「大統領を喜ばすために働いている」と何度も口走る人物だ。どちらの人物も、より大きな権威との密接な関係から権力を得ている点で共通していて、スタッフプラスの役割にとってすばらしいモデルとなる。スタッフ以前の役職では、おもに長年にわたる個人的な行動や成果の積み重ねとして権威を集めるのが普通であるため、スタッフプラスへの移行は難しく感じられることがある。

もしあなたが直属のマネジャーと長年にわたって関係を築いてきたのなら、すでにとても繊細なレベルで意思の疎通ができるのだろう。そうでない場合は、スタッフプラスのサポートに長けている新たな幹部がやってきて、どのような協力関係を想定しているかを示すマップを広げるに違いない。いずれの場合も、あなたが個人的にどうこうできる状況ではない。だからこそ、上司に足並みをそろえる技を自分で磨くことが重要なのである。

上司との整合性を保つには、以下の点に重点を置く。

- **上司を決して驚かせない。**上司を驚かせれば、信頼関係があっさりと壊れてしまう。大きな組織の舵を切るには、まるでジャグラーのように複数のプロジェクトや問題に同時に対処しなければならない。そんなときに予期せぬ事態が生じると、ジャグラーのリズムが乱れてしまう。驚きが大きかったり繰り返されたりすると、リーダーは組織に対して本当に責任を感じているのかという疑問も生じる。基本的に、上司を驚かせてしまったときには、それを教訓として学習し、再発を避ける努力をしよう。
- **上司に驚かない。**ほとんどの人は上司に多大な期待を寄せる。たとえば、今の仕事に関係する情報のすべてを上司が与えてくれると考える。その期待にじつにうまく応える上司もいれば、それができないマネジャーもいる。あなたの上司が後者なら、もちろんその点に関するフィードバックを返すべきだが、それ以外にも、あなた自身が情報の流れをよくするための行動を起こすべきでもある。たとえば、週に1回のアップデートメール[64]を送るとか、チームのSlackチャンネルにスレッドを立ててあなたの週間目標を共有するとか、方法はいくらでもあるだろう。そして1対1になったときに、フィードバックを求めるのだ！　その機会に、自分が集中すべきエリアがほかにもあるか、今の優先順位が上司のそれと一致しているかを確かめる。もし、いまだに互いを驚かせ合っているのであれば、協調を育むためにどのようなコントロール方法[65]を利用できるか検討しよう。
- **上司の文脈に情報を与える。**あなたの行動で上司を驚かせるのを避けるのが最初のステップなら、2番目のステップはもっと広い意味で組織の行動が上司を驚かせるのを防ぐことになる。たとえば、チームが会社の新しいポリシーに不満を抱いているなら、あるいは内部ツールがニーズの大きさに合っていないのなら、そのことを前もってマネジャーに伝えておこう。ただしその際、そのような情報を渡すのはそうするのが有益だからであって、決して上司にその問題を解決してもらいたいからではないと、はっきりと伝えること。意見は有益だが、データのほうがもっと役に立つ。だから、可能ならデータを見つけることだ。

ときどき、ある人に対して「あいつは上司の扱いがうまい」などという言葉が陰口としてささやかれることがある。確かに、上司の扱い次第によっては大きな混乱がもたらされることもある。たとえば誰かが情報をコントロールして問題を隠したり誤解に導いたりする場合だ。しかし基本的には上司の扱いとは、あなたとあなたのマネジャーのあいだの絆を深め、摩擦を減らすための行為である。マネジャーとのあいだに意図的にパートナーシップを育むことによって、上司が期待に応えてくれないと失望することがなくなり、大きく前進できるだろう。

### 摩擦なく影響力を発揮する

リーダーとして成長するには、世界はどう機能すべきかという点について独自の世界観を養う必要がある。そして、そのような世界観なしに、スタッフプラスのレベルに達することはできない。物事はこうあるべき、という明らかな感覚をもてば、判断力に鋭さが増し、積極的に行動できるようになる。そのようなリーダーシップの次のステップにたどり着くには、自らのビジョンをより上位のリーダーのビジョンに融合させる必要がある。

その際の最初のアプローチとして、自分のビジョンをほかのリーダーのビジョンで置き換えるという方法が考えられる。ときにはこの方法がうまくいくこともあるが、多くの人にとっては、強い判断力を有する積極的なリーダーとしての成功を後押ししてきた世界観からの脱却を意味している。私は代わりのやり方として、あなた自身の価値観と、会社が運営の際に掲げる価値観との差異に対する意識を高め、そのどちらも追い出すことなく[66]擁護する方法を探すことを勧める。

人は、すぐには変われない。そして、組織は人で成り立っている。時間をかけて慎重に行動すれば、あなたは組織のリーダーたちに多大な影響を与えることができるだろう。しかし、その時間を得るには、あらゆるステップにおいて彼らと密接な関係を保つしかないのである。

## リードするには従うことも必要

> グローバルに考えて、それをローカルに応用するのです。つまり、チームの（技術的）イニシアティブ（主導権）やロードマップをエンジニアリング全般の技術戦略に合わせるということです。そしてチームの直接のステークホルダー（利害関係者）のニーズに応えるためにそのパスから外れるときには、それをしっかりと意識する。チームのマネジャーと協力して、ほかのチームの雇用、オンボーディング、本番稼働で成功が証明されたプラクティスを採用する。あるいは自分のチームで用いたプラクティスをほかのチームにも共有する。さらには、全社的なビジネス・プロダクト戦略から文脈を抽出し、それを翻訳して、自チーム直近のプロジェクトにどう影響するかを見極めるのです。
>
> — ラス・カサ・ウィリアムズ

数年前、私が働いていた会社が新しいエンジニアリングディレクターを雇い入れた。その際CTOが、その新ディレクターの採用がすばらしい人選である理由を説明した。では、採用の決め手となった業績とは？ リーダーシップとマネジメントの違いを、過去に例がないほど見事に説明したのである。この点はのちに、採用の基準としては必ずしも有効ではないことが明らかになったが、トピックとしてはじつに興味深い。

リーダーシップとマネジメントの定義はすでに無数の試みがなされてきたので、今さら付け加えることはほとんどないが、大ざっぱには、マネジメントとは特定の職業であり、リーダーシップはあらゆる職業で実践可能なアプローチだと言えるだろう。

私のリーダーシップに対する考え方は過去数年で少し変わり、今では２つの特性に重点を置くようになった。１つ目、リーダーは物事がどうあるべきかという点について、かなり詳細に理解している人物である。そのため、現状と理想のあいだの差を見極め、そのギャップを埋めるために必要な積極的かつ整然とした行動を特定する能力をもつ。2つ目、リーダーは上記のギャップから目を離さず、実際にそれを埋めるための行動をとる。

もしギャップを見つけるだけで何もしないのなら、あなたはビジョナリーかもしれないが、実行力を欠いている。逆にゴールがはっきりと見えているわけではないのに行動を起こすのなら、多くの人があなたをリーダーとみなすかもしれないが、あなたがインパクトを残せるかどうかは運任せで、うまくいくときもいかないときもある。つまり効率が悪い。ギャップを見る目と行動力の両方を備え、そこに少しばかりの運が加われば、あなたはリーダーとして長いキャリアを歩むことができるだろう。実際、私の知る限り、スタッフプラスエンジニアリングや上級マネジメント職への移行をうまくやってのけた人物は、誰もが両方の特徴を有していた。

しかし、リーダーシップにはそれだけで十分だと考えていては、さらなる発展は望めない。私もかつては、自分なりのリーダーシップへのアプローチで初めのうちはとてもうまくいっていたのに、そのうち自分の貢献に対する評価が下がっていったことに何年も思い悩んだ時期があった。そして、時間をかけてゆっくりとある教訓を学んだのである。「リーダーとして長期的に成功するためには、フォローする（従う）方法を学ばなければならない」と。

おそらく、これこそが私がこの数年で学んだ最も重要な教訓だろう。「最も優れたリーダーはリードするよりもフォローすることに多くの時間を費やす」のである。これは「最初のフォロワーがリーダーをつくる」[67]という考えにもつながる部分もあるのだが、本当に効果的なリーダーは世界をリーダーとフォロワーの2つに分けて考えたりしない。まわりの人を巻き込みながら、リーダーになったり、フォロワーになったりと、両方の役割を自在に使いこなすのである。

これを実践する方法として、以下の点を挙げることができる。

1. 最優先事項をつねに意識する。目の前にあるものすべてに手を出して自分を薄めないこと。たとえば、ささいな問題が理由で完全には納得できないが有望と思われる機会があるなら、ほかの人にリード権を与えて、その問題に取り組んでもらえばいい。そのような際は「ここでやることが、6カ月後の自分に大きな意味をもつだろうか？」と自問してみよう。その答えが「ノー」なら、その機会ではフォローする側に回ればいい。

2. 改善に取り組んでいるほかのリーダーを迅速にサポートする。たとえ彼らのやり方に納得ができなくても、信頼できる誰かがプロジェクトを率いているのなら、きっと優れた成果をもたらしてくれるだろう。信頼できる人物が率いているのに、それでもプロジェクトの進行に不安を覚えるのなら、自分に目を向けて、彼らに影響を与える自信がない理由は何か、もしかするとフィードバックが下手なのか、などとよく考えてみよう。
3. フィーバックを通じて物事をブロックしない。そのために、たとえばコードレビューのコメントを「オプションの提案」と分類すればいいだろう。あるいは、詳細なフィードバックを書いた場合でも、相手に対してはっきりと、アプローチの変更を迫るためではなく自分の見解を共有してもらいたいから書いたのだと伝えればいい。

それができないから苦労しているんだ、と思ったあなたに同情する。私もこの点に苦労してきたからだ。あなたは強力な世界観があるからこそ、リーダーになれる。そしてその世界観を支持し、あなたを信頼する人々をチームに集める。そんなとき、自分のビジョンから外れる考えを受け入れれば、あなたを信じる人々を失望させてしまうような気がする。しかし、あなたをそれまでのレベルでは成功に導いてきたその態度こそが、次のレベルへと進むときには壁になる。成長を続けるには、自分の世界観を身のまわりの人々の世界観と融合させる方法を学ばなければならない。全体的な進歩を加速するには、自分のビジョンからの逸脱さえ受け入れなければならないのである。

あなた一人でできることは少なく、リーダーを育てることではるかに多くを成し遂げられる。優れたリーダーになるには、従うことも学ばなければならない。

## 絶対に間違えない方法を学ぶ

私は、私たち全員にとって最善だと思うことを発表します。同意できない人もいるでしょう。実際、みんな頻繁に反論します。そんなとき、私は自らの行動で示すよう努めます。「私にはあなた方に何をすべきか指図する権限がある」などと言ったりはしません。そのようなやり方がうまくいったケースを見たこともありません。

— キーヴィー・マクミン

ほとんどの人は、自分は決して間違えないと思い込んでいる誰かといっしょに仕事をした経験があるだろう。「間違えない」人々は議論のたびに身を乗り出し、肩を張って、決断者としての役割を奪い取ろうとする。そして自分の考えが受け入れられるまで、あるいは時間がなくなるまで、議論を続けようとするのだ。彼らの考えが正しいこともあるが、そのやり方は空気から酸素を奪っていく。会社に長くいれば、そうした人は自分には説得力があるのだと勘違いをするようになるが、ほとんどの場合、それは説得力ではなく、ほかの人々が反論するのを諦めたに過ぎない。

私はこれまで、部屋の空気を支配することなく、しかも絶対に間違えない方法を身につけたテクニカルリーダーに何度か出会ったことがある。つまり、他人にスペースを与えながら、正しくありつづけるのである。それを完全に身につけているのがフランクリン・フー[68]で、私はフーが、全員にとって最善の結果を見つけようとするたゆまぬ努力で、自らのスタート地点を離れる柔軟さで、そして一見したところ対立する考えを1つの見解に統一する手段がどんなときにも存在するはずという信念で、数々の論争を武装解除したのを見てきた。

上級のテクニカルリーダーになるには、技術とアーキテクチャに関して深い洞察を得なければならない。上級のテクニカルリーダーとして活動するには、技術という宗教に対して実用主義的な立場を貫き、すべてを知ることはできないと深く認識し、自分自身に対して懐疑的でありつづける必要がある。パラドックスだと思うかもしれないが、この線上をあなたも毎日歩まなければならない。

### 話を聞き、明らかにし、空気を読む

たいてい、エンジニアは自分の意見が正しいと確信して議論を始め、部屋にいるほかの者をその意見に納得させようとする。この考え方では、どのミーティングもゼロサムゲームになる。自分の考えがみんなから合意されるという「最高のケース」でも、彼らはほかの人から何も学ぼうとしない。また、そこにいた人々がやる気満々になって部屋を出て行く可能性もほとんどない。

最も優れたエンジニアは、実在する問題に対して合意を得ることを目的に

ミーティングへ赴き、さまざまなニーズや見方があることを理解しながら、全員の足並みをそろえるには何をすべきかを見極めようとする。各ミーティングを、プロジェクトあるいはそこにいる仲間との関係よりも大きなくくりに含まれる1つのラウンドとみなす。部屋の空気があるソリューションへの賛同の方向へ流れはじめたら、チームをそちらへ導こうとする。まだそのような空気が醸されていないうちから、無理強いすることはない。

そのような態度を身につけるには、次の3点を習得する必要がある。「疑問に耳を傾ける」、「目的を明確にする」、そして「空気を読む」の3点だ。

**疑問に耳を傾ける**とは、いわゆる「アクティブリスニング」のことで、その目的は部屋にいる人々の考え方を理解することにある。正しい意図をもって適切な質問をすることで会話が始まり、ほかの人々に自分も質問してもいいのだという心の余裕と安心感が生まれる。適切な質問は学習する意欲から生まれ、具体的であり、議論に輪郭を与える。答える者を、自分の見解を守らなければならないという圧力から解放する。議論が白熱することが予想されるミーティングでは、自分の意見を言う前に適切な質問を3つほどしてみよう。部屋の空気が変わるのを実感できるはずだ。

優れたミーティングには初めから明確な目的とアジェンダが設定されているが、多くのミーティング、特に臨時の会合はその基準を満たしていない。どこにゴールがあるのかよくわからないミーティングに遭遇したら、真っ先に**目的を明確にする**ことに努めよう。まず、チームが何を達成しようとしているのかを問いかける。ここでの質問は確認口調にするとうまくいくことが多い。たとえば、「念のために聞いておくけど、ここでの目的は、プロジェクトの立ち上げを2週間延期するかどうかを決めることなんだよね？」といった感じだ。

ただし、目的の確認もあまりに頻繁に行われると弊害のほうが多く、議論の方向性が明らかになるのではなく、むしろ混乱してしまう。ほとんどの場合、ほかの誰かが目的の定義を試みた場合には、それ以上繰り返さないほうがいい。定義の修正に繰り返し失敗したミーティングは、ほぼいつも次のミーティングの日時を決めることで幕を閉じる。

そしてもう1点、どのミーティングでも**空気を読む**こと。多くのケースで、人々はしびれを切らして合意を強制しようとするため、部屋の空気が重くなる。そんなときに正しい結論を導き出すのはとても難しい。意見の食い違いがあまりにも大きいときは、もっと時間をかければ協力して問題を深く掘り下げることが可能なメンバーを特定するか、あるいはミーティングにいなくてもいいと思える人を選んで部屋を出てもらおう。あまりにも多くのものであふれている引き出しは、無理に閉めようとするべきではない。

### どうしたら習得できる？

以上の3点がまだ身についていないとしても大丈夫。練習する機会はいくらでもある。ドキュメントにコメントするのもその機会だ。どのミーティングもその機会である。プルリクエストもまたしかり。

毎週、練習するスキルを１つ選んで、今週はこれを使うと心に決めてミーティングに挑もう。特に難しいミーティングが控えているときは、頭のなかで、あるいは仲間とともに、困難が生じても議論を前に進めるためにそうしたスキルを用いる練習を事前にやっておけばいいだろう。

### わからず屋への対処法

ほとんどの場合、上記のアプローチは有効だが、ときには例外もある。わからず屋を相手にした場合だ。ここで言う「わからず屋」とはグループに決して同意しようとせず、妥協を拒み、聞く耳をもたない人のことだ。キャリアには、技術的な正確さよりも協調性のほうが重要であるという教訓を学んでこなかった連中である。

わからず屋には、次の２つの方法でうまく対処しよう。

1. わからず屋にとって、頑固な態度をとるわけにはいかない人物（彼らの上司やCTO）をミーティングに招待する
2. ミーティングに先立って、かなりの労力を注いでわからず屋とのすり合わせを行い、彼らの意見も尊重されているということを実感させて、議論の際の脱線を防ぐ

そんなことのために貴重な時間を費やしたくないと思うかもしれないが、どちらもとても効果的で、相手がふだんあまり接点がないわからず屋の場合はとりわけ有効だ。逆に、相手があなたの担当する分野で働く人物、あるいは頻繁に顔を合わせる人である場合は、少し違った方法をとるべきだろう。そのようなケースでは、可能な限り親切に、ただし正直なフィードバックを与える。もう一度それを繰り返す。2回のフィードバックを文書として記録し、

もし改善が見られない場合には、わからず屋の上司に具体的な文書を見せながら、面と向かってあるいはビデオ通話で問題点を指摘するのである。

また、あなたには肩書きと権威があるので、わからず屋からある程度は守られているということを自覚しておこう。言い換えれば、ほかの人の前ではかなり意固地な態度をとる人々も、あなたの前ではある程度従順なふりをしている可能性があるということだ。あなたの前でさえ鼻につく態度を示すのなら、あなたのいない場所ではもっとひどい態度をとっていると考えられる。

#### これらがなぜ役に立つのか

複雑なプロジェクトほど技術の問題よりも個人的な対立によって脱線しやすい。そしてここで紹介したアプローチ法は、人間関係の緊張を確実に解くため、いたって強力だ。前準備が必要なので時間がかかりすぎるように感じるかもしれないが、人間関係を改善しておけば中断なく仕事を完遂できるので、結果としては早く終わる。

加えて、上級リーダーとして長いキャリアを築くには、優れた成果を残すのと同じぐらい人間関係の維持が重要になる。始めは明るく燃えさかりながら、人々からのサポートが得られないがために光を失い、最後には前に進めなくなる人はたくさんいる。そのような運命を避けるために、絶対に間違えない方法を学び、それを練習しつづけるのである。

## 他人のスペース（余地）を設ける

> 私は、今のところ、特定のテクノロジーやプログラムを自ら提唱することよりも、それぞれが重要だと考えるテクノロジーやプログラムを広めようとしているほかの人たちを支援することに多くの時間を費やしています。また、おもにプロダクトに関して複数の分野を横断する決断が求められるとき、あるいは会社のほかの部門に対してアイデアを披露するときなどに、フィードバックを必要としている人々にとって知識とサポートの源になろうと努力しています。 ― ミシェル・ブー

スタッフプラスエンジニアとして長く活躍するための最大の秘訣は、会社があなたの貢献から大いに利を得ながらも、決して**あなたに依存することの**

**ない**状況をつくることだ。つまり、会社にとって不可欠な人物——基本的にスタッフプラスの役職に選ばれるのは、会社にとって欠かせない人がほとんど——から、貴重な存在だが決して中心ではない人物に変わらなければならない。ところが、この変化は簡単なことではない。

そのような人物になるには、まわりの人々に自由に活動するスペースを意図的に与えて、彼らを積極的に議論や決断に参加させ、最終的にはあなたがスタッフになれたのと同じような成功をつかみ取るサポートをする態度を学ばなければならない。

## 優れた議論のあり方

あなたは自身のインパクトを最大にしようと考えていると想定しよう。その場合、優れた議論とは、参加者の同意があり、しかも参加者の全員がポジティブな印象をもつ合理的な結論で迅速に終了するもの、と理解することができるだろう。一方、メンバーにスペースを与えるという点から見た場合、優れた議論の定義はかなり拡大する。

その際の鍵は、より多くの人を議論に関与させ、あなた個人の働きかけがなくても一連の適切な決断を引き出させること。要するに、ここでの優れた議論とは、あなたが参加しなくてもうまくいく議論のことだ。あなたが重要な貢献をしたのなら、そのことを誇りに思ったうえで、次回からほかの人に同じような貢献をしてもらうにはどうすればいいかを考えるのである。

この考え方の変化に加えて、人々にスペースを与えるための手法として、以下を挙げることができる。

- 質問をすることに重点を移す。適切な質問はミスを防ぐ[69]だけでなく、人々にとって貢献しやすい雰囲気をつくる役にも立つ。
- ミーティングで話に加われない人を見つけたら、発言を促す。そのような形で議論に参加を促すのは、1回につき1人に絞ったほうがいい。1度に全員に話させるのはもちろんのこと、2、3人に参加を求めただけでも、混乱が広がることがある。
- 議事録の執筆を担当する。そうすることで、「議事録を書くのは下っ端の仕事」という偏見がなくなるだけでなく、ふだん議事録係になることが多い人物に発言する機会を与えることができる。あなたも、自分が話すことに集中しなくてもいい！

・議論に参加してしかるべき人物が出席していないことに気づいたら、次のミーティングにその人物を招待する。その人物の参加が重要である理由をミーティングのセッティング担当者にしっかりと説明する。

これらを誠実に行いつづければ、あなた自身がミーティングで話す機会は減る一方で、会社に対するあなたのインパクトは強くなる。

### 決断を下すのは誰か

キャリアのほとんどにおいて、正しい決断を下すことこそが成功の決め手である。だからこそ、「決断を下すことが自分の仕事ではない機会も存在する」と理解するのに時間がかかる。この点について、リトゥ・ヴィンセントはこう表現する。

> テックリードになっても私の負担は増えないと上司から教わったのもこのプロジェクトでした。初め、私は「全体を20に分割して、18を人に任せ、最も難しい2を自分で」と考えていたのですが、上司が最も難しい部分をチームにやらせて彼らを成長させるように私を説得したのです。

決断を人に委ねるのは、特に複雑な問題においては、簡単なことではない。しかしありがたいことに、チームに複雑で重要な決断に少しずつ慣れさせていく方法が存在する。

・**書き留める。**ファインマンアルゴリズムと呼ばれる天才モデルが知られている。「1　問題を書く。2　必死に考える。3　解決策を書く」。このような天才の神秘的な見方は、常人にはわからないし、失望の理由にもなる。また、非現実的でもある。しかし、ほかの人々のために自分の思考プロセルを書き留めておかないと、人々にはそれが非現実的だと理解するのもままならない。答えを見つけるまでのプロセスや、その答えの合理的な根拠を書き留めておくことで、まわりの人々は結論にただ従うのではなく、そこから多くを学ぶことができる。
・**フィードバックは早めに。**議論が1つの結論に向かいはじめる前にフィードバックを駆使する。ほとんどの人はいったん形成された意見を撤回しようとはしない。そのため、早い時点でフィードバックを集めたほうが、議論にフィードバックを活かしやすいし、人々を意思決定に引き込みやすくなる。また、最終決断だけでなく、そこまでの思考経路も容易に理解できる。

・**見た目と中身を区別する。**チームの決断に対して、表面的あるいは形式的なフィードバックを返さないこと。プロジェクトの成功にとって意味をなさないフィードバックなら、初めからしないほうがいい。有益ではあるが、重要ではない場合は、ミーティングの軌道を変えるのではなく、個人的に指摘するほうがいいだろう。
・**自分の価値を証明しようとしない**[70]。上級の役職に就く者のなかには、あらゆる場面で自分の年功を証明しなければならないと考える者がいる。あるいは、どの決断も、自分がかつて下した同様の決断のコピーであることを求める者もいる。どちらもインパクトよりも混乱をもたらし、他人がリーダーに育つのを阻む態度である。
・**考えを改める。**同僚を尊重していることをはっきりと示したいなら、彼らの意見に耳を傾け、自分の考えを改めること。上級のリーダーがかたくなに考えを変えないでいると、成功するには不遜でなければならないと、誰もが考えるようになるだろう。

あなたが下す決断に人々を巻き込み、そのプロセスを共有することで、チームは成長のための貴重な機会を得ることができる。では、彼らが独自の決断を下さなければならない場面ではどうすればいいのだろうか？

### スポンサーとして支援する

人々を議論と決断に関与させるということは、彼らをあなたの仕事に参加させるということだ。それだけでも、人々に成長と関与と学習を促すすばらしい方法なのだが、ある時点でさらなるステップが必要になる。

彼らをあなたの仕事に参加させるのではなく、その仕事を彼らのものにするのである。

つまり最後のステップとは、あなたがスタッフプラスの役職を得るためにこなしてきた種類の仕事を、ほかの人に委ねてスポンサーとして支援すること。重要な仕事が舞い込んできたら、「誰がこの仕事を成功に導き、大きく成長できるだろうか？」と最初に問う習慣を身につけるのである。彼らに仕事を任せることができるか、どうすれば彼らの成功の足場づくりを手伝ってやることができるかを検討する。どんなアプローチをとればいいだろうか？

彼らがしっかりと検討すべき最初の問題点は何だろうか？　それら問題点について、早い段階で話し合っておくべき関係者は誰？

たとえばツールやプロセスの穴を埋めるような重要な新しい仕事を探しているとき、その仕事を立ち上げる能力を誰がもつかをよく検討し、その人物とともに企画書を書く。次にその企画に対して、あなたが責任者であるならどんなサポートが欲しいかを考えて、それと同じサポートを与える態勢を整える。

重要なのは、人に仕事を任せたのだから、その人に仕事をさせることだ。相談に乗り、アドバイスを与え、文脈を示す。しかし、究極的には、自分なら選ばないであろうアプローチを彼らがとろうとした場合も、それを認めることがスポンサーシップには含まれる。結果として、そのアプローチが失敗に終わることもあるだろう。しかし、人はそこから学ぶのである。あなたもきっと、キャリアを通じて失敗から多くを学んできたはずだ。逆に、彼らのアプローチがうまくいった場合には、あなたがそこから学ぶことができるだろう。

あなたにとって、スポンサーシップはあらゆる問題に対処する際の標準のアプローチにならなければならない。しかし、スポンサーシップを唯一の活動にするのはよくない。スタッフプラスエンジニアの多くは、ソフトウェアやツールや組織の現状の働きを維持するために、いくつかのプロジェクトでは自ら直接関与することが重要だと考えている。私個人の経験から、ふだんからスポンサーシップの記録を書き留めて、少なくとも月に数回は他人のスポンサー役に徹するのが望ましいと言える。スポンサーとして活動することがそれよりも少ない場合は、何がその原因なのかをよく考えてみよう。

逆に、記録を読み返してみて、過去数カ月のあいだ自分が直接関係した仕事がほとんどない場合も、軌道修正が必要だろう。

### スポンサーにはなりたくない？

もしあなたが会社幹部の「重要人物」になることでスタッフプラスになる切符を手に入れたのなら、幹部のために緊急の問題を解決することが確実に高い評価を受ける道だと学んできたに違いない。すばらしいアイデアで会社のアーキテクチャロードマップを豊かにするビジョンに満ちた技術者として出世してきたのなら、会社の技術の未来の扉を開けることがどれほどすばらしいことか、よくわかっているはずだ。

そうした立場から離れるのは、じつに難しい。

しかし、そのままの状態でいても、会社はあなたが退職するまで短期的に繁栄できるだけ[71]だと言える。さらに悪いことに、あなたの限界が会社の限界になるとも言える。そのような限界を受け入れる会社は成長できない。

本当に成功する会社で長い期間リーダーでありつづけるためには、ほかの人々に、評価され、報酬を得る機会を、あなたが今の役職になるためにこなしてきた仕事をやるチャンスを、与えつづけるしかないのである。そうするのが心苦しく感じられるかもしれないが、心配はいらない。あなたの仕事がなくなることは決してない。

## ネットワークを築く

たくさんのスタッフプラスエンジニアにキャリアのアドバイスを求めていくうちに、ある助言がとても頻繁に繰り返されることが明らかになった。「同じような仕事に携わる仲間とネットワークをつくれ」だ。全員がそう言ったわけではないのだが、過半数がこの点を指摘し、そのほとんどが、ネットワークづくりが最も大切だと説いた。

リトゥ・ヴィンセントはこう言う。

> これまで私に最も大きな影響を与えてきたのは、メンターと呼べる数多くの人々、つまり友人、元上司、いっしょに仕事をしてきた仲間たちでしょう。過去いっしょに仕事をしたことのある、気心の知れた信頼できる人々と、毎月何度もランチやコーヒーやディナーを繰り返しています。彼らとキャリアの困難や成長について話し合うことで、私は今のキャリアを築くことができたのです。

キーヴィー・マクミンは、誠実なフィードバックを得るためにネットワークが重要だと指摘する。

> 思い浮かぶのは、仲間やサポートのネットワークを見つけることです。

マネジメント職と同じで、ランクが上がるほど孤独になっていきます。だからこそ、あなたに難問を突きつけ、ともにアイデアを披露し合える仲間を見つけることが大切なのです。同じ部門で働いているか、あるいはほかの会社の人か、などといった点はどうでもいいのです。

ネルソン・エルヘージも同じような考えだ。

ほかの上級エンジニアと良好な関係を築けたことが、私にとって本当にありがたいことでした。今の仕事のこととか、今考えていることとか、私は彼らとどんなことでも気さくに話し合います。個人的につながっていれば、彼らがどんな問題に直面しているのか、どんなソリューションを考えているのか、曇りなくはっきりとわかるのです。

ネットワークを築く“べき”だと頭では理解できても、実際に構築する方法がわからずに苦心している人が多い。ネットワークの構築にはたくさんの方法がある[72]が、そのうち最も一般的なのは「見つけられやすさ」と「内部ネットワーク」の２点だろう。

### 見つけられやすさ

スタッフプラスエンジニア界隈ではコミュニティ形成の願いが非常に強いため、ネットワークづくりの最も簡単な方法はスタッフプラスエンジニアとして見つけられやすい存在になることだ。手軽な方法としては、スタッフプラスエンジニアリングに関する議論――たとえばジョイ・エバーツの「What a Senior Staff Software Engineer Actually Does」やキーヴィー・マクミンの「Thriving on the Technical Leadership Path」[73]など――に意見を寄せることだ。ほかにも、スタッフプラスの役割について自分なりの考えを書き、斬新で貴重な意見を発表している人がたくさんいる。あなたにも、このテーマについて語る余地があるはずだ。

書くのが得意でないのなら、話せばいい。コミュニティから見つけられやすい存在になる方法の２つ目はテクノロジー会議で発言することだ。キーヴィー・マクミンは次の理由から、カンファレンスで講演を行うそうだ。

何より、私はカンファレンスで人々との出会いを楽しみます。そこで得た講演者のネットワークがのちに、私に仕事の機会をもたらしてくれました。

どちらも自分には壁が高すぎると思うのなら、Twitterにアカウントを開設したり、関連するSlack（「Rands Leadership Slack」[74]の#staff-principal-engineeringなど）に参加したりするのもいいだろう。

### 内部ネットワーク

ケイティ・サイラー＝ミラーは外向けに講演したり記事を書いたりするのではなく、自分の勤める会社の内部でネットワークをつくるようにアドバイスする。

> ネットワークづくり、ネットワークづくり、ネットワークづくり、ネットワークづくり……あなたは話しかける相手を本当に深く知り、たくさんのチームやたくさんのグループと関係を結んで、そのネットワークを確実に利用する必要があります。

一般には、ネットワークづくりとは社外の人々を相手にした行為と考えられているが、社内のほうが、仕事をしていくうえで半自動的、半意図的に人のつながりが生まれるので簡単な場合が多い。また、社内でのネットワークづくりには、日々の仕事が改善するという利点も伴う。長期的には、社内ネットワークに属していた人々が会社を去って業界全体に散らばり、結果としてあなたのネットワークが外に大きく広がる可能性もある。このアプローチは、あなたがかなりの大企業または一流企業に勤めている場合にはじつに有効であり、今の会社が比較的小さい、あるいはさほどの名声がない場合にはあまり期待できない。

### 環境ネットワーク

人的なネットワークづくりに触れなかった人も、学習ネットワークあるいは環境ネットワークをつくる大切さには言及した。本を読んだり、ソーシャルネットワーク、特にTwitterで業界リーダーをフォローしたりしながら業界の現状を知るのである。

ダイアナ・ポジャルはこう語った。

私はTwitterを大いに利用していますが、そのほとんどは読者としてで、テック業界の多くの人をフォローしています。カンファレンスで講演していた人々やいっしょに働いたことがある人をフォローして、私に関係しているコンテンツを探します。何人か例を挙げると、カミーユ・フルニエ[75]、ララ・ホーガン[76]、ジョッシュ・ウィルズ[77]、ヴィッキー・ボイキス[78]、デヴィッド・ガスカ[79]、ジュリア・グレース[80]、ホールデン・カラウ[81]、ジョン・アルスポー[82]、チャリティ・メジャーズ[83]、テオ・シュロスナーグル[84]、ジェシカ・ジョイ・カー[85]、サラ・カタンザロ[86]、オレンジ・ブック[87]などです。

ダミアン・シェンケルマンはこう言う。

私は、おもしろいことをやっていて、学ぶべき部分がある人をTwitterでフォローしています。おもしろいことをやっている人も、学ぶべきものも、たくさんいたり、あったりするのです！　たとえば、今すぐ思いつくのは、アフィール[88]、ターニャ・ライリー、デヴィッド・ファウラー[89]などです。

人的なネットワークづくりにためらいを覚えるなら、このような環境ネットワークをつくることが正しい方向への最初のステップに適している。そうは言うものの、人とのネットワークのほうが影響力は強いし、そのようなネットワークを構築する方法を見つけることは、上級の役職で長いキャリアを歩みながらインパクトを残しつづけるには欠かせない重要なステップである。

### 量より質を

ある同僚がこんな話をしてくれた。営業部門で名を上げようとしていた人たちがいたそうだ。その手段として、彼らは会いたい人々のリストをつくって、サンフランシスコからニューヨークまで転々と飛ぶことに決めた。ツイートやFoursquareのチェックインをチェックして、誰がどの夜に、どこにいる可能性が高いかを調べ、実際にそこへ行き、ドリンクを注文して、いかにも偶然そこに居合わせたかのように運命的な出会いを装ったのである。ときには、6人から8人に出会って、関係を結ぼうとした夜もあった。

言うまでもないだろうが、あなたはそんなことをすべきではない。いくら何でもやりすぎだ。それに、そんなことをしても意味がない。ネットワークづくりでは量は重要ではないのだから。大切なのは、量を求めることではなく、本当に信頼でき、尊敬でき、刺激を得られる相手とゆっくりと関係を築いていくことである。そのような関係が、あなたが最高に困難な状況に遭遇し、難問を突きつけられたときに真の力を発揮し、あなたを支えてくれるだろう。

私は内向的な性格で、人間関係を築くのに苦労した。最後に、そんな私から、ネットワークをつくりたいと願っているのに、何から始めればいいのかわからずに戸惑っているあなたに、実体験にもとづいたアドバイスを。尊敬できる誰かに数行の短いメールを送って、具体的な疑問に対するアドバイスを求めてみよう。返信があれば、それに礼を述べて、6カ月から12カ月後にまた別の質問を送ってみる。もし、相手のほうからも頼みや質問が来た場合には、できる限りそれに応じる。返信が来なくても、それを苦にしなくてもいいし、反応を返す必要もない。このやり方は驚くほどうまくいく。最悪の場合でも、返事が来ないだけなのだから、大きな問題にはいたらない。

## 経営幹部の前で

意気揚々と会議室に入り、重役の前でエンジニアリングに関する重要なプレゼンを行い、そして打ちのめされたような気になって部屋を出た経験が、あなたにはないだろうか？　2枚目のスライドを見せた時点でプレゼン内容と関係のない質問が飛んできて、議論が脱線してしまったことは？　プレゼン自体は最後まで無事にたどり着いたが、意味ある討論が繰り広げられることはなく、ただ「お疲れさま」と言われただけだったことは？　そんなときは、いったい何が起こっているのか自分でも理解できず、わかることといえば、プレゼンがうまくいかなかったことぐらいだ。

通常、キャリアが浅いうちは会社の経営幹部と頻繁に顔を合わせることはない。もちろん、小さな会社では話が別だが、それはあくまで例外的な状況だ。しかしキャリアを積むにつれて、あなたがインパクトを残せるかどうかは、あなたが経営陣に対していかに効果的に影響を与えるかどうかに左右されるようになる。経営陣に影響を与えるには、もちろん上層部の意図を汲み取って足並みをそろえることが大前提になるが、それ以外にもスタッフプラスとして身につけておくべきコミュニケーションスキルがいくつか存在する。

### それがなぜ難しいのか

誰もが長いキャリアを歩むうちにろくでもない幹部の1人ぐらいは必ず経験するが、基本的にほとんどの幹部はまともな人だと言える。経営陣のほぼ全員が“何かしら”に秀でている。ただ、あなたが彼らに伝えようとするトピックが、ほとんどの場合でその”何か”とは関係していないのだ。あなたのやっていることに対する相手の理解が薄いこと、そして目の前のトピックに割ける時間が限られていること。この2点がそろうと、コミュニケーションは困難を極める。

ただし、以上はコミュニケーションにおける月並みな困難だと言える。その一方で、幹部とのコミュニケーションは意外な理由で予想以上に難しくなることもある。会社の経営に携わる者は、決まった形で前処理された現実を消費することに慣れてしまっているのである。

経営幹部の誰もが、ほぼ例外なく、ある1つの方法で情報を消費することに異常なまでに長けている。彼らはその特定の方法でデータを消費するため、彼らを取り巻くコミュニケーションシステムは、その特定の方法に最適化されている。この最適化のことを、私は「現実の前処理」と呼んでいる。そして、特定の幹部に対して間違った方法で情報を前処理してしまうと、多くの場合で当事者にさえうまく説明のできない誤解が生じるのである。

たとえば、一部の会社幹部はパターンマッチングに秀でている。彼らはプレゼンの場で本能的に、一見したところ脈絡のない細かな質問を矢継ぎ早に繰り出す。そうやって、以前に経験した状況のパターンと合致する部分を探すのである。そんな相手に対して理路整然と学術的なプレゼンをしたところで場はしらけるだけで、あなたが提示する情報が受け入れられることがないのだから、ただの時間の無駄でしかない。特定のデータやデータセットを根拠として挙げない限り、あなたの言うことを何一つ信じようとしない幹部もいるだろう。そんな人は、データはすべて付録に収録してあることを知っているあなたが胸を張ってプレゼンを行っても、あなたの提案を裏付けに欠けるとみなして信用しない。

多くのケースでは、コミュニケーションの失敗が誤解ではなく遅延を引き起こす。しかも、幹部とのコミュニケーションでは、重要な決断が下される前に2回目の議論をする機会が設けられないことも多い。そのため、後悔することのないように、事前に可能な限り準備しておくのがいいだろう。

### 効果的にコミュニケーションをとる方法

幹部とのコミュニケーションを円滑にするには、何よりもまず、彼らとコミュニケーションを図る理由をしっかりと理解していなければならない。ふだんは、人々に考えを変えるよう説得するために、あるいはプロジェクトに関する情報を伝えるためにコミュニケーションをとることが多いだろうが、経営陣相手のときは話がまったく別で、ほとんどの場合、企画立案、進捗報告、軌道修正のどれか1つが目的になる。

これらは活動としてそれぞれ内容が異なるのではあるが、結局のところ、あなたの目標はいつも同じで、幹部の考えを可能な限り多く引き出すことにある。彼らの考えを変えようとしたところで、頑固さという壁に出くわすだけだろう。そのため、彼らの優先事項に足並みを合わせる方法を知ることを、ミーティングの目的にしたほうがいい。そうすることで、あなたは戦略に長けた人物として受け入れられ、会議が終わったときには、幹部が新たに表明した焦点や制約にこれまでの計画を適応させるに十分な情報が得られていることだろう。

経営幹部の考えを引き出す最善の方法は、筋道だった文書を作成することだ。書くことで、人は自分の考えやデータについて包括的に考えざるをえなくなる。構成をしっかりと行うことで、重要な点が読者に伝わりやすくなる。効果的なビジネスコミュニケーションをテーマにした最も影響力のある書籍『考える技術・書く技術』[90]を書いたバーバラ・ミントも構成の大切さを訴える。

> 明晰な文書を書くうえで最も重要なのは、自らのアイデアを表現する順序を整えること。最もわかりやすい順序とは、要約が必要となる個々のアイデアより前に要約を示すことである。この点はいくら強調してもしすぎることはない。

優れた文章構成にはいくつかのパターンがあるが、私はどの文書でも冒頭の段落に「SCQA フォーマット」を用いることを勧めている。

・**シチュエーション（S）**：問題となっている状況は？　（例）我々はプロダクトに機能を追加するのに、2年にわたってライバルに後れをとってきた。去年、エンジニアリングチームを倍に拡大したが、前年よりも出荷した追加機能は少なかった。

- **コンプリケーション（C）**：現状がなぜ問題なのか？（例）今年もエンジニアリングチームを倍にする計画があるが、去年の経験から、チームの拡大により予算は大幅に増えながらも、スピードがさらに失われるのではないかと危惧している。
- **クエスチョン（Q）**：対処すべき中心問題は？（例）今年もエンジニアリングチームを倍にするという計画を実行に移すべきだろうか？
- **アンサー（A）**：クエスチョンに対する最善の答えは？（例）次の6カ月の雇用をストップし、既存チームの活用に集中すべきである。6カ月後の状況に応じて、残りの半年の雇用計画を見直す。

多くの議論で、冒頭の段落が巧みに構成されているだけで重要な対話に火が灯る。その場合でも、文書の最後までプレゼンできないこともあるだろうが、文書を書くという重要なステップを通じて、自分の考えを洗練させることができるのだ。

文書の全体にフォーマルな構成を適用する人は比較的少ないが、多くの人が価値を見いだしているフォーマットが少なくとも1つ存在する。先述した書籍でミントが提唱した「ピラミッド原則」だ。まず、自分の企画に関してブレインストーミングをして、考えを裏付ける一連の論拠を集める。それらをすべて書き、関連に応じて分類する。それらグループから3つのトップレベル論拠を選び、トップレベルそれぞれにそれをサポートする最大3つの下位論拠を見つける。この方法を繰り返すことで、どの論拠も最大3つの下位論拠を要約することになる。グループ内の各論拠を、重要度を基準に並べ替える。以上だ。

私個人としては、SCQAはすぐに役立つと感じたのに比べて、ピラミッド原則を初めて使ったときは、ブルータリズム建築物を初めて見たときと同じような気持ちになった。使っていくうちに慣れていったが、それでも私は手始めとしてSCQAを採用するのを勧めている。もし、あなたのプレゼンテーションがわかりにくいという意見があればピラミッド原則に切り替えればいいだろう。

よく構成された文書を書いたら、仲間や関係者からそれに関するフィードバックを集める。プレゼンテーションを行う前にステークホルダーと見解をすり合わせる行為は「根回し（nemawashi）」[91]と呼ばれていて、驚きを減らす方法としてとても有効であることが知られている。また、仲間のなかに会社幹部の前でプレゼンをした経験がある人がいれば、あなたに有益なフィードバックをくれるだろう。

実際のプレゼンテーションに関しては、わかりやすいアジェンダを設定するのが重要だが、それにこだわりすぎるのもよくない。主要幹部を相手にしている場合は、アジェンダにあるすべてのトピックを扱うことではなく、熱を帯びた議論こそが、そのミーティングの成功の証だ。なかには、それを対立をあおる行為だとみなし、取り上げた項目の多さでミーティングの成否を測ろうとする人もいるが、それはそうした会議がもつ「人間関係の構築と発展」という価値ある側面を完全に無視する態度である。

### 避けるべきミス

たとえ完璧に準備していても、プレゼンテーションがうまくいかないこともある。障害のすべてを取り除く方法は存在しないが、そのようなミーティングを台無しにする要素の大部分は避けることができる。

**フィードバックに反論しない。**重要なフィードバックがあっても、それをいつどのタイミングで伝えればいいのかをよくわかっていない幹部はとても多い。あなたはフィードバックを求めているのであって、それをため込んで、最終的には忘れられてしまっては困る。あなたがフィードバックに抵抗する態度を見せれば、幹部はコメントを控えるようになり、あなたはそのミーティングから何も得ることができない。つまり、フィードバックを集めることが大事なのであって、その内容にあなたが同意できるかどうかは関係ない。そんなことはあとで時間ができてから考えればいい。もし、あなたには同意しかねる決断が下されそうになったら、1つか2つ再考を促すデータを示すべきだろうが、それ以上はやめたほうがいいだろう。会議中に抵抗を続けるよりも、フィードバックについてよく考えて、のちに考えを変えるように促すほうが成功する見込みが高い。

**責任や問題を避けない。**経営陣から問題の存在を隠そうする者は多い。しかし、それがうまくいった試しはほとんどない。成功者は経営幹部への情報提供を絶対的義務とみなす。もし問題があるのなら、隠すのではなく、その解消に向けて進めばいい。ミーティングの最中に幹部の誰かが問題の存在を嗅ぎとったときは特にそうだ。そんなときは、話題を変えようとするのではなく、フィードバックを求めること。幹部の見方に同意を示したうえで、のちにより多くのデータでフォローするほうが、信頼を得やすい。幹部相手に問題の存在について論を戦わせると、逆に信用を失うだろう。

**答えを用意せずに質問をしない。**新しいリーダーに頻繁に与えられるアドバイスとして「解決案なしに上司に問題を提示してはならない」というものがある。これは必ずしもすばらしいアドバイスだとは言えないが、もしあなたが解決の糸口もなしに問題だけを提示すれば、幹部はあなたを補佐もしくは置き換える別の上級リーダーの採用を検討しはじめるだろう。足並みをそろえるための提案がなければ、足並みをそろえることができないのである。

**学術的なプレゼンテーションをしない。**学校で習う発表方法は、会社経営陣相手のプレゼンテーションにはあまり向いていない。ミントのピラミッド原則を用いることで、正しい方向へ自分を導くことができる。

**自分が希望する結果に固執しない。**自分が望む結果にこだわりすぎるあまり、その結果が得られないことがはっきりとわかっている場合でも、全力で抵抗を続ける者が非常に多い。「誤った」決断が下されることに不満を覚えるのは当然だが、あなたが見逃している点が存在する可能性はとても高いと心得ておくべきだ。永遠に覆らない決断など存在せず、ほぼすべての決断が次の2年で何度も見直されることだろう。

幹部の前でプレゼンを行うのに不安を覚えることもあるだろう。ここに書いたことは、実用性というよりも、むしろ心理的なアドバイスと言えるかもしれない。すべてをひっくるめて簡潔なヒントの形にするなら、こうまとめられるだろう。初期の草稿を1人の幹部に送り、会合を開いてどこをどう直せばいいか尋ねる。その際に得られたフィードバックを活かせば、何をすべきか理解できるはずだ。

# 第3章　スタッフプラスの肩書きを得る

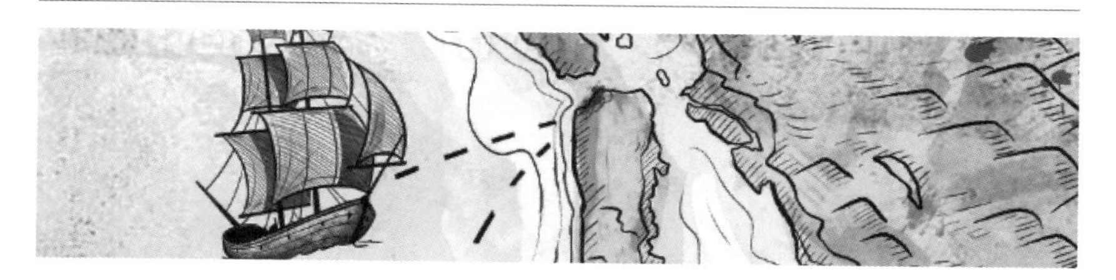

私がこれまで聞いたなかで最高のアドバイスは、スタッフになる決め手は多くの場合、運とタイミングと仕事の組み合わせだ、というものです。

―　バート・ファン

ほとんどのテクノロジー企業は、普通の従業員が到達できる最高の役職を規定している。その役職を「キャリアレベル」と呼ぶとしよう。大半の会社では、シニアエンジニアがキャリアレベルだ。エントリーレベルからミドルレベルのエンジニア職になるのに時間がかかりすぎると会社から解雇される可能性がある一方で、ほとんどの会社ではシニアエンジニアがスタッフエンジニアに昇進することは想定していない。ミドルレベルで6年目？　それは問題だ。シニアレベルで20年？　だから何？

多くの場合、キャリアレベルに到達すると、企業の昇進システムがあなたのさらなる出世を阻み、あなたから前進への期待を奪う。また、すでにスタッフエンジニアの称号を得ている人が自らの名声の薄まるのを恐れて、ほかのシニアエンジニアがスタッフエンジニアになるのを防ごうとする場合もある。さらには、1つのチームに複数のスタッフエンジニアがいては健全なチーム運営や予算配分にとって有害とみなす会社もあるかもしれない。

しかし私の考えでは、問題の最大の原因は仕事内容の変化にある。スタッフエンジニアは、優れたシニアエンジニアという位置づけではない。スタッフのアーキタイプのどれかを満たすために昇進した者がスタッフエンジニアになるのである。

たとえ、あなたがスタッフエンジニアに求められるスキルを身につけたとしても、もう1つ高いハードルを越える必要がある。会社があなたにスタッフの役職を与えなければならないのだ。この点は、多くの人にとってはさほど大きな問題にならないだろう。おそらく、予想したよりも実際には1サイクルから2サイクルほど長く時間がかかるだろうが、最終的にはスタッフの肩書きを得られるはずだ。その一方で、今いる会社ではそのようなことはまったく期待できないケースも多い。私が取材したスタッフエンジニアのおよそ3分の2が、もとから所属していた会社でその肩書きを得た一方で、残りの3分の1はスタッフエンジニアの役職を得るのに転職する必要があった。

スタッフエンジニアの役職を得ることを目指すのなら、キャリアレベルに昇進した時点で、キャリアへのアプローチを一度リセットしたほうがいい。そこから先へ続く道は、それまで歩んできた道とはまったく異なっている。年功などといったそれまでの昇進制度や評価基準は用いられず、場合によっては閉ざされた門の前で立ち往生をしているような気分になるだろう。

そこより先に進むには、あなた自身が今までよりももっと積極的に自らのキャリアをコントロールしなければならない。本章では、キャリアレベルの先に進むことに成功した人々がどのような手段を用いたのかを見ていくことにする。

### 自分の軌跡を探す

キャリアアップの舵取りをずっと上司に委ねていたのだとしたら、ここからは自分でやれと突然言われると戸惑いを覚えるかもしれない。自分でエンジニアキャリアを管理[92]する方法については数多くの本が書かれているが、それらのほとんどは就職からシニアエンジニアまでの道のりに重点を置いている。その一方で、シニアエンジニアの先のキャリア設計について書いた本はほとんど存在しない。本章はまさにこの「シニアの先」に焦点を当てる。

- スタッフへの昇進の謎を解き明かす最初の鍵が**プロモーションパケット**（昇進申請に必要な文書）である。プロモーションパケットが、あなたが確実に前進するにはどの個性を優先して発展させるべきかを示し、あなたを支援する社内スポンサーや人脈を活性化する。
- スタッフプラスエンジニアになるには、**スタッフプロジェクト**（スタッフになれるほどの重要なプロジェクト）を成功させなければならないと広く信じられている。本章では、スタッフエンジニアの大多数はスタッフプロジェクトを実行したことがないという事実を明らかにしたうえで、会社にスタッフプロジェクトの実施を要求された場合にはどうすべきかについて説明する。
- エンジニアが頻繁に漏らす不満に、決定が行われる“部屋”に自分たちは入れてもらえない、というものがある。この主張はほとんどの場合で正しくて、実際に経営決断の場にエンジニアは参加できない。その一方で、あまり知られていない側面もある。あなたがその部屋に入れないのは、おそらく正当な理由があるからなのだ。本章で**そのような部屋に入って、そこにとどまりつづける**方法を説明する。

・最後に、会社の中枢があなたという人物の存在を知らなければ、あなたがそれ以上昇進することはない。では、社内の空気を汚すことなく、**認知度を上げる**にはどうすればいいのだろうか？

上記のテクニックを一貫して用いることで、あなたはスタッフという役職に続く道を進むことができるだろう。ただし、最善の計画でさえ、間違った会社で実行しては失敗に終わってしまう。

### 機会は不平等

スタッフの地位を目指すあなたにとっては歯がゆい話だが、どの会社でも機会は均衡ではない。会社のリーダーシップがプロダクトエンジニアリングよりもインフラエンジニアリングのほうが「複雑」あるいは「利用価値が高い」と考えているなら、インフラエンジニアリングに機会が集中する。出荷を重視する会社では、将来起こりうる供給難を未然に防いだ者よりも、自分で引き起こした供給難を自ら解消した者のほうが評価されやすいだろう。また、本社で働いているほうが、分散オフィス[93]で仕事をするよりも上層部の目に入りやすい。

実際のところ、機会は明らかに平等ではないのに、会社の多くは躍起となって機会を平等に振り分けているふりをしようとする。そのため、不平等は存在すると確信するのが難しいのであるが、データを集めれば集めるほど、不平等な流れがあることが明らかになる。

この問題に気づいたら、それがどの程度まで修復可能かを探り、どの部分にエネルギーを優先的に注ぐべきかを見極めなければならない。そのような暗黙の流れに乗ってしまうほうが、その流れを生んでいる川を描き直すよりもはるかに簡単だ。それでも不平等の根本原因に対処するという道を選んだのなら、最初の行動はその試みをサポートしてくれる上級スポンサーを見つけることだろう。内部からのスポンサーシップがなければ、システムを変えることはできない。

### マネジメントも試したほうがいい？

スタッフプラスの地位に到達するほとんどの人が、エンジニアリングマネジメントには一切かかわらないが、少数ながらマネジメント業務に携わる者もいる。マネジメントに関与するか否かは、確かに重要で人生を左右する決断だと言えるが、その一方では、少し考えすぎだとも言えるかもしれない。マネジメントに興味があるのなら、試してみればいいだろう。ただ、ほとんどの会社はマネジメントとは誰もができる仕事ではないと理解しているので、あなたがエンジニアリングへ逆戻りすれば喜ぶだろう。

マネジメントにチャレンジすることで視野が広がるので、ソフトウェアエンジニアリングに逆戻りしても、そのときの経験が役立つに違いない。ダン・ナも同じことを経験した。

> 私はいまだにコードの出荷とチームの運営に携わっていて、その両方を高いレベルでこなすことがエンジニアリングにおける長期的な成功に不可欠だと考えています。チャリティ・メジャーズが「The Engineer/Manager Pendulum」[94]というタイトルですばらしいブログ記事を書いているので、読んでみることをお勧めします。チャリティは「マネジャーキャリアとエンジニアリングキャリア」と分けて考えるのは間違っているとして、両方の役割を行ったり来たりすることで、どちらの能力も高めることができると指摘しています。この主張は私自身の経験とも一致しています。私がマネジャーとして有利なのは、ろくに計画されていないプロジェクトでIC（Individual Contributor：管理職ではない上級専門職）を努めるのがいかに大変かを知っているからで、私がICとして有利なのは、プロジェクトがまずい方向に進みはじめたとき、どのタイミングで、どのような警報を鳴らすべきかを知っているからです。

リトゥ・ヴィンセントも同じように考える。

> 私はキャリアラダーの両サイドに大いに興味があるので、かなりのペースで行ったり来たりを繰り返しています。人を育てるのも、リクルートチームと仕事をするのも大好きですし、面接するのを楽しいと感じるエンジニアの１人でもあります。チームの育て方が知りたくて。でも、コードを書くのも大好きですし、マネジメントの仕事をしばらく続けた

あとは、コードに戻って、あれこれハックしたいという気になります。

なかには、マネジメントにチャレンジして、最後には大嫌いになる人もいる。ジョイ・エバーツはマネジメントに興味がない。

Box で過ごした期間のちょうど真ん中ころに 1 年半ほどマネジメントに携わっていたのですが、気がつけば嫌いになっていました（このあたりの経緯についてはブログに詳しく書いています[95]）。そうは言うものの、ほとんどの会社ではマネジメント職とスタッフプラス職が多くの点で重複しているのだと知ることができました。

ジョイはマネジメントという仕事は嫌いになったが、その際の経験が長期的には自身のキャリアにとってプラスになると考えている。

もしマネジメントに寄り道していなければ、私はもっと早くスタッフになれたでしょう。ですが、寄り道を後悔しているわけではありません。人々の考え方、組織の運営方法、大規模なプロジェクトの優先順位など、たくさん学ぶことができました。それらすべてが、私が IC として仕事をしていく助けになっていますし、シニアスタッフに昇進した際にもきっと役に立ってくれたのだと思います。マネジメントを経験したせいでスタッフになるのに間違いなく余分な時間がかかったと思うのですが、その次のレベルへの昇進でも同じことが言えるかは、あまり確信がもません。マネジメントの経験がなければ、もっと長い時間をスタッフエンジニアとして過ごしていたとも考えられます。要するに、私はスタッフエンジニアに直進してきたわけではありませんが、その代わりに長期的に有益なことをたくさん学べたのです。

エンジニアリングからマネジメントへの路線の切り替えを検討している人に最後の警告を与えるとするなら、人の管理という仕事はスタッフエンジニアとしての仕事の延長線上にあるものではない、という点だ。マネジャーとして、あなたはあなたに管理される人々に多大な影響を及ぼすことになる。もし間違ったモチベーションを抱いてその役職に就けば、あなたはきっとその経験を後悔することになるが、あなたのチームが覚える悔いはそれよりもはるかに大きいのである。チームを育てたい、成功に導きたい、と思うのなら、マネジメントを経験してみればいい。自分のためだけにマネジメントを経験してみようとしているのなら、やめたほうがいいだろう。

### 半透過性の境界

最後にもう１点付け加えておくと、スタッフプラスの役職はリーダーシップの地位だ。既存のリーダーシップチームがあなたを潜在的なメンバーとして見ていない場合、そのようなリーダーシップのポジションを得るのはとても難しい。逆に言えば、既存のチームからすでにチームの一員だとみなされている人にとっては、実際にそのようなポジションを得るのは容易になる。

本章を読んで、ここに書かれていることはもうすべてやっているのにまだスタッフエンジニアになれないのなら、あなたはリーダーシップチームの目に見えていないのかもしれない。私が話した女性のほぼ半分が、スタッフの称号を手に入れるのに転職する必要があった。そのような摩擦は、男性では圧倒的に少なかった。

そうした人々の経験を軽視すべきではない。それが現実であり、多くの人が今も悩まされている。しかし、希望を捨てる必要はない。あなたがスタッフエンジニアへの道をどう捉え、どう計画しているとしても、参考になるモデルは数多く存在しているのだから。

## プロモーションパケットの必要性

スタッフプラスの地位に昇進する最後の仕上げとしてプロモーションパケットが欠かせないと考える人もいるが、私は正反対のアプローチ、つまり、スタッフエンジニアに昇進する可能性について考えを巡らせることすらない初期の段階で早くも、スタッフになるためのプロモーションパケットを書きはじめて成功をつかみ取った人々を何人も見てきた。彼らは「ブラッグドキュメント（自慢の文書）」[96]を書くのと同じ要領でプロポーションパケットを書く。そのような形で書かれたパケットは、あなたにとってゴールへ向かう道を示す地図になる。

どの会社も、プロモーションパケットの書式が決まっていて、“最終的に”昇進委員会や選考プロセスに提出する際には、あなたも自分のパケットを会社のフォーマットに従って書き直す必要があるかもしれない。しかし、その最終局面になるまで、会社のフォーマットのことは考えなくていいだろう。公式に読まれる文書としてではなく、自分を導くガイド役として、自分の書いたパケットを改善していけばいい。

スタッフプラスへの昇進を目指すなら、次のようなフォーマットが一般的なテンプレートとして便利だろう。

- あなたのスタッフプロジェクトは？　あなたは何をした？（しっかりと定義されたゴールも含めて[97]）そのプロジェクトのインパクトは？　そのプロジェクトが困難だった理由は？　文章は簡潔にまとめ、追加のデザイン文書へリンクを張る。
- どのような方法で会社を改善してきた？
- あなたのプロジェクトのインパクトを数字にするとどうなる？（収益を1000万ドル増やした？　年間のカスタマーサポートチケットを20パーセント減らした？）
- 誰を指導し、どんな成果を上げた？
- 接着剤[98]として、組織のためにどんな仕事をしてきた？　その仕事のインパクトは？
- どのチームとどのリーダーがあなたの仕事に精通し、支持している？　彼らはあなたの仕事の価値をどう評価している？　データ（調査結果など）も含めることができれば理想的。
- 自分に足りていない、またはそう評価されている技能、あるいは行動ギャップはあるか？　これらの課題にどう対処するか？　それぞれ一行で。

時間をつくって、上記の問いに自分で答えを書けばいいが、リーダーの地位に昇進するのは自分一人でできることではなく、あなたを支えてくれる人々の存在も必要になる。

パケットを継続的に改善するために、以下の点を参考にしよう。

1. **パケットを書く理由を意識する。**スタッフレベルを目指そうとする人の数はそれほど多くないのに、あなたはそうしようとするのなら、それなりの理由がなければならない。もし理由がないのなら、いざその立場になったときに、苦痛しか覚えないだろう。
   ミシェル・ブーはこう警告する。「エンジニアたちへの第一のアドバイスは、人のまねをすることを優先して楽しいと思えない仕事ばかりするのは避けるべきだ、ということです。私はチームとともに抽象的なモデリングやデザイン問題に取り組んでいると深い喜びを感じます。何度もフィードバックを繰り返したあげくにさらに何度も何度も試行錯誤を繰り返すには、かなりの打たれ強さが求められます。正直なところ、誰にでもできる仕事ではありません。自分のやる気をくすぐる仕事よりもスタッフという肩書きを得ることを望んでいる人は、気がついたときには、自分がやりたくない役回りに四苦八苦しているということがよくあります」

2. **期待しすぎない。**このレベルにもなると、昇進には何年もの期間が必要になる。すぐに結果が出るなどと、簡単に思わないこと。
3. **自分の上司をフィールドに引き込む。**「プロモーションパケット」を携えて上司に直接会い、スタッフに昇進することが自分の目標だと伝える。まだ中身がスカスカのパケットを上司とともに見直し、何が欠けていて、何を強調すべきかを尋ね、ほかにすべきことがあれば指摘してもらう。その際のあなたの目的は、昇進に関心があると上司に知ってもらい、ガイダンスを求めることにある。
リトゥ・ヴィンセントはこう助言する。「多くの人が『スタッフになるためには次に何をすればいい？』と尋ねてきます。その際、私がいつも言うのは、自分の上司に希望するキャリアをオープンにそして誠実に伝えることです。以前の私が上司との関係で犯した過ちは、私自身が考えていることではなく、彼らが聞きたがっているであろうことばかりを話したことでした」
4. **「プロモーションパケット」を書く。**1時間ほどかけて考えのすべてを初稿として1つの文書にまとめ上げる。
5. **「プロモーションパケット」を推敲する。**2日ほど時間を空けてから「プロモーションパケット」を読み返し、内容、わかりやすさ、文脈の観点から修正する。
6. **仲間とともに「プロモーションパケット」を修正する。**数人の信頼できる仲間、特にすでにスタッフプラスの役職に就いている仲間に「プロモーションパケット」を渡し、フィードバックを求める。あなた自身よりも同僚のほうがあなたの強みや貢献を深く理解していることが多いし、上司よりもあなたの仕事を近くから見ている。

7. **上司とともに「プロモーションパケット」を修正する。**上司に「プロモーションパケット」を見せ、フィードバックを得る。その際、埋めるべきギャップを指摘するように求める。ギャップを埋め、パケットをより強固にするためのプロジェクトや機会について話し合う時間を新たに設けることができるか、尋ねてみよう。
8. **上司とともに「プロモーションパケット」を定期的に見直す。**キャリアおよび業績について上司と1対1で話し合う機会を定期的に設け、「プロモーションパケット」の改善を続ける。上司もあなたも、長い時間をかけて昇進基準を満たすようにあなたを導く手段として「プロモーションパケット」を認識していなければならない。この点は、あなたの直属の上司が新しい人物で置き換えられた場合に特に重要になる。上司が替われば、昇進への道のりが遠のくことが多いが、文書を維持し、改善を続けていくことで、そのような損失を減らすことができるだろう。

一貫して上記のアドバイスに従っていれば、実際の昇進のチャンスが来るずっと前に、最初のプロモーションパケットが完成しているだろう。そこからは、そのパケットを使って、上司のサポートを得ながらゴールに意識を集中させる。それでも、スタッフになるのに時間がかかる場合や、今の会社ではそもそもスタッフになれないケースもあるかもしれない。しかし、そんな場合もプロモーションパケットがあれば、あなたは目標に近づくために必要な成長や仕事にエネルギーを集中することができるだろう。

そしてついに正式なプロモーションパケットを書くときが来たら、それまで培ってきた内容を会社指定のテンプレートに書き下ろすだけでいいのだ。ほこりをかぶった長年の努力の記録を調べ直す必要はない。あとは、昇進プロセス[99]がスムーズに進み、スタッフエンジニアの称号が舞い込んでくるのを祈るだけだ。

## スポンサーを見つける

スポンサーを見つけることは間違いなく重要です。私は直属の上司との関係は申し分なかったですし、その上の上司ともすばらしい関係を築いていました。それが大いに役立ったと思います。

— リトゥ・ヴィンセント

スタッフプラスの役職を手に入れようと頑張っている人々と話していると、ほとんどの人が同じような困難に遭遇していることがわかった。多くは自らのインパクトを誤認していて、スタッフプラスになるにふさわしい実力をまだ証明していなかった。スタッフエンジニアとは、ただ仕事が早いシニアエンジニアではないのだ。その一方で、それなりの業績を残し、社内でも存在が知られ、すばらしいプロモーションパケットを作成しているのに、それを認めてもらうのに苦労をしている人もじつに多い。

そうした人々は、実際のインパクトの大きさと認識されているインパクトの大きさのあいだに大きな差があることに不満を募らせ、上司や仲間にその差を埋めるにはどうすればいいか尋ねる。すると、スタッフプロジェクトをやり遂げろ、ほかの人が活躍できる場を設けろ、などという答えが返ってくる。そうしたことをまだやったことがない者にとってはすばらしいアドバイスだが、経験者にとっては、この手の助言は役に立たない。なぜなら、彼らに本当に欠けているのは、それまでの彼らの仕事を周囲に認めさせるために後押ししてくれるスポンサーだからだ。

昇進という制度は、学校など私たちがそれまでの生活で経験してきた評価システムのレンズを通してみられることが多いが、それは間違った考え方で、そのようなことをしていては業績評価を個人活動として捉えるミスを犯してしまう。あなたの会社は昇進を状況に応じてその都度行うのかもしれない。あるいは特定の評価プロセスを用いるのかもしれない。しかしいずれの場合も、昇進プロセスとはチーム活動なのだ。私が職探しをしていたとき、当時Slackで働いていたジュリア・グレースがこう言った。「チームゲームを一人でやろうとしてはだめ、勝ち目はない」

### スポンサーの見つけ方

あなたを昇進に導くチームで最も重要なメンバーはあなた自身である。そして、2番目に重要なのが社内スポンサーだ。スポンサーシップについては、ララ・ホーガンが詳しく書いているが、大ざっぱにまとめると、議論の重大な局面で制約のあるリソースの分け前（給与アップの予算など）を主張するときに、あなたの仕事のために発言してくれる人である。

おそらく誰にだって複数のスポンサーがいると思うが、昇進、特にスタッフプラスへの昇進という意味では、基本的に直属の上司がスポンサーでなければならない。直属の上司があなたの書いたプロモーションパケットを会社指定のフォーマットに書き換え、人事考課会議ではほかの出席者があなたの適性について掘り下げるなか、あなたの昇進を訴え、あなたが候補者としてはまだ貧弱な時期には、あなたに欠けているものを率直に教えてくれる人物なのだ。

直属の上司をスポンサーとして獲得するのは絶対条件だが、それ以外にもスポンサーがいたほうがいいケースもある。それまで部下をスタッフプラスの役職に昇進させた経験が一度もない上司は、何かを見落としたり、ミスをしたりするかもしれない。そのため、自分が属するマネジメントチェーン内でさらなる人間関係を深める努力をすること。2つ上の上司に時間の多くを費やす必要はないが、彼らが2カ月後に開かれる会議であなたの仕事のインパクトを思い出せないようでは、あなたはスタッフエンジニアにはなれないだろう。

### スポンサーを活用する

スポンサーに積極的になってもらうための最初のステップは、彼らにあなたの目標をはっきりと伝えることだ。「スタッフエンジニアとして認められたい」と宣言するのである。スタッフプラスになろうとしている人々に対して、リトゥ・ヴィンセントはこの点を真っ先に指摘する。

> 多くの人が私に「スタッフになるためには次に何をすればいい？」と尋ねてきます。その際、私がいつも言うのは、自分の上司に希望するキャリアをオープンにそして誠実に伝えることです。以前の私が上司との関係で犯した過ちは、私自身が考えていることではなく、彼らが聞きたがっているであろうことばかりを話したことでした。

スポンサーを見つけた時点で、やれることはすべてやったと考える人が多い。最後の仕上げはスポンサーの仕事だから、と考えるのだ。しかしほとんどの場合、このアプローチはうまくいかない！　スポンサーは社内で影響力をもっているが、その力を完全に活かす能力があるわけではない。そのため、あなたがお膳立てをして初めて、あなたを存分にサポートすることが可能になる。スポンサーに、何か手伝えることがないか尋ねよう。求めるだけでは、キャリアを前に進めることはできない。求めることも大切だが、求めた内容が実現しやすくなるように働きかけることのほうが重要なのである。

スポンサーとともにプロモーションパケットを見直すことで、関係をスムーズにすることができる。その際、スポンサーに答えを急かすことのない形で自分に欠けているものが何かをそれとなく尋ねるのがいいだろう。なぜなら、答えを迫られた場合、人はよくわかっていない場合でも「わからない」と答えるのではなく、役に立たない回答でごまかそうとするからだ。「もっと大きな、インパクトの強い技術プロジェクトに取り組む」などといった答えが返ってきたら、あなたが間違った尋ね方をしたか、質問そのものが間違っていたか、あるいは尋ねる相手が間違っていたか、である。

最初の問いには「もし今回のサイクルで昇進がかなわないとしたら、その原因は何でしょうか？」が適している。もう一例を挙げるなら「私を候補者としてもっと有力にする効果的な方法は？」だろう。質問は具体的であればあるほど、スポンサーへの負担が少ない。たとえば、上の質問を次の問いと比べてみよう。「この四半期で私はAPIリファクタリングを完了しました。私は、これはスタッフレベルの仕事だと考えていたのですが、ただスケジュールに大幅な遅れが出てしまい、プロダクトマネジャーを怒らせてしまいました。彼らの作業に中断が生じたからです。どうすれば、私はこのプロジェクトをもっと効率的にすることができたのでしょうか？」。この質問のほうが、たとえスポンサーがそのプロジェクトに精通していない場合でも、有益な答えを出しやすいだろう。

最後に、スポンサーの活用は、昇進直前に1回やればそれで終わり、という性質のものではないことを忘れてはならない。時間をかけて関係を築き、スポンサーが助けを必要としているときは率先して手を貸すこと。スポンサーの取り組みを自らのものと考え、協力しよう。たとえば、ワーキンググループにボランティアとして参加および協力してくれる人物をスポンサーが必要としている場合などだ。スポンサーは、ただでさえ人からものを頼まれることが多い。ふだんはそうでもないのに、昇進時期の直前になると協力的になる部下の顔も覚えている。私も、ふだんはオフィスにすらほとんど来ないのに、人事選考前の1週間は必ずオフィスに顔を見せに来る同僚がいた。ほかの従業員はみんなそのことに気づいていた。

### うまくいかなかったら？

上司との関係がうまくいかないとき、互いに「いいね！」を押せる状況にないときは、リーダーシップの役職に昇進することはできないだろう。あなたのインパクトとその評価に、上司はあまりにも直接的な影響力をもっているため、昇進は絶望的だ。同様に、あなたは上司とすばらしい関係を築いていたのに、その上司が会社を去るというケースも考えられる。この場合、希望が完全に失われるわけではないが、新たな上司との関係を一から築かなければならないため、昇進時計はリセットされてしまう（ときには、新しい上司が自分の能力を証明するためにあなたの昇進を懸命に後押しする場合もあるだろう）。

上司と摩擦があったからという理由ですぐにほかのチームや会社に移籍するのは、自分を欺く行為だ。通常、企業というものは、あなたの上司が承認しない限りそのような移籍を認めようとしない。そのため、下手をしたらあなたは自分が今いる場所につながる橋をすべて燃やし、孤立することになってしまう。さらに重要なのは、別のチームへ移籍などしては、自分とウマが合わない人とも協力関係を築くというスキルを磨くチャンスを失ってしまう点だ。これは習得するのが楽しいスキルではないが、リーダーというものは“つねに”自分とは違う目標や考え方をもつ人々と関係を結ばなければならないのである。

6カ月ほど積極的に関係構築に費やしてもうまくいかない場合は、移籍先あるいは場合によっては転職先を検討する時期が来たと言えるだろう。そのような事態でこそ、ふだんから2つ上の上司と良好な関係を築いてきたことが役に立つ。直属の上司が非協力的でも、2つ上の上司があなたの移籍先を探す手伝いをしてくれるだろう。

## スタッフプロジェクトの経験の有無

明確に期待されているわけでも、どこかに正式な要件として記載されているわけでもありませんが、昇進するにはスタッフプロジェクトを完遂する必要があると考えられています。私自身、本当に強力なプロジェクトの経験なしにスタッフレベルに昇進できるとは思えません。そのようなプロジェクトは複数人が関与し、当該エンジニアはテックリードの

役割を務めるのが普通です。　　　　　　　— リトゥ・ヴィンセント

「スタッフプロジェクト」を成功させることがスタッフプラスへの昇進の必要条件だと考えられることが多い。非常に複雑で重要なため、それを完遂できた人物はスタッフエンジニアになるにふさわしいとみなされるプロジェクトがスタッフプロジェクトだ。しかし、その考えが広く浸透しているとしても、大切なのはそのようなスタッフプロジェクトの神話に目をくらまされることなく、あなたよりも前に道を切り開いてきた人々の経験に意識を向けることだ。

結論から言えば、ほとんどのスタッフプラスエンジニアはスタッフプロジェクトを行ったことがない。ただし、数こそ多くないが、おもに自分が長年勤め上げてきた会社での昇進を通じてスタッフプラスの役職を手に入れた人々に、スタッフプロジェクトの経験者が見つかる。逆に、スタッフプロジェクトをやらずに出世した人々の場合は、長年にわたる成功の積み重ねが昇進の決め手になったか、あるいは転職を通じてスタッフプラスの役職を手に入れている。

ここでは、以下の観点からスタッフプロジェクトを掘り下げていこう。

1. スタッフプロジェクトを完遂しなかった人
2. スタッフプロジェクトを完遂した人（結果的にうまく機能しなかった場合を含む）
3. あなたにとってのスタッフプロジェクトの特定と、それに対するアプローチ

さあ、詳しく見ていこう。

### スタッフプロジェクトは不要なのか

スタッフプロジェクトを経験したかという問いに対して、多くの場合でとても簡潔な答えが返ってきた。

- ジョイ・エバーツ　「スタッフプロジェクトはやりませんでした」
- ダイアナ・ポジャル　「いいえ、私はスタッフプロジェクトの担当者に任命されたことがありません。Slack ではそのようなことは昇進プロセスに

含まれていません」

なかには、スタッフプロジェクトという考え方そのものに懐疑的な人もいて、たとえばネルソン・エルヘージはこう言う。

> 私はスタッフプロジェクトという考え方に少し距離を置いています。と言うのも、私が知るスタッフエンジニアは、自分で壮大なプロジェクトを実行したり、大きな仕事を成し遂げたりする必要のない人々だからです。その代わりに、みんな優れた指導者であり、エンジニアリングの組織運営の全体を改善する力のある人々です。

ダン・ナやダミアン・シェンケルマンのように、マネジメント職を経由することでスタッフプロジェクトを迂回して、スタッフプラスに到達した人もいる。ダミアンはこう述べる。

> やりませんでした。Auth0で育ったため、「その部分をスキップした」のです。スタートアップ企業のディレクターとして、私は大規模で重要な取り組みを技術面で率いることが多かったのですが、「スタッフプロジェクト」あるいは「プリンシパルプロジェクト」と特定されている仕事はありませんでした。

これらの話から、「スタッフプラスの役職を手に入れるにはスタッフプロジェクトを成功させなければならない」という主張は間違いであることがわかる。スタッフプロジェクトをやらなくても、たとえばエンジニアリングマネジメントの経験など、多くの道がスタッフプラス職につながっている。

### スタッフプロジェクトは必要

その一方で、数多くの企業が、社内での昇進の条件としてスタッフプロジェクトの実施を正式にあるいは非公式に要求している。そのため、出世のためにスタッフプロジェクトに取り組む人も少なくない。

リトゥ・ヴィンセントはDropboxでの経験を次のように語る。

> 私はスタッフプロジェクトを受け持ちました。当時、初期のDropbox

は人々がダウンロードして自分のマシンにインストールするコンシューマー向けのプロダクトでした。Dropbox for Business をローンチしたとき、個人用アカウントとビジネス用アカウントを同時に使えるように、要するにいちいちログアウトとログインをしなくても両アカウントを切り替えられるようにしてほしいという要望がありました。最初の実装コードをかなりの短期間で書かねばならず、また2つの Dropbox プロセスを実行する必要もありました。1つは個人アカウント用の、もう1つはビジネスアカウント用のプロセスです。単一の Dropbox プロセスで複数のログインユーザーを処理できるようにするのが、私に課せられたスタッフプロジェクトでした。そのプロジェクトは、カーネルからユーザーインターフェースにいたるまで、プロダクトのあらゆる部分に関係していたため、簡単な課題ではありませんでした。Dropbox システムのあらゆるレイヤーを理解しなければならなかったのですから。最初、6カ月ほどで終わると思っていたのですが、結局は18カ月もかかりました。しばらくの期間、デスクトップクライアント担当チームを総動員する必要がありました。

ラス・カサ・ウィリアムズは進行中のプロジェクトに途中参加し、のちにそれを率いることになる。その業績がスタッフプロジェクトとして認められた。

私はシニアエンジニアとして Mailchimp に加わり、すぐに(エンジニアリングディレクターと2人のプリンシパルエンジニアを含む)あるプロジェクトチームに参加することになりました。Mailchimp にとって最初の内部セルフサービス分析プラットフォームの構築が目的でした。そのプロジェクトでは効果的かつ高レベルでの働きが求められました。ただし、幸か不幸か、2人のプリンシパルエンジニアが参加していたので、私に対する期待はそれほど高くなかったと思います。それでも私はすぐに仕事に集中し、プリンシパルたちに面倒をかけることなくプロジェクトの主要部分で貢献することができました。そのうち、私がチームの中心になっていました。最終的には正式にテックリードの立場を得て、同プロジェクトを私の現在のエンジニアリングチームグループである「データサービス」に吸収し、引き続き担当していくことになりました。

スタッフプロジェクトの要件を文書で規定している会社はほとんど存在しない。多くの場合は昇進面接などで漠然と話題になるだけで、ときには上司とスタッフ候補の両方にとって予想外の課題であることもある。「間違いなく昇進できる」と思っていたのに昇進できなかった場合は、スタッフプロジェクトで自分が予想していた以上に高い成果が期待されていたと理解できるが、そのような経験は誰もしたくないだろう。スタッフプロジェクトでどれほどの成果が求められているのかをもっと確実に、そして安全に知りたいなら、実際の昇進のチャンスが来るずっと前からプロモーションパケットを作成および維持し、フィードバックを得るのがいいだろう。

### スタッフプロジェクトをすべき理由

ときに、十分と不十分の境界、あるいは合格と不合格の境界を見極めるのは難しい。スタッフプロジェクトもまさにそのような例の1つだ。莫大な影響力のプロジェクトを引き受け、曖昧さのなかで実行し、見事に成功することは、スタッフプラスの役職を手に入れるのにふさわしい働きだと言えるだろう。しかし、そのようなプロジェクトに携わることなくスタッフプラスになった人が数多く存在するのも事実である。

私自身は、スタッフプロジェクトを完了しなくてもスタッフプラスの役職は得られるものの、エンジニアとして大きく発展する機会としてスタッフプロジェクトは極めて貴重だと考えている。スタッフプロジェクトを通じて、あなたはほかの仕事では不可能なほど才能を伸ばし、成長することができるだろう。

キーヴィー・マクミンは自身の経験についてこう語る。

> 私はスタッフプロジェクトという名前は知りませんでしたが、考え方自体は理解できます。私も何度かそのようなプロジェクトを率いて、とてもやっかいで会社にとって極めて重要なエンジニアリング問題の解決に努めました。残念ながら、それは昇進にはつながりませんでした。それでも、そうしたプロジェクトのおかげでキャリアは確実に前進しましたし、経験と知識と自信が増え、自分を今までとは違う立場に置くことができるようになりました。外部のカンファレンスで講演することもありますし、「私はXをやり遂げたし、またXをすることもできる」と自負するようにもなったのです。

スタッフプロジェクトはどれもそれぞれ内容が異なっているが、共通して以下の特徴をもつため、エンジニアとしての成長に役立つ。

- **複雑で曖昧**　キャリアの初期は明確に定義された問題に取り組むのが普通だが、キャリアが進むにつれて、定義が曖昧な、あるいはまったく定義されていない問題に遭遇することが増えていく。スタッフプロジェクトも、ほとんどの場合で内容が曖昧ながら、とても複雑で、しかも重要な問題を扱う。たとえば、誰かが「会社の古いモノリスがプロダクト開発のじゃまになっている」と主張したことをきっかけにスタッフプロジェクトが生まれることもあるだろう。そのような範囲の広い漠然とした（もしかすると間違っているかもしれない）主張をスタート地点として、具体的なアプローチを考案しなければならない。
- **利害関係者の対立**　簡単なプロジェクトでは、問題点や解決策という点で初めから会社の足並みがそろっているものだが、スタッフプロジェクトではその逆がほとんどだ。エンジニアの多くはそれで十分と感じる性能を、マネジメント層が社の存続にかかわるリスクとみなすことがあるかもしれない。誰もが問題と認める事柄が存在するのに、サービス戦略をとるか、あるいは既存のモノリスへ再投資すべきかなど、問題へのアプローチで社内の意見が大きく食い違うケースも想定できる。
- **誰もが知る、失敗の許されない仕事**　スタッフプロジェクトは重要なプロジェクトなので、上級幹部が全社会議などあらゆる機会に話題にのせるだろう。つまり、誰もがあなたの働きに注目し、失敗は１つたりとも見逃されることがないということだ。もちろん、成功した場合にも誰もがそれを知ることになる！

上記の特徴をもつ課題はスタッフプロジェクトだとみなしていいだろう。とても神経を使う仕事ではあるが、だからこそ成長につながるのだ。

### スタッフプロジェクトに携わる

「スタッフプロジェクトをやる」と決めるのが最初のステップではあるが、実際にそのようなプロジェクトを実行するには、そもそもプロジェクトへの“アクセス”を得る必要がある。それが可能かどうかは、マネジメント層があなたに成功する力があると信頼しているかどうかで決まる。

信頼を得るには次の3つの要素が重要になる。

1. まず、リーダーシップチームと足並みをそろえることを学ばなければならない。その方法については次節の「部屋に入って、そこにとどまる」で説明する。
2. 次に、目の前の問題に対処できるだけの技術適性を備えていなければならない。「存在を示す」で説明する。
3. 最後に、これはあなた自身がどうこうできることではないが、会社が絶対に解消しなければならない高度な問題を抱えている必要がある。したがって、あなたには少し忍耐が求められるかもしれない。

### スタッフプロジェクトを求めるべき？

総合すると、もしあなたが今の会社で昇進を望んでいて、これまでまだスタッフあるいはマネジメントレベルの肩書きを得ていないのなら、スタッフプロジェクトを実行し、そのレベルにふさわしい人物であると認めさせる必要があるだろう。それ以外のケースでは、スタッフプロジェクトはおそらく必要ない。

スタッフプロジェクトが求められる場合でも、そうでない場合でも、それらは最も困難な課題であり、成し遂げることであなたは才能を伸ばし、成長し、優れたエンジニアになることができる。時間をかけずにただ肩書きが欲しいのなら、スタッフプロジェクトを避けたほうが賢明なのかもしれないが、長期的な成長という点では、代わりのない貴重な機会だと言える。

## 部屋に入って、そこにとどまる

エンジニアたちが最も頻繁に口にする不満の1つに、「重要な決断が下される部屋に入れてもらえない」というものがある。だから、エンジニアたちは会社の決断を理解できず、重要な文脈も気づかないか、あるいは無視してしまう。一方、スタッフプラスエンジニアたちはそのような「部屋」に入れることを、スタッフプラスの役職に就いたことで得られたおもな利点として挙げる。肩書きを得ることで、重要な決断に関与できる可能性が高まるのである。

しかしながら、そのような「部屋」は1つでないことを忘れてはならない。

適切な部屋への入室は、1回限りの課題ではない。キャリアを通じて繰り返し突きつけられる難問である。つまり、部屋に入るのがうまくなればなるほど有利だ、ということだ。

キャリアの初期では、テックリードやプロダクトマネジャーとのスプリント準備会議がそのような部屋の1つだろう。のちには、四半期計画会議やアーキテクチャレビュー、パフォーマンス調整、エンジニアリング幹部あるいは経営陣の会合がそのような部屋に数えられる。入る部屋の数には限りがない。上級レベルになるには、部屋に入るだけでなく、部屋にとどまる術も身につけなければならない。

### 部屋に入る

部屋に入るには以下の条件が必要になる。

- **有益な何かをもっていて……** 重要なプロジェクトに関する詳細、重要なチームの状況、その部屋の目的に関係する専門知識、以前勤めていた会社で同種のプロジェクトやチームを率いた経験、主要顧客とのつながりなど。
- **……部屋にはそれがまだ存在しない。** 有益な何かをもっているだけでは不十分で、その何かは部屋にまだ存在しないものでなければならない。集団は大きいよりも小さいほうが円滑に機能するので、経営に直接関係する会合では効率を高めるために重複や冗長をできるだけ省こうとする力が働く。したがって、そのような部屋に入るには、今の参加者の誰ももっていない何かをもっている必要がある。
- **部屋にスポンサーがいる。** 部屋は席の数が限られていて、グループとしてうまく機能しなくてはならない。そのため、そこに入るには、あなたがメンバーになるのを支援してくれる誰かがいたほうが好都合だ。自らの社会的資産をあなたの参加のために使ってくれる人がスポンサーであり、メンバーたちは部屋におけるあなたの働きに応じてあなたのスポンサーを評価するだろう。通常、部屋にはさまざまなレベルの人がいるため、あなたのスポンサーである人物のさらに上司がそこにいることも多い。そしてあなたを支援するという決断を下した事実が、そのスポンサーの評価を左右する。
- **あなたが参加したがっていることをスポンサーが知っている。** あなたのスポンサーはさまざまな部屋に参加していて、そのほとんどから早く解放されたいと願っているかもしれない。そのため、あなたが特定の会議に参加することを望んでいるとは想像していないだろう。それどころか、あなたにはそうした場所に加わるつもりがまったくないと考えている恐れもある。したがって、あなたが入室を望んでいることをスポンサーに確実に知らせておくこと。

部屋によって、どのような形でそこに足りない何かを持ち込めばいいかは異なっているので、これさえやっておけばいいと言える単一のパターンは存在しない。また、同じような状況を経験した人が部屋にいるかどうかもその都度異なっているので、時と場合によっては、しばらく我慢して待つか、あるいは別の部屋を探すかが残された唯一のオプションとなることもある。

逆に、あなたを部屋に入れることで生じる面倒や損失を極力減らすことでも、その部屋に対するあなたの価値を簡単に高めることができる。その際、次のアプローチが役に立つだろう。

- **自分の上司と足並みをそろえる。** リーダーというものは、標榜する目標に向けてどれだけチームを一丸にすることができるかで評価される。リーダーが継続的発展に重点を移すと宣言したのにチームがリリース路線を進もうとするようなとき、人々はリーダーの資質に疑問を抱く。上司との連携がとれていれば、スポンサーとしてあなたの入室を後押ししてくれるだろう。足並みがそろっていればいるほど、彼らは自分の席をあなたに譲り、自分は参加しなくなる可能性が高い。
- **グループのために最適化する。** かつて、Stripe社では経営方針として「Optimize for Stripe（Stripeのための最適化）」を採用していた。ほかの人々のために可能な限り最適化するという考え方が、あなたに自分の判断に対する信頼と自信を与えるのである。
- **はっきりと簡潔に話す。** 簡潔に話す能力を身につけよう。無駄なく話すことができれば、少ない時間でより多くの考えを発表することができる。加えて、明確に話す能力も高めること。あなたの言いたいことが理解できなければ、それが優れているかどうかなど、誰も気にとめない。ほかの人に、あなたを理解する義務はない。あなたのほうが、理解されるように話す義務を負うのである。
- **摩擦を減らす。** あらゆる会議を、差し迫った大災害を防ぐ最後の機会と捉えたくなる気持ちはわかる。しかしそのようなマインドセットでは、どの議論も緊急と感じられ、感情が先走りしてしまいかねない。そのような議論が続くと、前進するどころか、欲求不満が募るばかりだ。難しい議論を無駄なくナビゲートすることができれば、あなたの発言に対する関心は高まるだろう。

- **準備を怠らない。** 企業の一部はエンジニアを子供扱いしていて、彼らが（かなり上級のエンジニアでさえ）会議に際してアジェンダも読まず、議題について下調べや準備をしてこなくても問題視しない。許容される態度と評価される行動のあいだにかなり大きなギャップがあるため、あなたがもし十分に時間をかけて自らの考えをまとめてからミーティングに挑めば、ほかの参加者から大きく際立つことができるだろう。また、自分のした約束をしっかりと守ることも重要だ。
- **集中し、存在を示す。** 部屋に入れたら、話し合いに積極的に参加し、存在感を示すこと。態度でやる気を示そう。ほかにやりたいことがあっても、存在が認められなければ、何も始まらない。
- **低レベルのタスクを率先して引き受ける。** 誰かがメモをとらなければならないのなら、手を挙げよう。ある行動に対してフォローアップが必要なら、それを引き受けよう。たとえおもしろくも何ともない仕事でも、率先して役に立つこと。

部屋に入るには分子と分母の両方になる覚悟が必要だ。独特で有益なアイデアを発しつづけながら、同時にその考えをミーティングの制約のなかで無駄なく伝える能力も育まなければならない。

### 部屋にとどまる

「部屋に入る」という最初のハードルに続いて、「部屋にとどまる」という2番目のハードルがあなたの前に立ちはだかる。ここで最も大切なのは、部屋に入るためにやったことをずっと続けることだ。部屋に重要な情報をもたらし、洗練された自分を示し、簡潔かつ柔軟でありつづけること。

部屋から追い出される人には、一定のパターンがある。

- **部屋の目的を誤解する。** どの部屋にもそれぞれ異なる目的[100]があり、それとは違う目的のために利用しようとすると摩擦が生じる。ある部屋の役割は、内部からそれを見る人の考え（「我々の目的は決断を下すことではなく、議論すべき問題を明らかにするだけ」）と、外から見る人の印象（「リーダーシップチームの会合であらゆる決断が下される」）が大きく食い違うことも多い。時間をかけてその部屋の役割を理解し、その役割を尊重しながら貢献しよう。

- **独断的すぎる。** 上級職員が集まる部屋では非常に敏感な問題（報酬、レイオフ、昇進、買収など）を扱うことが多いにもかかわらず、メンバーが顔を合わせられる時間は限られている。もしあなたが独断的で異論を寄せ付けない態度を貫けば、摩擦が生じて議論が長引き、グループは前に進むことができなくなってしまうだろう。
- **同意を差し控える。** 効果的なグループはメンバーの全員が「ディスアグリー・アンド・コミット（同意できない考えにはしっかりと異議を唱えるが、下された決断には、たとえそれが自分の考えと異なっているとしても、責任を負うとする考え方）」[101]の原則に従う。多くの場合、同意を保留することで、議論を自分の思う方向へ引っ張ることができるが、そうすることでグル－プはペースが鈍り、停止し、あなたがグループから追い出される可能性が高まるだろう。
- **自分の考えばかりを述べる。** あらゆるアイデアが歓迎されるブレインストーミングが行われることもあれば、あるプロジェクトの実施を阻止するために戦略的にふるまう必要のあるケースや、場の空気を読まなければならない瞬間もある。通常、自分の価値を示したいという欲求から、自我を押し通そうとしてしまうのであるが、あなたはその部屋に入るためにやってきたことが認められてそこにいるのだという事実を忘れてはならない。その部屋に入ったからといって、急にまったく新しい人物になれるなどと期待してはならない。
- **スポンサーを困らせる。** あなたが部屋に入れたのは、そこにいる誰かがあなたの受け入れをサポートしたおかげである事実を忘れないこと。
- **頻繁にすっぽかしたり欠席したりする。** 席の数には限りがある。その部屋の運営を任されている者は、当然ながら、実際に参加する人に席を渡したいと考える。

以上、部屋にとどまる方法を述べてきたが、そのことばかりを心配するのも問題かもしれない。ときには、その部屋にあなたの時間を費やすだけの価値があるか、よく考えてみたほうがいい場合もあるだろう。

### 部屋を出る

参加できる部屋の数には限りがない一方で、部屋に入ったところで、そこで実際の仕事が行われるわけではないという事実も忘れてはならない。要するに、高いインパクトを残すには、参加を続ける部屋の数を絞ったほうがいい。私自身、入りたい部屋に入れてもらえずにつらい思いをしている人をたくさん知っているが、ある部屋を自発的に去ったことを後悔している人に出会ったことはない。ある部屋が役に立たないと思うのなら、去ればいい。その際、自分が空ける席を引き継ぐのにふさわしい誰かを見つけて、スポンサーとしてその人の入室を後押しすればいいだろう。

## 存在を示す

> 人々、特に女性やノンバイナリーの人が私にアドバイスを求めてくるとき、たぶんテクニカルリーダーとして成長する方法を知りたいのだと思うのですが、私は「おそらくあなたにはもう技術的な力はあるのだから、社内で名声を高めることに取り組みなさい」と言ってみんなを驚かせます。よかれあしかれ、評判がよくない者はスタッフになれないのですから。
>
> ― ケイティ・サイラー＝ミラー

バート・ファンはスタッフプラスのレベルを目指す人々に「スタッフになれるかどうかの決め手は多くの場合、運とタイミングと仕事の組み合わせにある」とアドバイスする。突き詰めて考えればタイミングも運の一種であるため、「運と仕事」にまで絞ることができるだろう。

運がよければ、そもそもスタッフプラスにつながる道を意図して進む必要すらないかもしれない。もうすでに会社の最優先事業に携わり、絶妙なポジションにいる上司からサポートを得ていて、本社で働いているに違いない。そうした運に恵まれなかった場合、昇進するのは一気に難しくなるが、諦める必要はない。誰にでも運をつかみ取ることができるのだから。

運を高める最善の方法は、社内でもっと目立つことだ。とは言え、もちろんネガティブな方法でも知名度を一気に高めることができるのだから、もう少し具体的に言い直したほうがいいだろう。ここでの目標は、「ポジティブな行為で知名度を上げ、その際に会社へかけるの負担を極力減らすこと」だ。

### 存在を示すことがなぜ重要なのか

ケイティ・サイラー＝ミラーは認知度がスタッフに昇進できるか否かの鍵になると説明する。

> コミュニケーションと透明性については、いくら話しても話し足りません。スタッフへの昇進では、自分の仕事を目に見えるようにすること、人々に名前を知ってもらうこと、そして高い名声を得ることが重要です。

スタッフプラスの役職を担う者はリーダーシップの一員だ。つまり、そのような役職に任命したということは、会社があなたをリーダーシップチームに迎え入れたことを意味する。チームのほかのメンバーは信頼できる人物を仲間にしたいと思っている。もし彼らがあなたのことを知らなければ、信頼などできるはずがない。

これまで会社であまり目立ってこなかった人にとっては、この事実は少し閉鎖的あるいは排他的だと思えるかもしれない。逆に、すでに社内で広く存在を知られている人にとっては、これはリーダーシップを担う者が期待と基準を一貫して満たしつづけるために必要なことと思えるだろう。ある人物がいて、その人がどんな仕事をしているのかすら知らなければ、一貫性など保てるはずがないのである。

---

インクルージョン（包摂性、すべての従業員に活躍できる機会を与えること）を重視する企業では、リーダーシップチームに加入する人物の選考の際に生じるネガティブな排他性をどのような方法で軽減しているのだろうか？

答えはこうだ。そうした企業は、リーダー候補の“全員”がリーダーを選ぶ人々の目にとまるような仕組みを設計するのである。その一方で、インクルージョンに重きを置いていない企業では積極的に自分を売り込む人ばかりに注目が集まってしまう。

### 社内における認知度

社内での認知度を高める最善の方法は、会社と幹部にとって最も重要な仕事に携わることだ。この道を進めば、あなたの貢献は会社から評価されやすくなるだろう。

それだけでは足りない場合は、次のような戦略を用いればいいだろう。

- アーキテクチャ書や技術仕様書など、長期間利用される文書を作成・配布する
- アーキテクチャレビュー、全社集会、学習サークルなどといった社内フォーラムを率いる（あるいは少なくとも参加する）
- Slack でチームや仲間のチアリーダーになる
- Slack の代わりに E メールを通じてチアリーダーになる
- 毎週、自分の仕事に関するノートを書いてチームと関係者に配布し、興味のある人はいつでも読める状態にする
- 会社のブログに投稿する
- 質問や相談などを受け付ける面談時間をチーム内もしくは社内に設置する、もしくはすでに存在する場合は活用する

自分の強みを活かし、無理することなく、自分に素直であることを心がけよう。自分の仕事について人々に話したことがない人は、自分を売り込むのを気まずく感じるかもしれない。その気まずさは、完全には忘れないほうがいい（自制心は大切だ）が、ある程度は慣れる必要がある。

### 経営陣に対する認知度

リーダーシップのレベルに昇進するには認知度が欠かせないが、とりわけ重要なのが、経営陣の目にとまることだ。プロモーションパケットを通じて、あなたは直属の上司に対しては認知度を確保したと言えるが、そこが終わりである必要はない。上司の上司ともポジティブな関係を築く機会を見つけ、上層における認知度を高めることは極めて有益だ。

上層部の人々は当然ながらスタッフプラスレベルへの昇進の承認に関係している可能性が高い。そして彼らが名前も知らないような人の昇進を認めることなど、ほぼありえないのである。

### 社外における認知度

社内だけでなく、社外でも認知度を高める努力をすること。社外ではほとんど無名なのにスタッフプラスエンジニアとして成功している人もいるが、スタッフプラスエンジニアの多くは、社外での知名度がキャリアの役に立ったと考えている。

社内だけに集中するのではなく社外でも存在を示すことの利点は、外のほうが名前を広める余地がはるかに多いことだ。社内だけに努力を費やした場合、同僚たちと競い合うことになるが、社外ではそのようなことは起こらない。

社外で自分の名と仕事の認知度を高める方法としては、キーヴィー・マクミンやダン・ナのようにカンファレンスで講演する、ミシェル・ブーのようにポッドキャストを開設する、ケイティ・サイラー＝ミラーの「oshitgit」[102]のようにウェブサイトや書籍の形で問題を扱う、スティーブン・ウィットワースの「High Growth Engineering」[103]のようにメーリングリストを作成するなどが考えられる。

### あなたは認知度を高める努力をしたほうがいい？

例外なく社内のほうが認知度を高めやすい。しかし、ある時点に来ると、それ以上自分の認知度を高めると、ほかの人々から社内で存在を示す機会を奪ってしまう恐れが出てくる。社内における認知度とはゼロサムではないものの、それでもあなたの仕事を見ようとする人々の関心には限りがある。

そこで私からは、プロモーションパケットをうまく利用することを提案したい。プロモーションパケットのプロセスを通じて、自分の認知度の低さが昇進できない理由になる可能性があるかどうか探るのである。もしそうなら、認知度を高める努力を続けるが、これで十分と思えるレベルに達したら、そこでやめる。認知度とは一時的なものだ。その一方で、学習と成長は永遠の課題である。必要十分な認知度を集めたら、成長に重点を置こう。

# 第4章　転職を決断する

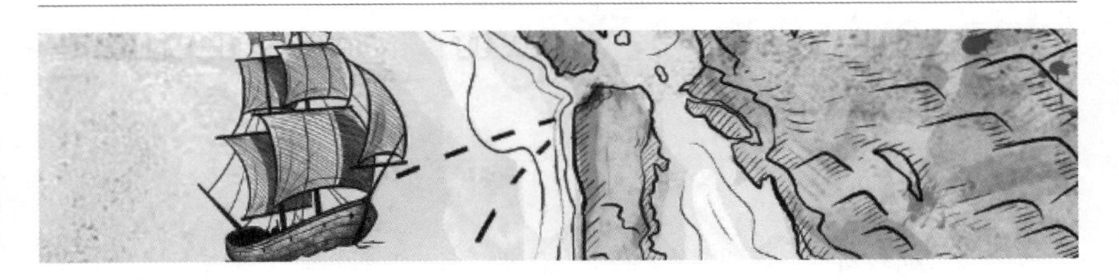

> 私はプリンシパルエンジニアとしてFastlyに雇われました。正直なところ、私にとっては会社が変わるという点がほかの何よりも大きな要素でした。仕事の内容はそれほど大きく変わりませんが、転職したからこそ、この役職を得ることができたのです。
>
> ― キーヴィー・マクミン

私の父は経済学教授だった。20代後半で博士号を得た父はとある大学で初めて教壇に立ち、その大学で終身在職権を得て、40数年後に引退するまでそこにとどまりつづけた。テクノロジー業界にいる者にとっては、まるでおとぎ話のようだ。

そもそも、40年の歴史を誇るソフトウェア会社は非常に少ないのだから、1つの会社で40年もキャリアを貫いた人物などほとんどいない。以前、エンジニアの多くは1つの会社に1年から4年ほど在籍して、自らの株式報酬を最大にしてから次の会社へと移っていくといううわさが広まっていた。もしそれが本当だとしても、スタッフプラスの役職に就くことを目指している人々はそこに含まれていなかっただろう。

一般的にはその逆で、スタッフプラスを目指す人は1カ所にとどまり、そして1カ所にとどまったことに対する報酬として、状況が許した場合に昇進できるのである。状況が悪い方向へ転じた場合、彼らはすぐに去って行くか、精神的な蓄えを使い果たして燃え尽きてから去って行く。

シニアエンジニアからスタッフプラスエンジニアに昇進するのにふさわしいほど認知度を上げ、人々の信頼を得るのには何年もの時間がかかる。そのため、昇進まであと一歩のところに来ていると考えられるときには、そこを去るという決断を下すのはとても難しい。別の場所でまた初めからやり直さなければならないと思えるからだ。

しかし、キーヴィー・マクミンが語るように、新しい会社に移るタイミングでスタッフプラスの役職を初めて手に入れる人も多いのである。会社で信頼を培ってきたとしても、ときには外に出るほうが効果的な場合がある。
あなたはどう決断すべきだろうか？

---

話を先に進める前に、非常に柔軟な立場にあって転職がしやすい人と、さまざまな制約があり転職が極めて難しい人の２つのパターンがあることを指摘しておく。
就労ビザによって居住地が制限されている人、大家族を養っている人、自分の住む地域にあるテクノロジー企業の数が限られている人などは、転職が難しいだろう。
一方、スタッフプラスのキャリアを目指せるほど深くテクノロジー業界に携わっている人の大半は柔軟な立場にあると言える。以下のアドバイスは、後者に焦点を当てている。自分には当てはまらないと思うのであれば、参考にする必要はない。

### 会社を辞める根拠

あなたの長所を最もよく知る会社は、今の会社だ。したがって、あなたにスタッフプラスの役職を与える可能性が最も高いのも今の会社だと言えるだろう。しかし、現実はそう単純ではない。昇進には非常に多くの要素が関係してくるからだ。
あなたのチーム自体がかなりの上級者で構成されている場合、あなた個人のインパクトをスタッフエンジニアにふさわしいものと証明するのは非常に難しいだろう。チームの功績とみなされるからだ。あなたの上司の予算が限られていて、スタッフエンジニアを増やす余裕がないケースも考えられる。あるいは、あなたには社内スポンサーがいないのかもしれない。単純に、スタッフエンジニアを必要としていない会社もあるに違いない。そのような会社では、あなたが昇進するにふさわしい人物だとしても、実際に昇進するのは不可能だろう。
逆に言えば、スタッフプラスの役職を付与できる会社が見つかるまで、新しい職場の面接を受けつづければいいのである。あなたの経験を高く買うと予想できる若い企業をあえて選んで面接を受けるという手も考えられる。面接を通じて、自動的にスポンサーを見つけることもできる。採用責任者だ。面接プロセスほど、採用責任者とあなた自身の思惑が一致する機会はほかにない。

技術面接は、業界にとっても会社にとっても困ったことに、成功の予測因子としては一貫性にも信頼性にも欠けるのだが、スタッフプラスへの昇進を目指し、広範な活動を行う者にとっては、この弱点が有利に働く。面接が“あなた”という人物を過度に高く評価する会社を見つける機会になるのだ。たとえば、カンファレンスで講演をした実績をもつ人を高く評価する会社、APIのデザイン経験を重視する企業、あるいはコンパイラについて書いたあなたの博士論文に興味のある会社、などだ。

同様に、あなたに悪い評判が立って、今の会社ではそれ以上の前進が期待できない場合もあるに違いない。インクルージョンの問題を指摘したことを理由に、会社があなたに「難あり」のタグを付けたのかもしれない。ランチの際に影響力の強いディレクターの気分を害してしまい、あなたの昇進がブロックされている恐れだってある。新しい会社を見つければ、そのような荷物を下ろすことができるのである。

---

テクノロジー業界にいながら、“本当に”すべての荷物を置き去りにすることができるのか、というのはまっとうな疑問だ。ときに、テクノロジー業界は小さな村のように感じられる。テクノロジー業界に属し、大きな会社で10年以上も働いていれば、あなたはあなたを面接する相手ともすでに何らかの関係を築いているに違いない。

上司がろくでなしだった、私生活でつらい時期を過ごしていた、などその理由は何であれ、今の会社で業績が悪化した場合、それだけで将来の見通しに暗い霧がかかったように思えてしまう。しかし、一般的な面接プロセスと同じで、テクノロジー業界でもあなたの業績に関する正規のあるいは裏ルートでの確認作業は極めてランダムな形で行われる。その証拠に、ハラスメント常習犯として知られる人物たちでさえ、有名企業を転々と渡り歩いている。

### 会社を去る前にやっておくべきこと

興味、わくわく感、サポート、機会などが不足していることを理由に退社を検討しているのなら、その前に社内で活躍できる場を探してみることを勧める。社内で新たな場所を見つけることができれば、社内ネットワークを維持したまま、転職した場合に得られたであろう多くの利点を享受できる。今の会社の規模や成長率によって、あなたにそのような選択肢はないかもしれないが、同じ親会社内で2、3年に一度は役割を変えることで、学習機会とやる気をうまく保っている人もいるという事実を忘れないでおこう。

一方、燃え尽きや疲労を理由に会社を辞めようと考えているのなら、有給もしくは無給の長期休暇を交渉してみてはどうだろうか。数カ月休んで充電するのだ。休暇明けに異動が行われることも多い。大企業ではこの形が好んで行われる（念のために付け加えておくが、育児休暇中の同僚は「休暇中」とみなされない）。

### 次の仕事を見つけずに辞める

本当に燃え尽きてしまった場合は、新しい仕事が決まっていないまま今の会社を辞めることも検討する価値があるだろう。自分がそれに該当するか見極めるために、以下の単純なチェックリストを活用しよう。

・あなたのビザは停職をサポートしている？
・少なくとも1年間は収入なしでもやっていける？
・仕事がいくらでもある業種でリモートワークをしている？　あるいは、次の職場がどこになろうと柔軟に対応できる？
・面接が得意？
・新しい職場を見つけずに今の会社を辞めた理由を聞かれたとき、ぶれずにきちんと説明できる？
・あなたの仕事ぶりについてポジティブな推薦書を書いてくれる人がいる？

これらの問いのすべてに「はい」で答えられるなら、休暇をとっても後悔することはないだろう。しかしながら、これまでの経験から、本当に生まれ変わったと感じるには、少なくとも6カ月の休みが必要になることを忘れてはならない。それより短い期間でも得るものは多いだろうが、完全な回復は期待できない。しばらく仕事から離れるなら、それまでの経験を文書として書き残すことを勧めたい。たとえ書いたものを誰にも見せないのだとしても、それまでの経験を消化することができる。

### 覚悟を決める

あなたが今の会社でスタッフ昇進を目前にしたポジションにいるのなら、世間には間違いなくあなたにスタッフの地位を与える会社が存在する。だが、転職した先で楽しく仕事がやっていけるか、十分なサポートを得られるかを予想するのは困難だ。もし、今の会社で評判を落としてしまったのなら、あるいは頻繁に昇進話が取り沙汰されているのに一定しない昇格基準のせいでいつも落選しているのなら、そして本当に肩書きが重要であるのなら、転職を真剣に検討すべきだろう。ただし、ときには今の会社側の言い分にも耳を傾けたほうがいい場合もある。

逆に、肩書きは別として今の仕事内容には満足しているのなら、転職よりも社内での昇進に力を入れたほうがいい。スタッフプラスへの道のりで立ち往生してしまった人の多くは、プロモーションパケットなどの手段を活用することで、前に進むことができた。あらゆる手段を講じ、真剣に自分を磨き、それでも昇進できないのなら、会社を去る覚悟を決めるときだ。

そうは言うものの、考えすぎるのもよくないだろう。10年にもわたって今の会社に残るか去るかで悩む人はほとんどいない。

## 適した会社を見つける

スタッフプラスの称号を得るために使える魔法は数が少ない。転職の条件として肩書きを求めるか、自らの信用を高めながらあなたのために力を貸してくれるスポンサーを見つけて「現場で」昇進できる環境を整えるか、ぐらいだ。どちらの呪文でも、そこが呪文を実行するのに「適切な会社」であることが、魔法の薬をつくる際に最も重要な材料になる。

新しい会社に応募する場合、そこへ行けばスタッフプラスの役職を得られるかどうかという点について数週間の調査が必要になるかもしれない。しかし、何年もの時間を費やす必要はないという意味では、大きな利点と言えるだろう。その一方で、ある会社に加入してそこで成長する道を選ぶ場合は、未知の組織で何年も旅を続ける覚悟を決めなければならない。非常に難しい決断であり、実際にスタッフプラスの役職が得られるかどうかは、適切な会社を選べるかどうかにかかっていると言える。

### あなたをはるかに高く買う会社を見つける

迅速な出世を目指しているなら、理由は何であれ、あなたの長所を不釣り合いなまでに高く買う会社に移ることが近道だろう。たとえば、Fastly は API をデザインした経験があるという理由でキーヴィーを高く評価した。Stripe はドミトリーがコンパイラに携わってきた点に注目した。ある会社に足りない何かをあなたがもっているなら、その会社におけるあなたのインパクトは極めて大きくなるだろう。

しっかりと運営されている組織は、長所を理由に人材を評価する。一方、あまりうまくいっていない会社はアイデンティティを理由に人を評価する。一例を挙げると、攻撃性をリーダーシップとみなす会社は最も攻撃的な人々を昇進させて力をもたせるだろうが、それにより社風も従業員もダメージを被るのである。ときには、あなた自身が誇りにしている貢献にさほど高い価値を見いださず、それ以外の付随的な仕事に注目して、結果としてあなたという人材の正味価値を正しく査定する会社に出会うことがあるかもしれない。そのような評価は間違っていないと思われるが、基本的には不満のタネだと言える。

### 実力主義と手続き主義

スタッフの役職を得るために転職先を探す場合、決断の際に考慮すべき企業価値がいくつか存在する。特に重要なのは、相手企業の経営陣が基本理念として、例外的な功績を重視する「実力主義」の世界観、もしくは一貫性を重視する「手続き主義」の考えのどちらかに傾倒していないかを知ることだ。この両極端な世界観のどちらか一方の先端に位置している企業はほとんどないが、たいていの企業はどちらかに大きく偏っている。

もちろん、そうした企業も自ら実力主義や手続き主義を標榜するわけではない。前者に関して言うと、数年前なら、まだ自らのことを実力主義と呼ぶ企業も存在していただろう。今では、この用語は人気がなくなり、避けられるようになったものの、世界観自体はまだ生きている。この経営スタイルはシリコンバレーで一般的に見られ、例外的な功績を極端に重視するため、ごく少数の貴重な人材に力を結集する。一般的に、そのような会社では、会社が高い才能とみなす何かをもつ人物が大きな成功を収める。あなたにその才能が欠けているなら、苦戦を強いられるだろう。

手続き主義を経営スタイルの中心に据える会社は、公平を期す手段として一貫性を重視し、例外よりもポリシーを大切にする[104]。時計を組み立てて動かし、針が動くのを眺め、必要なら修理する。そうした会社は直感ではなく仕組みを頼りにするため、より多くの人に機会が与えられるが、同時にとても官僚的でもあり、機構が個人を抑圧しても、満足そうに眺めているだけだ。

実力主義者も手続き主義者も自らの世界観を道徳的に正しいものとみなすため、あなたの考えと経営陣の考えがどの程度一致するかによって、あなたがその会社で得るであろう経験の質は大きく異なる。

面接時に相手会社の世界観を見極めるには、以下の点を参考にしよう。

- 手続き主義者が経営する企業は厳格な報酬帯を設定していて、それを堅実に守ろうとする。報酬帯にあまり固執しない会社は実力主義だ。
- 採用したい相手に対して1回限りの特殊な役職を設ける企業は実力主義者が経営している。既存の役職を満たすために人材を採用するのは手続き主義だ。
- 候補者の、特に上級職候補者の「感触」を得るために臨時あるいは準備不足の面接を行う会社は、実力主義者が経営している可能性が高い。手続き主義者の面接プロセスは秩序立っている。
- 筋書きのないまったく斬新な面接を行う会社は、実力主義者が経営していると考えられる。手続き主義者は、たとえそれが候補者を輝かせることはないとわかっていても、型どおりの評価を行おうとする。

実力主義と手続き主義のどちらが、スタッフプラスの役職を得るのが簡単だということはない。それはむしろあなたの世界観と会社経営陣の世界観がどの程度一致しているかによって左右される。一致の度合いから、スタッフプラスの役職を目指す際にどの程度のサポートが得られ、どの程度の摩擦が生じるか、予想できるだろう。

## アーキタイプの種類

企業のほとんどは、スタッフのアーキタイプのうち1つか2つしか雇い入れない。その際、採用する役職名はどれも同じである。特定の会社がどのアーキタイプを採用するのかを知りたいときは、すでにそこで働いているスタッフプラスエンジニアに話を聞いて、どんな仕事が行われているのかを知るのがいちばんの近道だろう。ほとんどの場合、企業自体は自分たちがどんなタイプのスタッフエンジニアをサポートしているのかを考えたことすらないので、経営陣に直接問い合わせたところで、期待した答えが得られることはない。

大きく成長した会社ではすべてのアーキタイプを数人ずつ抱えることになるが、そこまで来るのにはかなりの時間がかかる。通常、"数千人"のエンジニアを抱えるほどに成長するまで、すべてのアーキタイプがそろうことはない。

### 成長の早い企業と遅い企業

これまでずっと順調に急成長を遂げていたスタートアップで働いてきた人には、スタッフプラスエンジニアとして活動する人員を増やす余地すらない企業など想像できないかもしれないが、成長の遅い会社ではリーダーシップの役割を担う人員を増やす予算がない、あるいはそのような人がすべき仕事がないというケースは珍しくない。いまだプロダクトマーケットフィットを達成したことがない会社でもスタッフプラスを抱える余裕がないことが多い。そのような企業は頻繁に変化を繰り返しながらも、幹部の足並みをそろえなければならないため、リーダーの数が限られるのである。例外があるとすれば、デベロッパー向けの、あるいは特定の技術的インフラストラクチャ製品を売っている会社ぐらいだろう。

急成長中の企業に加わると、必ずと言えるほどスタッフになる新たな機会が生じる。成長の遅い企業では、今埋まっている席が空くのを待つしかないだろう。だからといって、絶対に急成長企業に就職しろというわけではない。そのような会社はストレスが多く、時代遅れのプロセスにもとづいていることがほとんどだ。こうした点も考慮すべきだろう。

### スポンサーシップの候補

新しい会社からスタッフプラスのオファーを得るには、あなたを信頼し、障害を押しのけてでもあなたの着任をサポートするのをいとわない誰かが社内にいることが前提になる。そして、実際にスタッフプラスエンジニアに昇進するには、あなたを信頼し、さらなる障害を押しのけてでもあなたの着任をサポートするのをいとわない幹部や経営陣の存在が欠かせない。組織資本の一部をあなたに投資することに前向きな有力リーダーの後ろ盾がなければ、あなたがリーダー職に就くことはない。

つまり、スタッフプラスエンジニアになれる会社を探すということは、有力なスポンサーのいる会社を見つけるのとほぼ同じ意味なのである。スポンサーを探す効果的な方法は、今の会社の外で面接を受けることだ。採用担当者は、あなたにスタッフのオファーを出すインセンティブをもっていることが多い。時間のかかる作業ではあるが、それでもある会社で2年ほど頑張ってみたものの結局そこでは昇進できないことがわかった、などという場合に比べれば、比較的短い時間で済む。

スポンサーの最有力候補は、あなたがかつていっしょに働いたことのある人々だ。上級リーダーが別の会社に移籍し、その際に部下の多くを引き連れていく「くさび形陣形」[105]はよく知られている。リーダーがスポンサー兼紹介者として機能するこのパターンは当然ながら軽蔑されることが多いが、適度に行えば、必ずしも有害ではない。

また、社外で名が知られていて、すでにネットワークがあれば、会社探しははるかに容易になる。あなたの講演を見たことがある人、ブログ記事を読んでいる人、ツイート内容にうなずく人は面接やその後の昇進プロセスであなたを積極的に支援してくれる可能性が高い。

### 持続性の確認

特にあなたのキャリアがまだ浅い場合、スタッフ職への昇進を目指すなら、会社の将来性にも注目しなければならない。あなたにとっていよいよスタッフプラスに昇進する時期が近づいてくるであろう5年後にも、その会社は存続しているだろうか？

少し繊細な話になるが、あなたにとってのスポンサー候補の寿命についても考えておく必要があるだろう。スタッフプラス職への公平なアクセスを可能にする余地をつくりだすすばらしいエンジニアリングリーダーは存在する。しかし、そうした余地は、同リーダーが会社を去ったり、別の役職に就いたりすると維持ができなくなりすぐに「バリュー・オアシス（組織内に生じる価値観のズレ）」[106]になってしまう。

うまく機能しているビジネスモデルを採用した会社を選び、会社の最上級リーダーたちと同じ価値観をもつリーダーのもとで働くことで（そうすればリーダーが去っても、あなた自身は新たなスポンサーと同じ方向を向いているはず）、持続性の問題に対処しよう。

### ペースの維持

40年も働くとなると、歩みを緩めて困難でもやりがいのある役割を探す時期が必ずあるはずだ。疲れてくたくたになっている時期もあるだろう。自分が維持できるよりも速いペースを要求する役割を受け入れたところで、自分を害するだけだ。技術分野でリーダーシップの役割を担うときは特に、会社の期待するペースに沿うことが可能かどうかよく考える必要がある。なぜなら、会社のペースの手本となることがあなたには求められ、評価の基準になるからだ。

### あらゆる要素を確認する

リーダーシップ職の転職活動には、通常のソフトウェア部門の職探しよりもはるかに多くの――数週間ではなく数カ月の――時間がかかるのが普通で、急いだところでうまくいくことはほとんどない。ある会社に対して、そこがあなた個人にとってスタッフプラス職を目指すにふさわしい場所かどうかを見極めるには、通常の職探しでも調べるすべての要素を検討しなければならない。

ネットワークを駆使して、その会社に有害な問題や個人が存在しないか調べる。あなたが何年も担い、かかわりつづけるにふさわしい仕事内容かどうかを確認する。学ぶべき何かをもつ人がいるかどうかも探る。ほかの点では懸念のほうが大きいのに、スタッフ職の基準だけを理由にある会社に引かれている場合、そこへ転職する決断をすれば後悔することになるだろう。

## スタッフプラス職のための面接

シニアエンジニアになるために面接を受けるときは、どんな話が取り交わされることになるか、だいたいわかっているはずだ。だから前もってそれまでの自分の業績を確認し[107]、『世界で闘うプログラミング力を鍛える150問』[108]をチェックし、会社についてもあれこれと調べておくことができる。実際の面接では、プログラミング経験、技術アーキテクチャ、さらには文化と行動そしてキャリアに関する合計5つの側面の質問が飛んでくることもわかっている。

スタッフプラス職の面接も同じぐらいわかりやすいものなら助かるのだが、どうやら多くの企業はスタッフプラスの面接をどう行うかで、いまだに迷っているようだ。シニアエンジニアになるときに受けた面接とそっくりな場合もあるし、エンジニアリングマネジャー用の面接にプログラミングに関する質問を追加しただけの場合もあれば、まったく違う内容の面接が行われることもある。

曖昧な状況をうまく乗り越えるのがスタッフプラス職の中心課題だ。したがって、楽観的な人はスタッフプラスの面接を自分の才能を実証する機会と捉えるだろう。一方、そこまで楽観的になれない人ははっきりしない状況に少しイライラするかもしれない。しかし、少しばかり準備することで、面接を予想しやすくすることができる。

### 境界線を引く

エンジニアリング分野でリーダーとして活躍する期間は、場合によっては20年ほど続くこともあるだろう。しかし、その期間における役割については、4つか5つの重要な決断によって左右されると考えられる。どの決断もとても貴重であり、あなたはその使いどきを慎重に選ばなければならない。面接過程に飛び込む前に、少し時間をかけて、自分が関与したいタイプのプロセスに向けて自分を磨くべきだし、自分にとってどの会社が適しているか、よく検討するべきだろう。

面接過程では、特定のシグナルを手がかりに、その会社がスタッフプラスエンジニアの面接に精通しているか否かを判断することができる。ほとんどの会社はスタッフプラス職の場合でもありきたりな面接をするため、面接プロセスが凡庸だからといってその会社を転職先候補から外す必要はないが、シグナルのどれかが、自分が許容できる範囲を超えていないかよく考えるべきだ。

スタッフプラスになった人の多くが引いた境界線として、「面接試験としてのプログラミングは行わない」というものがある。その理由は、そのようなおもにキャリアの浅い人々の能力を知るために行われる種類のプログラミング試験では、スタッフプラス候補者の多くがスピードに乏しい、あるいは多くのミスを犯すからだ。彼らは、高速なプログラミングにこだわる会社はスタッフプラスエンジニアの使い方がわかっていないとみなして、そのような課題を拒否する。あなたにとっても許容の限界を示す境界線になるだろうか？　よく考えてみよう。

### プロセスをデバッグする

境界線を引いたら、次の課題は、面接を受ける会社が実際にどのような面接プロセスを行っているかを知らなければならない。そんなことをしたら面接そのものが取り消されるのではないかと思うかもしれないが、相手会社の人事チームや採用担当者に面接プロセスの詳細を尋ねるのは決して間違ったことではない。スタッフプラスレベルにもなると、詳細について尋ねないことのほうが問題だ。会社というものはあなたの成功を望んでいて、そのような問い合わせを欠かせない準備とみなす。

面接前に次の３点を知っておくことが重要になる。

1. 面接のフォーマットと評価対象は？
2. 特別な準備が必要な面接はある？
3. 面接担当者は誰？

これらの問いに答えが得られたら、あとは準備をするだけだ。さまざまな種類の質問に、どのように対処するか書き留めておこう。プレゼンテーションが必要なら素材を準備する。どんな質問が飛んでくるかを予想するために、面接担当者について“簡単に”調べておく。

この段階で、自分が正しいプロセスをたどっているかどうかをデバッグする。面接委員会がおもにキャリアの若い中間レベルのエンジニアで構成されている場合、スタッフプラス職のオファーが来る可能性はほとんどないだろうし、あなたの強みを評価する能力のない委員は、あなたに自分の立場以上の役職を与えようとはしないはずだ。面接でそれまでの業績の詳細が話題になることも、プレゼンテーションを行う機会もないのなら、あなたがスタッフプラス職にふさわしい能力をもつことを証明するのはほぼ不可能だ。

そのように悪いパターンが支配していても、面接担当者が高く評価する何らかの才能を示すことができれば、あなたにスタッフプラスのオファーが舞い込んでくる可能性もある。しかしそのような偶然に頼るつもりがないのなら、丁寧に建設的な意見を述べて、たとえば採用担当者にスタッフプラス職の面接過程のデザインに関する情報源などを指摘するのがいいだろう。自分を目標から遠ざけようとする悪い流れに乗ってしまわないことだ。

相手会社がどの時点でレベル分けを行うのかを知っておくことも重要だ。会社によっては、各レベルにそのレベルを表す役職名を設定している。そのため、自分にとってふさわしいと思えるレベルに直接応募することができる。たとえば、スタッフエンジニアになりたいのなら、スタッフエンジニアの求人に応募すればいい。しかしながら、面接には仮の肩書きを用い、実際の役職はのちに決める会社も多ければ、極めて厳格に役職名を用いる会社もある。要するに、尋ねなければわからない、ということだ。

自分の面接試験を自分でコントロールしようとすることに違和感を覚えるかもしれない。実際、そうしようとすることでいくつかの機会を逃す恐れもある。しかし、それは悪いことではない。目標はリーダーとして活躍できる最高の機会を見つけることであって、最初の機会を得ることではないのだから。

### 終わりよければすべてよし

面接過程をうまくくぐり抜け、細部の交渉にも成功したとしても、最後の締めくくりには注意を払うこと。希望する役職に対する推薦状を提出する。面接担当者にフォローアップメールを送る。自分を売り込む機会があれば積極的に活用し、よく考えて質問をする。最後の仕上げは、そのために時間さえしっかりととれば、何も難しくない。

## オファーの交渉

パトリック・マッケンジーが2012年に書いた「Salary Negotiation」[109]が給与交渉を行うすべてのソフトウェアエンジニアにとって標準ガイドとみなされている。じつにすばらしい記事で、スタッフプラスのみならずあらゆるジョブオファーにおける交渉の入門書だと言える。給与交渉についてあまり深く考えたことがないのなら、同記事を参考にするといいだろう。

キャリアを通じてあなたが受け取るオファーの大半は比較的テンプレートどおりに作成される。報酬計算式を用いている場合もあるだろうし、あなたの前職での収入を基準にすることもあるだろうが、いずれにせよ、その会社のシステムが吐き出した数字に過ぎない。しかしながら、そこには交渉の閾値とでも呼べるものがあり、その値を超えると企業はシステム規定のオファーではなく、個別のオファーに切り替えることに前向きになる。そのときに問題なのは、その閾値を超えたことを誰も教えてくれないので、あなた自身が直感的に気づいて指摘するしかないことだ。

そうした個別オファーは報酬に関して、特に報酬に占めるストックオプションなどのエクイティ（株式等で供与される労働対価）部分で柔軟である。要するに、もはやただの報酬ではないのだ。加えて、会社が本来なら柔軟な交渉など行わないが、上級のリーダーに対しては例外を認めることに前向きな側面も存在する。

いくつか例を挙げよう。

・通常の契約では、退職後は3カ月の受給権の行使を認めているだけであるのに対して、ディスティングイッシュトエンジニアに対しては行使期間を5年間に延長するかもしれない。
・受給権の早期行使を認めていない会社でも、上級スタッフエンジニアの契約締結では例外を認めるかもしれない。
・支払いスケジュールを税制上有利にするために、時間を延長した報酬プランをオファーするかもしれない（公開会社でよく用いられる手法）。
・休暇日数の上限を規定している会社では、あなたに追加の休暇を認めるかもしれない。
・在宅勤務や出勤時間の点で柔軟に対応してくれるかもしれないし、現在まだ採用を行っていない州や国での就業を受け入れるかもしれない。

特定の会社の特定の役職でそのような閾値がどこにあるのかを見極めるのは難しく、すでに同社でスタッフプラスの地位にある人にその点を尋ねるのも困難だ。なぜなら、彼らのほとんども（社内で昇進してその地位に就いたため、あるいは機会がなかったため）そのような交渉を行わなかったからだ。経験上、従業員数が21人以上500人未満の会社では、幹部職に準ずる役職でない限り、個別オファーが行われる可能性は極めて低い。そのようなことをする運営能力が単純に備わっていないからだ。しかし、何千人もの従業員を抱える大会社で、あなたと同レベルの人員の数が少ない場合は、個別の交渉に応じる可能性は高いと言える。

何を交渉するかは、戦略的に考える必要がある。社用で旅行するときはいかなる場合もファーストクラスで、という条件をのませることもできるかもしれないが、そのような条件に固執することで、あなたは「会社にとって不利なことを優先する人物」という印象を与える恐れもある。

どんな主張をするにしても、なぜその要求があなたにとって大切なのかをはっきりと示すこと。たとえば、私の知る上級候補は家を買ったばかりであり、前の会社の退職後にストックオプションを行使したという理由を挙げて、行使期間の延長を要求した。これなどは、ただ単に現金報酬の増額を求めるよりもよほど要求として通りやすい。適切な説明が、あなたの動機に対する疑いを払拭し、交渉を成功に導くのである。

第2部

# スタッフたちの実像

# 第5章　スタッフエンジニアのストーリー

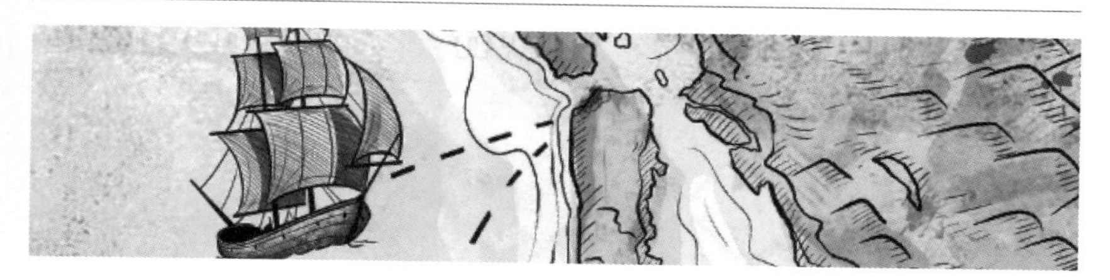

前作（注：『An Elegant Puzzle』のこと）を発表してすぐに私は、自分が書いた本のレビューを楽しく読めるタイプではないことに気づいた。出版を成し遂げた自分に誇りを感じることもあったが、悲しくなることのほうが多かった。レビューを読んでいたとき、「同書があまりにシリコンバレー中心であるため、多くの人の役には立たない」というコメントに遭遇したこともあった。

この言葉が胸に刺さった私は、あれこれと考えを巡らし、その結果を最終的に本書としてまとめたのである。その際には、自分の経験に焦点を当てるあまり、ほかの人々を排除してしまわないように努力した。さらに重要なことに、私は自分のキャリアが特定の展望、運、そして特権の上に成り立っていることを悟り、本書では、私とは違う形でこの業界を経験している人々にも役に立つガイドにすることに努めた。

そのため、本書が優れた書籍であるためには、業界人による率直で洞察に満ちたインタビューが絶対に欠かせない。ありがたいことに、そのようなインタビューの成果を、本章で発表できることになった。本書をここまで読んできてあまり多くを得られなかった人も、ここで紹介する人々の物語のなかに、有益な情報を見つけられるだろう。

## ミシェル・ブー
## ― Stripe 社のペイメント・プロダクト・テックリード

2020 年 4 月取材。ミシェルについての詳細はブログ[110]、Twitter[111]、Linkedin[112]で。

### Stripe における今の役割について教えてください。役職名は何でしょうか？　あなたはチームを率いてどんなことをやっているのでしょうか？

私はStripeで最高プロダクト責任者に直属する形で、ペイメント・プロダクト・テックリードとして働いています。重要な課題に率先して取り組み、全社において緊急の問題の解消に努めています。時間のだいたい80パーセントほどは組織を横断する1つか2つのデザインプロジェクトに、残りの20パーセントはあらゆる部門の技術デザインやプロダクトデザイン（おもにAPIデザイン）のレビューやサポートに費やしているでしょう。

次ページに示すのが、私が常備する「トップ3」ドキュメントです。

Dashboard / Michelle Bu's Home　Edit　Save for later　Watching　Share　…

# Michelle's top 3

Created by Michelle Bu, last modified on Feb 28, 2020

## What is this?

This living document describes my current top 3 priorities as Payments Products Tech Lead:

1. Defining the OS spec of the GPTN (75%)
2. Elevate product quality (20%)
3. Build Stripe's product engineering culture (5%)

It serves as an overview of what I'm focused on right now and what you can expect from me in my role. I will not be able to actively prioritize projects and requests that fall outside of these three priorities.

## 1. Defining the OS spec of the GPTN

### Objective

You can read this dev@ email for more history and context: https://groups.google.com/a/stripe.com/forum/#!topic/dev/FBaMuzkedBU

### What does this look like in practice?

In **Q1 2020**, I will spend **75%** of my time working on this project with and

## 2. Elevate product quality

**【日本語訳】**

**これは何？**

私のペイメント・プロダクト・テックリードとしての活動にとって最も重要な3項目を記したリビングドキュメント（継続的な更新を前提とした文書）：

1. GPTNのOS仕様の定義（75%）
2. プロダクトクオリティの向上（20%）
3. Stripeにおけるプロダクトエンジニアリング文化の構築（5%）

このドキュメントを私が今努力していることと、みんなが私から期待できることの概要として用いてください。この3つの最優先事項以外のプロジェクトや要望を積極的に優先する余裕は、私にはありません。

**1. GPTNのOS仕様の定義**

目的

詳しい経緯や内容については、https://groups.google.com/a/stripe.com/forum/#!topic/dev/FBaMuzkedBU のdev@ emailを読んでください。

具体的には？

2020年の第1四半期、私は時間の75%をXXXとXXXとともにこのプロジェクトに費やします。

**2. プロダクトクオリティの向上**

私は優先度の高い分野に従事するエンジニアを2人管理しています。おかげで、自分の存在価値を高めることができますし、エンジニアの2人はStripeでさまざまな分野の仕事を経験できます。今のところ、1人はコアとなる支払いAPIに、もう1人は統合エクスペリエンスの改善に携わっています。会社からは、私はいまだにIC（管理職ではない上級専門職）として扱われています。一度に数多くの部下を従えるつもりはありません。

### あなたの会社では、"普通の"スタッフプラスエンジニアはどんなことをしていますか？　あなたの仕事も同じようなものですか？　それともまったく違いますか？

Stripeでは、スタッフプラスエンジニアは特定のチームで働いています。数人ですが、テックリードの肩書きをもっていて、特定のプロダクト分野や技術ドメインを超えてより広範囲なプロジェクトにかかわっているスタッフプラスエンジニアもいます。

Stripeにいるスタッフプラスエンジニアは2種類に分けられます。スコープ（対象領域）の深いエンジニアと、広いエンジニアです。

スコープの広いエンジニアは、組織横断的な漠然としたプロジェクトに取り組みます。さまざまな分野でいろんなことをして、会社全体に広がる多くのプロジェクトでサポート役に回ります。Stripeのプロダクトエンジニアリングチームでは、この種のスタッフプラスエンジニアが一般的です。

スコープの深いエンジニアは特定分野の専門家と呼べます。野心的な長期プロジェクトを率いるのが彼らです。プロダクトのインフラストラクチャおよびシステムのチームでよく見られるタイプのスタッフプラスエンジニアです。

### どのようなときに、スタッフプラスエンジニアとして最もインパクト（影響力や達成感）を感じますか？

今のペイメント・プロダクトのテックリードになったとき、私は考えが変わりました（時と場合によっては、ペイメント・プロダクトには20以上のチームがかかわります。私たちはユーザー向けのAPIやUIライブラリのほとんどを担当しています）。

私は「インパクトが強い」や「インパクトに富む」ではなく、「力に満ちた」

や「エネルギーに富む」などと表現するようになりました。「インパクトが強い」は企業目線のような気がするからです。確かに企業中心の考え方も大切なのですが、「エネルギーに満ちた」のほうが内からくる力を言い表しているように思えるのです。活力に満ちた仕事を見つけ、インパクトにあふれる仕事を追求するために、私はStripeで働いています。

チームで仕事をしていたころは、ユーザーとじかに接することができたときにやりがいを感じました。#stripeのIRCチャンネルでユーザーに手助けしたり、ユーザーがシームレスに統合できるAPIをデザインしたり出荷を実現したりしたときです。

今の役職では、私は自分がスポンサーとして後援した誰かがプロダクトを出荷したら、あるいは重要なトピックに携わるエンジニアリングチームのモデルを形づくったり改善したりするサポートができれば、充実感が得られます。毎日必死に仕事をしてテクノロジーの構築とサポートを行っているのは私ではなく、チームなのです。チームの前進、そして何よりもその前進の方向性が、さらに言えば、会社の目的とチームの進む方向が一致していることが、私の成功の尺度なのです。

最近、実際にあった話をしましょう。私はもう１人のスタッフプラスエンジニアとともに頻繁に目にするAPIを、これはフロー、これはエンジン、これはコンフィグなどと分類してみたのです。既存のAPIの分類に加えて、新たなAPIの議論とデザインに役立つメンタルモデル（思考の前提となる認知モデル、無自覚な固定概念）とボキャブラリーを構築することが目的でした。すると、１回見ただけで、みんながそうしたカテゴリーを有効に使いはじめたのです！　そんなとき、私は役に立つメンタルモデルやアイデアを広めることによって、自分の力を活用し、強いインパクトを発揮することができたと実感します。

私は「API Review」のようなレビューフォーラムで時間を費やしますが、この種のフォーラムはむしろコードレビューのように機能します。デザインプロセスのかなり遅い段階で行われるので、チームと結束して優れた成果を得るためというよりは、むしろ悪い結果を防ぐのに役立つのです。プロダクトチームのエンジニアにすばらしいAPIをデザインするためのツールを提供できれば、私は大きな影響力を残せたと感じます。

## スタッフプラスエンジニアとして手がけた仕事で、その肩書きを得る前なら実行、あるいは達成できなかった仕事があると思いますか？

Stripeに来てかなりの時間がたちました(2013年からです！)。古株なので、すでにある程度の影響力はもっていましたが、ペイメント・プロダクトのテックリードになって（最高プロダクト責任者の直属の部下になって）からは、間違いなく人々との付き合い方が変わりました。確実に、以前より孤独になりました（この状態を普通に感じるように努力しています）。

どんな話題のときでも、みんなは私が何らかの意見をもっているものと期待します。この点には慣れなければなりません！　チームの一員として働いていたときはそんなことはありませんでした。今の役職について間もないころ、こんなことがありました。その日は少し疲れていたので、ミーティングで私はあまり話さなかったのです。あとで聞いたのですが、そのミーティングでプレゼンを行った人たちは、彼らの発表が私の気に入らなかったのだと思って心配していたそうです。私が何も言わなかったからです。そのとき初めて、「みんなは私のことを気にかけていて、アイデアに対する意見とサポートを求めているのだ」と気づきました！　ですから、それからはミーティングではつねに積極的にフィードバックを返すようにしていて、少なくとも、「まだ意見が固まっていない」ぐらいははっきりと伝えるように気をつけています。

今の肩書きを得てから急に一部の人々が私の意見を真剣に受け取るようになったり、私に優しくなったりしたことには、少し戸惑っています。以前は協力を拒まれることも、意見を無視されることもありました。でも、そんな経験ができて逆によかったと思っています。私は自信をもって（そして会社からの信頼を得て）人々の協調に対して強力なフィードバックを与え、私と同じ経験をする人をなくすことができたのですから。でも、今はそのような人間関係が生じる場所から少し離れたところにいるので、私の影響力は弱まりつつあるのではないかと心配しています。

## プログラミングに携わることが少なくなった今、ほかのエンジニアの開発体験にどうやって共感していますか？

今の新しい役職に就いてたった1年ですので、遠く離れたという実感はまだありません。もう少し時間がかかると思います。私は以前、小さい分野でテックリードをしていました。当時は少量のソフトウェアを書いて、舞い込んでくる要望を整理したり緊急のバグを修正したりするチームの「ランローテーション」に貢献していました。

今は新しい役職でもほかのエンジニアのコンテキスト（状況）を見失わないようにするために、現場で直接働くエンジニアやプロダクトマネジャー（PdM）と1対1で会う時間をたくさん設けています。今週だけでも、30分の面談を12回も行いました。Stripe内で報告されたインシデントもすべて把握しています（あるSlackグループに加入すると、インシデントが起こるたびにSlackルームに自動的に招待されるようになっているのです！）。インシデントの議論を追っていると役に立つ情報が手に入ります。どのインシデントでも詳しく読んでいると、私たちのシステムの現実と私が日々想像しているアーキテクチャやプロダクトの理想形のあいだにどれほどの差が開いているか、よく理解できるのです。私はエンジニアたちが遭遇する問題の形を、彼らがどんな落とし穴にはまってしまうのかを、さらには、デベロッパーの環境が彼らをそのような落とし穴から出やすくしているかどうかを、知りたいと願っています。私は自分のことを経営幹部に対してエンジニアの考えを代弁する立場だとみなしているので、エンジニアたちが置かれている現状を深く知ることが大切なのです。

### テクノロジーやプロセス、あるいはアーキテクチャの変更を提唱することがありますか？

今のところ、特定のテクノロジーやプログラムを自ら提唱することよりも、それぞれが重要だと考えるテクノロジーやプログラムを広めようとしているほかの人たちを支援することに多くの時間を費やしています。また、おもにプロダクトに関して複数の分野を横断する決断が求められるとき、あるいは会社のほかの部門に対してアイデアを披露するときなどに、フィードバックを必要としている人々にとって知識とサポートの源になろうと努めています。

今かかわっている各種プロジェクトでの私の役割は、理想的なアーキテクチャやインターフェースについて考えること。ですが結局のところ、理想的な状態への移行は個々のチームが行うべき課題ですから、各チームが当事者意識と実行能力をもたなければなりません。そこで、実際に日々の決断を行うエンジニアやPdMたちを相手にした対話に多くの時間を割くことにしています。まずは私たちが足並みをそろえたうえで、エンジニアやPdMたちがそれぞれのチームに戻って目指す先をはっきりと示し、チーム内で優れた決断を下すことができれば理想的です。

これは、私が今まさに取り組んでいるプロジェクトではとても難しいことです。そのプロジェクトにはたくさんの、本当にたくさんのチームが関係していて、基本的には支払いに携わるすべてのチームに理想的なアーキテクチャとインターフェースを定義しなければならないからです！ 全員を引き込むスケーラブルな方法はまだ見つかっていません。さまざまなチームが（当然ながら）さまざまな角度からインターフェースに関与し、どのチームもそれぞれ異なる問題や解決策に興味を示すため、ドキュメントを書くこと（最もスケーラブルな情報拡散方法）さえ、簡単ではありません。現在私たちが用いているアプローチでは、ドキュメントのレビューをユーザーテストのように扱います。チームの個人がドキュメントを読む様子を観察し、カーソルの動きや彼らの反応を追跡するのです。これまでのところ、この方法はうまくいっています！

以前私はPayment Intents API[113]のデザインに携わりました。Stripeで人気だったCharges APIを、変化する決済スペースに適応できる新バージョンとして生まれ変わらせたのです。これも同じように横断的なプロジェクトで、このビジョンに会社の全員を納得させるのに2年かかりました。そうやって、全社的な後押しを得たにもかかわらず、いまだに当初の理想のすべてを実現できていません。でも、それはバグではありません！ 私たちはデザインの検証を続けながら、ユーザーに価値を小出しに提供することに重点を置いたのです。私は、私がチームにいなくなっても、野心的なデザインプロジェクトが続くことを期待しています。そのためにも、“すべて”を書き留めておくことが重要でした。

そこで、私たちが理想とする抽象化を定義した正規ドキュメントを作成したのです（次ページ参照）。今でも、そのチームで働くみんなはこの抽象化を指針として利用しています。

## Payment abstractions overview

Michelle B

This document is an overview of the core payment abstractions defined by the Payment Flows team. These abstractions purposefully ignore current Stripe abstractions and constraints, but do consider network, regulatory, and payment method realities. Understanding these concepts is critical to understanding our incremental phases & proposed flows, which you can find at the end of this document.

Note that all object, parameter, and enum names in this document are internal names, not the final user-facing API names — we're more than happy to discuss naming possibilities!

**【日本語訳】**

**ペイメント抽象化の概要**

ミシェル・B
本文書は、ペイメントフローチームが定義したコアペイメントの抽象化を要約したものです。この抽象化は、現在のStripeの抽象化と制約を意図的に無視していますが、ネットワーク、規制、ペイメントメソッドの現実は考慮に入れています。このコンセプトの理解は我々の段階的なフェーズや提案されたフロー（本文書の最後に記載）の理解にとって極めて重要です。

本文書で用いられているオブジェクト、パラメータ、項目名などはどれも社内における通名で、ユーザーが目にするAPI名ではないことに注意してください。ネーミングの提案があればいつでもどうぞ！

同じ質問が2回出たらすぐにFAQに追加します。みんなからのフィードバックと質問を真剣に受け止めて、それに応じることを自らの責任にしました。最後には、仕事における完全な透明性を目指し、社内の誰が見ても私たちの進捗が理解できるように、意思決定の履歴（ログ）すら作成したのです。意思決定ログのどの項目でも、プロダクトや技術に関する決断が明記され、決断に関与した人物が記録され、完全な問題描写や代替案の検討などを含む詳細な技術デザイン文書へのリンクが張られています。

## Payment Flows decisions

:gavel: Payment Flows decisions
Historical decision logs
2020-03-25
One PaymentIntent never results in more...
2020-03-24
Customer/PM limit checker will become ...
2020-03-23
Stop sending source.chargeable webhoo...
2020-03-19
CustomerApproachingMaximumPaymen...
2020-03-18
All PaymentMethod consumptions will c...
2020-03-16
Update Metadata with Merge Semantics
2020-03-11
OnSessionCardMandateRecords removed
2020-02-28
Sigma <> Payment Flows working model...
2020-02-26
Allowed PaymentMethod reattachment t...
2020-02-25
Mobile-specific redirect data for new pay...
2020-02-21
Team process for holding synchronous di...
2020-02-20
Document payment_method_data for no...
2020-02-14

Michelle B

*go/payment-flows-decisions*
Instructions
+ Decisions Template

### Historical decision logs

Looking for a decision? Try these docs.

| 2019 | +:gavel: 2019 Payment Flows Decisions |
|---|---|
| 2018 | +:gavel: 2018 Payment Flows Decisions |

### 2020-03-25

**One PaymentIntent never results in more than one successful payment**

Elaborated in: +Decision: One PaymentIntent never results in more than one successful payment

One PaymentIntent never results in more than one successful payment. Additionally, one PaymentIntent only attempts to move funds with one payment instrument at a time.

PaymentIntents are the pay-in mechanism of Stripe to collect a single payment from a single payment instrument.

The linked document elaborates on edge cases like multicapture, split tender, and PaymentIntents that kick off Subscriptions.

@Ellen S @Maddie S @Michelle B @Dan W @Kelvin L

**【日本語訳】**

**ペイメントフローにおける意思決定**

**意思決定の履歴**
決定事項を探している？　それなら下の文書を試してください。

**2020-03-25**
**1回のPaymentIntentは1度の支払いのみに有効**
詳細は：+Decision: One PaymentIntent never results in more than one successful payment

1つのPaymentIntentでは複数の支払いを完了することは決してできない。加えて、1つのPaymentIntentは、1度に1つの支払い手段を用いた資金の移動しか行わない。

PaymentIntentはStripeのpay-inメカニズムであり、単一の支払い手段から、1回の支払いを集める。

リンクされたドキュメントはマルチキャプチャ、複合取引登録、PaymentIntentがサブスクリプションを開始、といったエッジケースについて詳しく説明している。

基本的に、野心的なデザインプロジェクトは透明性を極度に高め、さらにフィードバックを受け入れる姿勢をはっきりと示すことで、問題にかかわるみんなに受け入れられやすくなることがわかりました。以下は、私が率いたいくつかのプロジェクトで使った（公開）ノートの冒頭にある文章です。

Feedback and contributions[0] are **welcome and encouraged** on items in "Things we shipped last week." Items in "Things we're working on this week" are rough WIPs — feel free to leave comments (especially if you have context that the DRIs are missing), but **please be mindful** that documents and prototypes are still undergoing active iteration and that DRIs are still forming their own ideas and opinions in these areas.

[0] Yes, please make PRs for small things!

*Please note that we're not yet ready for feedback on these ideas, as our thoughts are still early!* ☺

**【日本語訳】**

「Things we shipped last week.」に含まれる項目に関するフィードバックや貢献［0］は**大歓迎**です。「Things we shipped last week.」に含まれる項目はおおざっぱな未完成品ですので、自由にコメントしてください（特にDRIが見逃している点がある場合は）。ただし、ドキュメントもプロトタイプも現在発展中ですので、DRIはまだ考えも意見もまとまってはいないことを**忘れないでください**。

［0］ この小さな試みをどんどん宣伝してください！

私たちも考えはじめたばかりですので、これらのアイデアについてのフィードバックを受け取る態勢はまだできていません！

### あなたの役職では、ほかのエンジニアへのスポンサー（支援）活動が重視されますか？

はい、それに私のお気に入りの役割でもあります！　私はともに働く仲間のことをいつも考えています。私にとってはやる気の源です。

私が大切にしているスポンサー活動は、ICのみんなに自分の仕事がしっかりとできるスペースを与えること。ありがたいことに、今の役職では、私は自分の才能を証明することに時間を割く必要がありません。だから、プロジェクトのサポートとほかの人々の支援に多くの時間を費やせています。ある仕事について「自分の功績だ」と主張したり、サポートしたプロジェクトの関係者一覧に自分の名前を大きく書かせたりする欲求を覚えたことはほとんどありません（もちろん、そうなれば、それはそれでうれしいのですが）。一方、出口が定かではないプロジェクトの場合は、私の名前を貸したほうがうまくいくときもあります。たとえば最近、プロダクト品質メンターシッププログラムというものをスタートさせたのですが、そこでは私は世話役のような働きを担っていて、指導相手を選び、その人を指導者と結びつけ、その両者の仕事をときどき確認するのです。そのプログラムで、実際に仕事をするのは私ではなくてメンターたちなのですが、私がスポンサーになったからこそ、このプログラムは全社を巻き込んでスタートすることができたのです。

複雑なプロジェクトを実行する方法や技術面における考えの相違の解消法に関するアドバイスを求めている人々の「ラバーダック[訳注1]」になるだけで、私はみんなの役に立つことができるのだと、日々実感しています。この種の仕事に、つまり直接手を貸すことなくほかの人の前進を促すことに、特に強くやりがいを感じます。

最後に、私は仕事ぶりのすばらしい人たちの名前をぜんぶ覚えていて、彼らの興味と一致する新しい機会が見つかれば、必ず彼らを推薦することにしています。ただし、ここではバランス感覚が必要になります。私に「ノー」と言うのを難しく感じる人もいます。最近、あるチームのエンジニアに、自分が達成した優れた業績をまとめてメールするように言ったことがあります。その女性は私にメールを送ってきたのですが、そのあとで本当はそんなメールは送りたくなかったけど、私にノーと言うことができなかった、と話したのです。そして、私に自分の「ノー・ログ」[114]の１項目を見せてくれました。

| feb 21 | the not-shipped email | yes - I wrote the email | Well, I dunno, I guess I want to do the right thing for Michelle. It was something that I uniquely would have to do. I would have been OK with it not being done, but it was important to Michelle, and it's important to me to do things that are important to people who are important to me (I lost my words here). Is this even glue?<br><br>Now that it was sent: I don't regret it because people said such nice things |
|---|---|---|---|

| 2月21日 | 未送信のメール | そう、私は<br>メールを書いた。 | あの、うまく言えないけど、私はミシェルの役に立ちたかったのだと思う。やらずにはいられなかった。やらなくてもよかったのだろうけど、ミシェルにとってはそれが重要だったし、私にとって重要な人のために、その人が重要にしていることをやるのが、私にとっては重要で（よくわからなくなってきた）。これって、接着剤なのかな？<br><br>とにかく、今このメールは送信されました。みんないい言葉をかけてくれたから、後悔はしていません。 |
|---|---|---|---|

**あなたはStripeで初めてフルタイムの仕事を得て、そのまま今もStripeで働いています。スタッフレベルになるまでの道のりを教えてください。**

私は大学を出てすぐにStripeに就職しました。正直なところ、同期のエンジニアのなかでは、成長が遅いほうです。やる気満々のほかの大卒新人に比べれば、最初の４年の私の歩みは遅々としたものでした。おそらく、コーディングの経験に乏しかったからだと思います（初めてプログラミングの授業を受けたのが2011年で、Stripeに就職したのは2013年でした）。また、私がStripeで初めて参加する予定だった大型プロジェクトは1年半のリライトプロジェクトだったのですが、それが最終的にはキャンセルされたことも、成長が遅れた一因でしょう。

その後、入社してから2年半の時点でStripeがレベル制度を導入したのですが、私はL2と格付けされました。これは大卒者が半年から1年半で到達すると想定されているレベルなのです。同僚たちはみんな「シニアエンジニア」級のレベルに到達していたので、本当にがっかりしました。その時点までに、重要な仕事をいくつもやり遂げていましたし、新たに加入してきたプロダクトエンジニアの多くの面倒も見ました。どこかで問題が発生すれば、率先して手伝いもしました。自分のプロジェクトでも、それ以外でも、懸命に働いて多くの成果を残してきたのです！　それなのにL2だなんて、ほかに何をすればいいの、誰も手伝わないほうがいいの、などと思いました。

でも、今振り返ってみると、L2評価は完全にフェアだったと思います。私は経験が浅くてほかのエンジニアよりもコードを書くのが少し遅かったので、必死に働いて、残業もする必要があったのです。そのころはまだ、ソフトウェア開発の基礎がなっていませんでした。実戦経験が少なかったからです！　確かに、貴重な仕事で影響力を発揮することもできましたが、それらは私でなければできないと言えるような仕事ではありませんでした。要するに、当時の私は優秀なL2に過ぎなかったのです。

そのころは、コードを書くことよりも、プロダクトやペイメントドメインについて学習することに多くの時間を費やしていました。IRCへのユーザー（開発者）の統合をサポートすることにも力を入れていました。私がやっていたのはどれも、ユーザーにとっては大切でも、技術的にはそれほど難しくはない小さなタスク（バグの修正、小さな機能の追加、ちょっとした問題の応急処置）ばかりでした。そうした仕事は、必ずしもエンジニアとしての成長とはみなされません（もちろん、デバッグスキルは上達しますが……今の私はデバッガーとしてはかなり優秀なほうです）。また、Slackあるいはチケットでほかのチームやエンジニアを積極的にサポートしたり、ユーザーのために最高のソリューションを見つける手助けをしたりもしました。そうやって、彼らとの関係を築いたのです。私が入社してから最初の2年で新たに加入してきたプロダクトエンジニアたちの多くを、チームとしてまとめ上げる手伝いもしました。そういう活動を続けるうちに、私は本当にユーザーのことを深く考え、プロダクトについてどんなことだって知っている人物と認められはじめたのです（私がStripeでいちばん気に入っている営業理念はいまだに「ユーザー・ファースト」です）。

のちになって気づいたのですが、当時の私はソフトウェアエンジニアとして技術力を効果的に高めることはできませんでしたが、その代わりにシニアエンジニアからスタッフエンジニアに、さらにはスタッフエンジニアから今の役職に迅速に（たった3年で！）出世するのに必要な重要スキルを習得していたのです。実際、最初の数年でそのような関係を築いていたからこそ、1年半の技術プロジェクトがキャンセルされても、キャリアにとってはそれほど大きな痛手にはならなかったのでしょう。

Stripe Radar[115]とStripe Elements[116]の最初のバージョンの開発に携わったとき、私は意図してじっくりと自分の技術力の基礎を高めることに集中しました。自分の技術力に隙間があること、携わっているプロジェクトでその隙間を埋める努力をすること、そして今の自分の能力よりも少し高いレベルを要求するプロジェクトに果敢に挑むことの3点をふだんから意識していれば、私は自分の技術スキルを高め、活用することができると信じています。一方、全社にコネクションをもつ、ユーザーに重点を置く、プロダクトを深く理解するなどといった“ソフトな”スキルは習得するのに多くの時間が必要だったのですが、それらのおかげで、ある程度の技術力を養ったあとの私は一気にスタッフエンジニアの職位に就くことができました。

## 「スタッフプロジェクト」を行いましたか？

私はStripeのプロダクトのほぼすべてのコンポーネントに関与してきました。そうこうするうちに、私が携わったプロジェクトのほとんどが専門チームに委ねられることになったのですが、私がシニアエンジニアだったころにかかわった2つのプロジェクトが、スタッフプロジェクトと呼ぶにふさわしいものだったと思います。その2つとはStripe Radar[115]とStripe Elements[116]です。

Radarはゼロから開発した新規プロダクトで、ユーザーに可能な限り早く届けるために、何を取り入れるべきか、何がなくても問題がないか、トレードオフをとても慎重に検討しました。2016年10月にローンチしたのですが、Stripeで最もスムーズにローンチが行われたプロダクトの1つだと言えます。

それ以来、ずっと好評を博しています。

Stripe Elementsでは、私はインフラストラクチャの構築と初期Card Elements APIの設計を担当し、3カ月以内でローンチにまでこぎ着けました。それができたのは、自社製品を実際に使いながらテストするドッグフーディングを大規模に行ったからです。Elementsの開発時、それぞれフレームワークとデザイン（の質）が異なる3つの小さなEコマースストアをつくって、カスタマイズAPIの限界を検証しました。その後、数十人のエンジニアがコードベースを開発し、それを新しいStripe Checkoutのホームとしたのです。その際特筆すべきは、オリジナルのAPIデザインに後悔する点がほとんどなかった事実でしょう。APIプロダクトが拡大し、開発者がそれらを実際にどう利用しているのかを深く知れば知るほど、ブレーキングチェンジ[訳注2]が起こりやすくなります。私たちは最初のAPIデザインをしっかりと検証したので、そのようなブレーキングチェンジを避け、ローンチまで迅速にたどり着くことができました。

新米エンジニアでも、これでもかというぐらいIFRAMEを多用したとても複雑なプロダクトに携わることができるようにするために、私はたくさんのドキュメントを書きました。その際、なぜ物事が今のような形になっているのかを人に伝えるには、ストーリーを語るのが適していると考えました。

# Stripe.js mini-map

This walkthrough of Stripe.js is intended to help you formulate a "mini-map" of the world of Stripe.js.

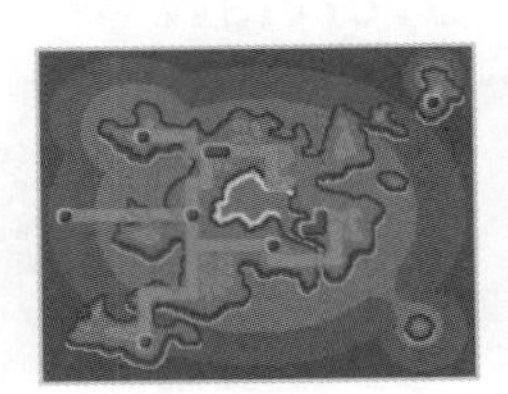

There are two high-level flows Stripe.js enables today:

1. **Collecting customer data with Elements, Stripe's pre-built UI components.**
2. **Making API requests of various types (PaymentIntent confirmation, Token creation, etc).** For simplicity, we will focus on Token creation in this document, because other API requests generally work the same way.

In the following sections, we'll be digging into these two flows in order to gain a full understanding of how (and why) things work.

## What the user sees

***NB.** "User" in this context refers to Stripe's user — the "merchant." We'll refer to Stripe's user's user as the "customer."*

**【日本語訳】**

**Stripe.js ミニマップ**

あなたにもStripe.jsの世界の「ミニマップ」をつくれるようになってもらいたくて、このStripe.jsのウォークスルーを作成しました。

現在Stripe.jsは2つのハイレベルなフローを可能にしています。

1. **Stripeに実装されているUIコンポーネント「Elements」による顧客データの収集。**
2. **さまざまなタイプのAPIリクエスト（PaymentIntentの確認、Tokenの作成など）。** 複雑になるのを避けるため、このドキュメントではTokenの作成だけに注目します。ほかのAPIリクエストも基本的には同じように機能します。

次のセクションでは、物事の仕組み（と理由）をよく理解するために、上の2つのフローについて論じます。

**ユーザーが見るもの**

注：ここでの「ユーザー」とはStripeのユーザー、つまり「マーチャント」のことです。Stripeユーザーのユーザーは「カスタマー」と呼びます。

In this document, we'll define the various components of a Stripe.js feature.

## Overview（概要）

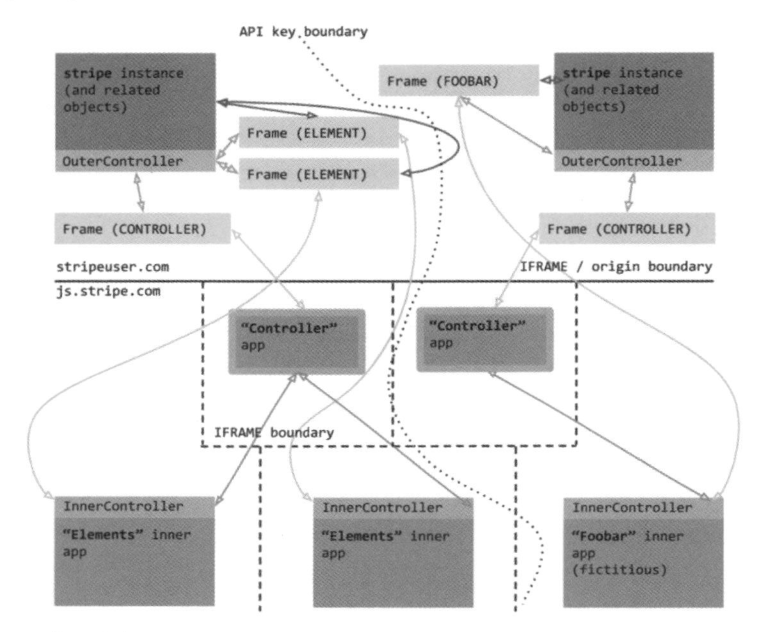


## "Outer" objects

Outer objects **expose user-facing APIs.** For example, Stripe Elements is exposed via `Stripe#elements()` and the `Elements` and `StripeElement` objects.

「Outer」オブジェクト
Outer オブジェクトはユーザー向け API を公開する。たとえば、Stripe Elements は Stripe#elements( ) と Elements および StripeElement オブジェクトを介して公開される。

振り返ってみると、どちらのプロダクトでも、アーキテクチャはローンチ以来何も変わっていません。当時、両プロダクトを実装するだけでなく、それらプロダクトの選択が正しかったのか、技術的な選択が間違っていなかったかを知るために、ローンチ後もしばらくのあいだはユーザーやエンジニアの反応を待つ必要がありました。

私の考えでは、この点もスタッフプラスエンジニアの適性にとって重要な基準になると思います。何かをつくってリリースするだけではだめで、のちに後悔することになる点をできるだけ少なくしてスムーズな展開を促し、長続きする成功と成長を可能にしなければならないのです。プロダクトの開発では何かを省いたり、機能を絞ったりすることが欠かせません。新規プロダクトの場合は特にそうです。プロダクトと技術を意図的に選び、さまざまなユーザーの視点から最善の選択を心がけ、未来のエンジニアのために問題点を徹底的に文書化するのが、スタッフレベルのプロダクトエンジニアの努めなのです。

### プロモーションパケットを書く必要がありましたか？

幸いにも、私は昇進を全力で後押ししてくれる上司に恵まれていたので、スタッフエンジニアになることができました。正直なところ、当時の私は自分のレビューをどう書くべきなのかも知りませんでした。そこで私は、自分の業績のすごさや影響範囲ではなく、成長計画として次の１年で何を学ぶつもりかを書いたのです。業績については、上司がレビューを書いてくれました。

また、ほかにもいくつかの点が有利に働きました。まず、私はほとんどの時間を１人の上司の下で働きました。上司が替わると、それまでの流れが途切れるので、あなた自身がそれまでの仕事について新しい上司に伝えなければなりません。次に、私の上司は比較的小さなチームを担当していたので、私の仕事を見届けて理解することに多くの時間を費やすことが可能でした。もし、たとえば10人以上のエンジニアを抱える上司の下で働いていたなら、私は自分のプロモーションパケットの作成にもっと多くの時間を費やす必要があったでしょう。

### スタッフレベルに到達するために、最も重要だった要因をいくつか挙げてください。

驚くかもしれませんが、大きな要因の１つは私にインポスター症候群[訳注3]の傾向があった、そして今もあることだと思います。私は自分を過小評価してしまうのです。自信がないので、他人のフィードバックにとてもオープンになります。フィードバックから学び、成長し、そして自分の仕事に少しでも関係することなら、何にだって責任をもつようになりました。PRに関する私のコメントの正しさから会議の進め方にいたるまで、あらゆることに前向きにフィードバックを求める癖が付いたのです。何かが（技術的なことでも、会社組織としても）うまくいかなければ、私は落ち着きを失って、その問題を理解して修復することに全力を尽くさずにはいられません。Stripeのプロダクトのどれ1つとっても、「自分は関係ない」と言って切り捨てることが、私にはできないのです。この態度が2つの特殊能力につながりました。おそらくどちらも、スタッフプラスエンジニアにとっては技術的な才能よりも大切な能力です。

1. 他人の声に耳を傾け、真に共感する。
2. あらゆる種類の問題の解決に真剣に努める。

もちろん、インポスター症候群は両刃の剣であって、そのせいで不安になることも、自意識過剰になることもあります。以前は、ほかの人ほどスピーディーに働けないから、効率がよくないから、クビになってしまうと思うこともよくありました。次第に自分には長所もあると安心できるようになったのですが、そこまで来るのにかなりの時間と、上司と会社経営陣の支援が必要でした。

### インフラストラクチャエンジニアリングではなく、プロダクトエンジニアリングに携わっていると、スタッフプラス職になるのに不利だと思いますか？

そのとおりだと思います。ただし、Stripeではプロダクトエンジニアリングもそれほど不利ではないと思います。Stripeでは、インフラストラクチャが主要プロダクトですから。そのため、プロダクトエンジニアリングに携わっていても、スケールや堅牢性、移行経路、あるいはデザインの優れたインターフェースなどを考慮しなければならないプロジェクトにかかわる機会が多いのです。

UIの構築に携わるチームにいたら、スタッフエンジニアになるのは間違いなく難しいでしょう。UIプロダクトは一時的なものですし、反復や実験が容易だからです。UIチームのエンジニアとしてスタッフレベルに昇りたいのなら、レバレッジをつくる能力が必要になるでしょう。たとえば、優れたデザインのコンポーネントライブラリや実験フレームワークなどを開発するのです。

ほかには、「プロダクト負債」を管理するプロセスやシステムの構築も考えられます。「技術的負債」のことはよく話題になりますが、プロダクトの旧バージョンのサポートで生じる「プロダクト負債」も同じぐらい重要です。大規模なプロダクトエンジニアリングでは、時間がたつにつれ、プロダクト負債とプロダクトドリフト（それぞれ異なる方向へ動く各プロダクトの相互運用）の対処が難しくなるのですから。私は、プロダクト負債がたまっている会社は、プロダクトエンジニアリングがある程度の規模に達すると、同部門にもスタッフプラスの役職を設ける必要が生じると考えています。

### スタッフエンジニアになるときに、特に役立ったアドバイスはありましたか？

私の場合、誰にでも役に立つであろうアドバイスはほとんど得ませんでした。その都度、有益なアドバイスはもらいましたが、それらはどれも特定の状況でのみ役に立つものです。

個人的に有益だったのは、不確かな状況とうまく折り合いを付ける術を学んだことでした。上級職で成功を続けるには、会社のニーズが変化しても、それを受け入れてさらに成長する力がなければなりません。

### スタッフプラスエンジニアになりたいと願う人にアドバイスはありますか？

次の点に注意が必要です。

- 私の場合は特に上司に恵まれていました。
- 私の関心はつねに会社にとって重要な点と一致していました（ただし、私の関心——開発者向け製品、メンターシップなど——が会社の重視事項と初めから一致していたのか、それとも時間をかけて私自身が会社のほうへ合わせていったのかは定かではありません。私は最初から一致していたと思うのですが、いずれにせよ、私は自分のやっていることに本当に関心をもっていました）。

私はおそらく会社で最も注目されるプロダクトエンジニアの１人で、そのため多くのエンジニアが自分もスタッフプラスエンジニアになるために、私のやっていることを見て、まねしようとします。ほかの人のモデルになることができて、とてもうれしいです。

そうは言うものの、エンジニアたちへの第一のアドバイスは、人のまねをすることを優先して楽しいと思えない仕事ばかりするのは避けるべきだ、という点です。私はチームとともに抽象的なモデリングやデザイン問題に取り組んでいると深い喜びを覚えます。何度もフィードバックを繰り返したあげくにさらに何度も何度も試行錯誤を繰り返すには、かなりの打たれ強さが求められます。正直なところ、誰にでもできる仕事ではありません。自分のやる気をくすぐる仕事よりもスタッフという肩書きを得ることを望んでいる人は、気がついたときには、自分がやりたくない役回りに四苦八苦しているということがよくあります。スタッフプラスエンジニアに、特に守備範囲の広いスタッフプラスエンジニアになれば、シニアエンジニアのころとはまったく異なる仕事をすることになります。

ですから、自分がやりたいと思う仕事を、理屈としてはスタッフプラスへの昇進に役に立たないと思えても、追い求めるほうがいいでしょう。スタッフプラスエンジニアとして成功するには、影響力や達成感の大きい斬新な仕事を見つけて、ほかの人たちにその仕事の価値と影響力を納得させる能力が重要になります。この意味でも、やりがいを覚える仕事をして、その仕事のことを深く理解して楽しんだほうがいいのです！

### スタッフプラスエンジニアになったばかりの人たちに、何かアドバイスがありますか？

あなたは、チームと会社が必要とするスタッフプラスエンジニアです。したがって、あなたの置かれた状況に当てはまらないアドバイスに影響されないことが重要です。たとえば、私が今の役職に就いたとき、ほかのスタッフプラスエンジニアたちの多くが、今後の１年か２年で達成を目指す項目をまとめた個人的な宣言文を書いていました。このやり方は狭い範囲に深くかかわるエンジニアには有益だと思いますが、私のように守備範囲の広いエンジニアにはあまり役に立ちません。私の場合、会社の考えの変化やプロダクト戦略の推移に迅速に対応することが求められていましたから。

### エンジニアリングマネジメント分野でのキャリアを検討したことがありますか？

現在、私はマネジャーとして2人の部下を抱えています。そうは言っても、いわゆる管理職がするような仕事はあまりしていません。採用担当者のように雇用に携わることもありませんし、ほかのマネジャーが直面するような業績管理の問題を経験することもありません。私の下で働く2人はすでに高い業績を上げているからです。

私は意識のほとんどをStripeに向けています。何かおかしな点が見つかったら、すぐに修正に取りかからないと落ち着きません。もし別の会社にいたなら、今の役職ではなくてエンジニアリングマネジメントのほうへ進んだかもしれませんが、私はマネジメント以外にも道があったことをありがたく思っています。私の長所と関心はプロダクトエンジニアリングとAPIのデザインおよび実行にあり、今の役職で毎日この強みを活かすことができています。

### どんなリソース（書籍、ブログ、知人など）を学習に用いましたか？

私は小説を読むのが好きで、偉大な文学から多くを学んでいます。それに比べれば、ノンフィクションのビジネス書や技術書を読むのはごくわずかです。仕事に関係するトピックの学習では、仲間の輪を重視しています。仲間からその都度得られる貴重なフィードバックが、私の頭のどこかに埋もれている答えを見つける役に立ってくれるのです。

また、Stripeには「リーダーシップ・イン・プラクティス」と呼ばれるプログラムがあって、マネジャーの全員と上級エンジニアの一部が参加しています。このプログラムには柔軟なリーダーシップ[117]をテーマにしたクラスがあって、これが特に役に立ちました。そこで学んだフレームワークを、さまざまな状況に適用しています。

これまで、1人のメンターだけにアドバイスを求めたことはありません。代わりに、「フランケンシュタイン」さながら、「メンターを自分でつくりだす」アプローチをとることにしています。ララ・ホーガンがブログで「マネジャーロボットをつくる」[118]と書いていますが、同じような話です。私を1人のメンターと結びつけるプログラムも経験しましたが、どれも不自然に感じました。私は自分が成長したいと願う分野やトピックがはっきりとしているので、“公式な”メンターでなくても、その分野で秀でた人に惹かれるのです。

私は簡単な答えのない特定の難問に多くの時間を費やします。適切なアプローチは状況によって左右されるので、その状況の外側にいる人には答えが見つかりません。

最近読んで感心したノンフィクションとして、次の3つを挙げることができます。

・ジョン・マクフィーの『Draft No. 4』[119]。私は仕事時間の多くを文書の作成に費やしているので、文章を書く難しさをよく知っています。でも、その困難さを打ち破ることが大切です。アイデアを広め、自分の存在を多くの人に知らしめるには、優れた文書によるコミュニケーションが最も効果的なのですから。
・エド・キャットムルの『ピクサー流創造するちから』[120]。この本の文体にはどうしてもなじめませんでしたが、大規模にクリエイティブな仕事環境をつくる方法についてはたくさん学ぶことができました。プロダクト組織やプロダクトエンジニアリングを成長させていくなかで、私がいつも考えることと一致しています。
・キース・ジョンストンの『インプロ』[121]。私は、（会社の成長に合わせて）即座に学び、迅速に適応する力を自分に備わった特殊能力とみなしています。そのため、さまざまな学習法や教授法を扱う本を読むのが好きです。この本は行動・即興方法の学習をテーマにしていて、教育に関する従来のメタファーや物語をさらに前進させています。

---

**訳注1**「ラバーダック・デバッグ」から。「答えを出さなくても話を聞くだけでいい」という意味。

**訳注2** 互換性を伴わないソフトウェアの変更で、修正を加えるとほかのコンポーネントに悪影響がでる場合を指す。

**訳注3** 自分に自信がもてず、能力を過小評価すること。そのため、今の役割に自分がいるのはふさわしくないと考えてしまう。

## ラス・カサ・ウィリアムズ
## ― Mailchimp 社のスタッフエンジニア

2020 年 7 月取材。カサについての詳細は Linkedin[122] で。

### 今の役割について教えてください。どこで働き、役職名は何でしょうか？ チームを率いてどんなことをやっているのでしょうか？

私は Mailchimp でスタッフエンジニアとして働いています。所属はデータサービス部門のエンジニアリンググループです。データサービスは社のデータエンジニアリングの拠点とみなすことができます。私たちのグループがデータサイエンスチームとデータアナリストチーム（プロダクトアナリスト、ファイナンスアナリスト、マーケティングアナリストなど）をサポートするシステムを構築しているのです。

私はこのチームでテックリードの１人として、スケーラブルなデータ処理パイプラインの構築に努めてきました。社内の分析プラットフォームを強化し、重要なビジネスインテリジェンス活動の進歩をサポートするためのパイプラインです。また、チームにとってエンジニアリングマネジャーのような働きも担ってきました（正式にはエンジニアリングマネジャーではありませんでしたが）。そうしておよそ２年がたちましたが、今はこの役職を積極的に変革しようとしています。

### あなたの会社では、“普通の”スタッフプラスエンジニアはどんなことをしていますか？　あなたの仕事も同じようなものですか？　それともまったく違いますか？

Mailchimp ではスタッフエンジニアに昇格すると、「エンジニアリングリーダーシップ」のメンバーになります。数年前にエンジニアリング部門に正式なキャリアラダーが導入されたばかりなので、「スタッフエンジニアとは何か？」や「エンジニアリングリーダーシップのメンバーになるとは何を意味しているのか？」といった問いに対する答えは、人によってまちまちだと思います。

私の考えでは、グローバルに考えることがスタッフエンジニアの仕事です。具体的には、ほかのメンバーたちと協力しながら全社的なビジネス戦略とプロダクト戦略を理解し、そこからエンジニアリング全体に関連する技術戦略を抽出して、プロダクト部門やマーケティング部門などの仲間が実行できるようにするのです。つまり、力を合わせて雇用、オンボーディング、チーム間コミュニケーション、本番運用などのプロセスを改善する。さらに言えば、部門全体の技術力と社会的スキルを伸ばすために協力します。

グローバルに考えて、それをローカルに応用するのです。つまり、チームの技術的な優先事項やロードマップをエンジニアリング全般の技術戦略に合わせるということです。そしてチームにとって直接のステークホルダーになる人々へのニーズに応えるためにそのパスから外れるときには、それをしっかりと意識する。チームのマネジャーと協力して、ほかのチームで雇用、オンボーディング、本番稼働で成功が証明されたプラクティスを採用する。あるいは自分のチームで用いたプラクティスをほかのチームにも共有する。さらには、全社的なビジネス・プロダクト戦略から文脈を抽出し、それを翻訳して、自チーム直近のプロジェクトにどう影響するかを見極めるのです。そのためには、チームのメンバーのそれぞれがスキルを伸ばし、存在を示し、会社のほかの人々にアクセスできる機会をつくらなければなりません。

もちろん、いつもすべてが順調なわけではありませんが、私にとっては、この働き方がうまくいっています。

### 日々、どのように時間を使っていますか？

すでに述べたように、私は（エンジニアリングマネジャーとしての役割も担いながら）データサービス部門のテックリードとして働いてきました。

テックリードはチームの戦略とアプローチを定義し、それらを実行する責任を担います。その戦略を内部顧客（あるいは事業）にとって価値のあるものにし、必要に応じて会社全体に効果的に伝えることに取り組んできました。年に数回、それまでの進展を振り返り、ビジネスに変化が生じて戦略の修正が必要になっていないか、確認することにしています。私の場合、もちろんチームのエンジニアたちほどではありませんが、今も頻繁にコードを書いています。開発現場にいるチームの経験を吸収して自分なりの技術戦略を立てるために（そしてそのほかの小さな決断のためにも）「手をキーボードにのせる」仕事を続けることが重要だったのです。私の望みは、私が技術的な方向性を示して、チームのエンジニアたちを成長・発展させること。もう少し具体的に説明すると、顧客やビジネスの問題を解決して価値を生む技術的な意思決定にいかにアプローチすべきかを、（メンター活動やコーチングを通じて）チームメイトに理解させることに努めてきました。また、問題の把握からプロダクトのリリース、そして長期運用までを網羅するエンジニアリングプロジェクトの運営のしかたを教えてきました。さらには、さまざまなオーディエンス（エンジニアリングの仲間、エンジニアリングの管理者、技術的背景をもたない関係者など）に対して適切にコミュニケーションを図る技術の習得もサポートしてきました。要するに、私がいなくても私の技術戦略や方向性やアプローチと一致する決断を下し、働き、コミュニケーションする能力を彼らに授けてきたのです。

私たちのグループにはプロダクトマネジャーはいませんが、社内顧客のニーズを理解したり利害関係者を管理したりする必要は、当然ながら存在します。そこで、最近就任したエンジニアリングマネジャーがその任を負うことになったのですが、基本的にはメンバー全員で責任の多くを分け合っています。私は社内顧客と何度も話し合い、質問に答え、新しい仕事（新規データセットなど）の必要性を理解し、その実現までの道を示し、いつそれが完成するかだいたいの時期を設定する、などといった役目を担っていました。

私たちのグループにはプロジェクトマネジャーがいません。それでも、プロジェクトを管理する必要は存在します。そこで私はチームメンバー全員に自分が担当するプロジェクト（利害関係者向けのステータスアップデートなど）を管理する責任を負ってもらうのが理想だと考えました。私自ら、たとえばリスクや障害を教えるなどして、かなりの時間をプロジェクト管理術のコーチングに費やしました。そうやって障害を取り除き、勢いを保ったまま価値を増やしていく手助けをしてきたのです。

また、受動的な社内顧客やビジネス文脈の構築にも多くの時間を割きました。私が関与しているわけではないリポジトリのマージされたプルリクエストを読むこともありましたし、一般に公開されている技術仕様や企画書を読むこともありました。ときには、データサイエンスやデータアナリストのチームが行う社内プレゼンテーションに参加して、彼らが完了したプロジェクトや追っているアイデアの話に耳を傾けました。どれも小さな活動に過ぎないのですが、それらのおかげで状況の理解が深まり、チームの四半期計画が立てやすくなりました。

テックリードとして、私はエンジニアリングテックリードグループの一員でした。これはエンジニアリング部門の全テックリードで構成される正式なグループで、文脈の共有、アイデアの議論、エンジニアリング部門全体にかかわる技術ロードマップの進展を目的にしています。このグループで、ときどき臨時の集会や作業が行われます。スタッフエンジニア、シニアスタッフエンジニア、プリンシパルエンジニアの全員で電話会議を行って、問題を特定しそれについて話し合ったり、必要に応じて責任者や対処策を決めたりもしています。要するに、意思疎通を図るのです。私たちはGoogleと密接な関係を築いています。Googleが私たちのクラウドプロバイダーなのです。そのため、私はGoogle側のパートナーチームと直面する問題について、あるいは今後の計画、ソリューションへのアプローチ法、有益と思われるトレーニングなどについて話し合うこともありました。

現在、私はテックリードの役割から離れつつあるので、日々の時間の使い方もこれから変わっていくと思われます。ただし、どう変わるかはまったく予想がつきません。

### どのようなときに、スタッフプラスエンジニアとして最もインパクトを感じますか？

一日の終わりに、今日も仲間の障害を取り除き、チームの勢いを保つことができたと感じると、とてもやりがいを覚えます。

そう実感できるということは、データサービスのチームメンバーに複雑な技術問題を解決する方法、あるいは今すぐの価値かまたは長期的な持続かなどといったトレードオフについて自分で考える手助けができたことを意味しています。あるいは、新しい技術について深く調査を行い、その技術を応用して、会社が抱える三大問題のどれかを解決するサポートができたのかもしれません。

別のチームの仲間に過去の四半期における成果について、それらが会社にあるいは顧客に真の価値を提供したかを考える機会を与えることができたのかもしれません。その成果をもとに、彼らは昇進に有利な物語をつくることだってできるでしょう。

短期的な「会社の仕事」が、意思疎通が不十分なために停滞ししているのに気づき、担当者に（利害関係者からの適切なフィードバックにもとづいて）決断の責任を負う勇気を授け、その作業を完了へ導くことでも、充実感が得られます。

そのような感覚を、私はキャリアを通じてつねに抱いていました。私にとっては、仲間の成功が自分のそれと同じぐらいうれしいのです。テックリードの役割を担うようになってからは、この点がさらに重要になりました。個人的に好きでやってきたことが、好きであるだけでなく、私が責任を負うチームの健全な働きにとっても極めて重要になったのです。

### スタッフプラスエンジニアとしてやった仕事で、その肩書きを得る前なら実行、あるいは達成できなかった仕事があると思いますか？

すでに指摘したように、Mailchimpではスタッフエンジニアに昇格すると、「エンジニアリングリーダーシップ」のメンバーになります。

はっきりとわかる違いは、スタッフプラスエンジニアになると自分で決断する権限と自由に使える時間が増えるという点でしょう。自分の本来の仕事の外で時間を費やす機会が増えます。もちろん、これは私個人の経験ですが。

また、自分のチーム以外の仲間たちにコーチングや指導をすることも増えました。スタッフエンジニアになる前からそうした活動はしていましたが、機会が明らかに増えました。本当にやりがいを感じるので、うれしく思っています。

業界人の多くは、肩書きは重要ではないと言いますが、私はその意見にはまったく同意できません。私自身の経験と、私がこれまで仕事をしてきたほかの会社の様子を見てきた印象から、肩書きは重要だと言えます。

### スタッフエンジニアになるには「スタッフプロジェクト」を成功させなければならない、という考えが広まっています。あなたはスタッフプロジェクトを実行しましたか？　それはどんなものでしたか？

「やった」と言えなくはない、と思います。

私はシニアエンジニアとしてMailchimpに加わり、すぐに（エンジニアリングディレクターと2人のプリンシパルエンジニアを含む）あるプロジェクトチームに参加することになりました。Mailchimpにとって最初の内部セルフサービス分析プラットフォームの構築が目的でした。

そのプロジェクトでは「効果的かつ高レベル」での働きが求められました。ただし、幸か不幸か、2人のプリンシパルエンジニアが参加していたので、私に対する期待はそれほど高くなかったと思います。それでも私はすぐに仕事に集中し、プリンシパルたちに面倒をかけることなくプロジェクトの主要部分で貢献することができました。そのうち、私がチームの中心になっていました。最終的に、私は正式にテックリードの立場を得て、同プロジェクトを私の現在のエンジニアリングチームグループである「データサービス」に吸収し、引き続き担当していくことになりました。

このプロジェクトの大きな特徴として、「全社から注目」されていた点を挙げることができます。チームの仕事は会社レベルの優先事項に分類されていました。つまり、経営幹部からも注目されていたということです。当然、それなりのプレッシャーがありました。それでもプロジェクトチームは全体を通じて勢いを保ち、最後には分析プラットフォームの初期イテレーションを完成させることができました。加えて、私のマネジャーとチームのプリンシパルエンジニアが私にプロジェクトの成果を発表する機会をつくってくれました。私はエンジニアリング部門の全体会議でプレゼンテーションを、エンジニアリング採用イベントでは技術トークを行いました。そのプロジェクトは注目されていたうえ、Mailchimpにはもとからそのような社風があったので、入社してすぐに社内のあらゆるレベルのエンジニアの協力を仰ぐことができましたし、ほかの部門のアナリストをプロジェクトに引き込むこともできました。ほかの会社なら1年以上の実績がないとそのようなことはできないでしょう。

つまりは、自分よりも上級のエンジニアとうまく力を合わせながら優れた仕事ができたこと、そしてそうした上級エンジニア（やほかの職種の人々）が同プロジェクトの技術面でのリーダーであったにもかかわらず、私に全社的に活動する権限と機会を与えてくれたことの両要素がうまく作用したのです。

ただし、重要なことなので付け加えておきますが、昇進の話が出たのは、私がテックリードとしてある程度の期間を過ごし、数多くの価値をもたらしたあとでのことです。ですが、このプロジェクトの存在が大きかったことは間違いありません。

### スタッフエンジニアになるときに、特に役立ったアドバイスはありましたか？

最初のアドバイスをくれたのは直属の上司のマーク・ヘドランド[123]で、自分の業績評価を三人称で書けと教えてくれました。なぜ三人称かというと、他人について評価を書くと批判よりも称賛のほうが多くなるからです。単純な話ですが、本当にありがたいアドバイスでした。おかしな話ですが、おかげで私は自分の仕事とその価値について整然と語ることができるようになりました。

2つ目のアドバイスをくれたのはダン・マッキンリー[124]、先ほど話したスタッフプロジェクトに関与したシニアエンジニアの1人です。自分の長所や短所を尋ねた私に、フィードバックをくれました。私の長所は会社全体の人々と友好な関係を築けることであり、エンジニアリングは人や社会と切っても切り離せないため、とても重要なスキルだと教えてくれました。実際、人間関係こそがあらゆる仕事を成し遂げる鍵だと言えます。

3人目はコーダ・ヘール[125]。例のスタッフプロジェクトに参加していたもう1人のシニアエンジニアです。彼がインパクトを拡大する方法を教えてくれました。具体的には次のような話です。

> まず、ほかのエンジニアのために技術的な方向性をしっかりと設定する。次に、彼らを指導しながら、自分が彼らのために構想した仕事の延長として、彼らの才能を伸ばす。

このアドバイスが、私が自分のテックリードとしての役割について考える際の中核になったのです。私は本当にチームがスキルを拡大および応用し、多くを学べる機会を意図してつくるようになりました。

### スタッフエンジニアになったばかりの人たちに、何かアドバイスがありますか？

エンジニアリング部門が抱える問題の“すべて”を解決できるとは思わないことです。経験上、そんな心構えではすぐに疲れて、嫌気がさしてしまうでしょう。問題にはじっくりと取り組むべきです。おそらく、あなたはすでにスタッフレベルで活動していたので昇進できたはず。これからは、大それたことをする必要はありません。あなたをその役職にまでもたらした仕事を、着実に続けていくのです。拡大するのは、ある程度慣れてきてからでいい。

大切なのはコミュニケーションとストーリーの構築です。必ず……“たくさん”書いてください。問題について考えたり、アイデアが浮かんだりしたときには、それを（誰かと共有するつもりがなくても）書き留めるのです。私の場合、問題やアイデアを理路整然とまとめられないときは、調査が足りないことが多いです。そんな状態では、ほかの人にその考えを納得させるのも容易ではありません。また、言葉にすることで考えを拡大し、議論を効果的に広げることができます。何らかのアイデアを披露する可能性のある人々とのミーティングを計画するよりもはるかに効率的です。

上司にあまり面倒をかけないように心がけましょう。上司に問題を報告するだけではだめで、同時に推薦できる解決策を（できれば複数）提案し、判断を仰ぐのです。そうすることで、上司は（ほかにもたくさんの部下がいるなかで）あなたのために自分で問題を解決する必要がなくなり、自らの経験にもとづいてあなたの提案を受け入れるか却下するかを決めることができます。おかしな話ですが、多くの人にとっては自分でソリューションを絞り出すよりも、あなたのアイデアがふさわしくない理由を説明するほうがはるかに簡単なのです。

自分が直接関係しているエンジニアたちに、スキルを伸ばし、社内での知名度を高め、ほかの人々と関係を結ぶ機会を設けることにも務めましょう。

早い段階で人間関係を構築すること。人間関係は、何らかの点で特定の態度を表明するために社会資本や政治力が必要になったときに役に立ちます。たとえば、雇用問題で正反対の意見を戦わせている相手が初めて会う人物の場合、その時点ですでにあなたはマイナスの立場からスタートすることになるのです。もちろん、「人を喜ばす」ことに目を向けるべきではありません。ですが、前もって関係を築いておけば、特定の人物を相手にした仕事や共同作業は圧倒的に楽になるはずです。

正直なところ、これらすべてを実践するのは大変ですが、1人の人間の意見として聞いてください。レストランのメニューのようなものです。今の自分が欲しているものを選び、自分なりの味付けを加えましょう。そして、その経験を次にスタッフになろうとしている人に伝えていくのです。

**エンジニアリングマネジメントの道を進むことも検討しましたか？　もししたなら、マネジメントではなくスタッフエンジニアの道を選んだ決め手は何でしたか？**

この点については、よく尋ねられます。

実際、私はCTO（最高技術責任者）になることを目指しています。ですが、その目標はあくまでも現状のキャリアに満足してしまわないための大まかな方向性といった類いのものです。Mailchimpでは、プリンシパルエンジニアに昇進することが私にとって満足のできる目標になるでしょう。私は今の役職で現実的で具体的なビジネス価値を生むことができています。ですから、今の仕事を続けながら管理職ではない上級専門職としてのキャリアを進むことで、やりがいを感じつづけることができると考えています。

また、これまでチームのために（エンジニアリングマネジャーではありませんが）エンジニアリングマネジャーとしての責任の多くを引き受けてきました。つまり、もしマネジメントのほうへ方向転換していたらやっていたであろう仕事の多くを、実際にやって経験を集めてきたのです。だから、あんなこともやりたい、こんなこともやりたい、という欲求は今のところは満たされています。

### どんなリソース（書籍、ブログ、知人など）を学習に用いましたか？　あなたにとって、誰が手本になりましたか？

技術的な素養があったりなかったりするさまざまなオーディエンスにテクノロジーの話をするのは特殊技能です。このスキルを、私は毎日鍛錬するよう心がけています。その際に手本としている人物がケルシー・ハイタワー[126]です。さらに、私が大学で履修したソフトウェアエンジニアリング授業のいくつかを担当していた教授も、手本として挙げることができます。教授は授業にはほとんど顔を出しませんでした。でも、やってきたときには、私はほかのどの授業よりもソフトウェア開発について多くを学ぶことができました。両者とも説明が巧みで、聴衆に合わせて話し方を変えるのです。

技術的なアプローチや戦略を改善する方法を洗練および調整するのに役立つブログも2つ見つけました。1つ目はピート・ホジソンの「Delivering on an architecture strategy」[127]。機能提供と基礎アーキテクチャの持続的なバランスを達成するためのフレームワークを提案しています。2つ目はジェームズ・コーリングの「Stepping Stones not Milestones」[128]で、大規模なアーキテクチャを推進するときに真の価値をもたらす方法を論じています。

## キーヴィー・マクミン
## — Fastly 社のシニアプリンシパルエンジニア

2020年3月取材。キーヴィーについての詳細はブログ[129]、Twitter[130]、Linkedin[131]で。

**今の役割について教えてください。役職名は何でしょうか？　会社は？　あなたはチームを率いてどんなことをやっているのでしょうか？**

私はFastly[132]でシニアプリンシパルエンジニアとして働いています。Fastlyはエッジクラウドプラットフォームとして、CDNなどのサービスを提供しています。私はCTOに直属するおよそ10人のプリンシパルエンジニアとディスティングイッシュトエンジニアで構成されるOCTO——CTOのオフィスのことです——に所属しています。OCTOのメンバーはそれぞれ専門分野があって、私はAPI担当です。

**あなたの会社では、スタッフプラスエンジニアはどんなことをしていますか？　どのように時間を使っていますか？**

OCTOには個性豊かなプリンシパルエンジニアとディスティングイッシュトエンジニアがそろっています。OCTOではなく、エンジニアリングチームに直接参加して働いているプリンシパルエンジニアもいます。OCTOグループには、インターネット標準や学術研究に取り組んでいる人もいれば、より深い技術探求あるいはプロトタイピングを行う人も、まったく新しい何かをつくるチームを育てるサポートをしている人もいます。私はAPIの責任者としての立場上、広範なエンジニアリング組織と深く関係しています。

みんなそれぞれ担当は違いますが、目標は同じです。物事について、総合的に、長期的に、システム全体を見渡すという目標です。また、エンジニアリング全体で見落とされがちな、隙間に落ちやすい物事を見つけて、それに対処するために力を尽くしています。CTOは私たちの活動を支援してくれますが、実際に何をするのかを決めるのは私たち自身です。

私はこれまで、自分が時間をどう振り分けているのかを考えたことがありません。私の仕事のいくつかは数々の段階をへて進みます。今週はこれ、来週はこっち、といった感じですが、文書の作成とリサーチ、そして人々との対話にかなりの時間を費やしています。まず、APIの構築に携わるチームやマネジャーたちと定期的に会合を開いています。そして長期的な戦略を短期的な段階に分解し、リサーチを行い、それに関する企画を書くことに時間を割きます。続けて、その企画を会社全体に売り込む必要があります。最近ではコードを書くことが減りましたが、ときにはより広範な作業をサポートするためにデモやツールを作成することもあります。そのようなコーディング作業は今でも楽しく感じます。

**どのようなときに、スタッフプラスエンジニアとして最もインパクトを感じますか？　以前はできなかったのに、スタッフプラスエンジニアになってできるようになったことはありますか？**

普通のエンジニアだったころは、時間をつくるのが大変でした。プロジェクトのスケジュールが強いる制約とテンポに合わせて働かなければならなかったからです。一方、プリンシパルエンジニアには何か別のことを試す信頼と時間と自由があります。

肩書きがあれば、信用を得るために多くのエネルギーを費やす必要がなくなりますし、ほかの人も、私の立場を受け入れやすくなります。初めから尊重されることが、はっきりとわかります。また、経営幹部と直接話すことができるので、早い段階で情報を手に入れて、じっくりと対処することもできます。

**テクノロジーやプラクティスやプロセス、あるいはアーキテクチャの変更を提唱することがありますか？**

私はAPI戦略の方向性を決めるという任務を帯びて採用されました。そのためには、技術的な方向性や選択を導かなければなりません。この点に、私は共同作業としてアプローチすることにしています。私が下働きとしてリサーチを行い、情報のすべてを分析し、トレードオフを明らかにし、提案を作成します。会社やエンジニアリンググループの置かれた状況もすべて考慮します。

そして、私たち全員にとって最善だと思うことを発表します。同意できない人もいるでしょう。実際、みんな頻繁に反論します。そんなとき、私は舵を取って影響を及ぼすことに努めます。「私にはあなた方に何をすべきか指図する権限がある」などと言ったりはしません。そのようなやり方がうまくいったケースを見たこともありません。

反対意見の多そうな決断の際には、前もってさまざまな関係者グループの代表者と会合を開きます。エンジニアグループにも会って、私が何を言うつもりかを話して聞かせ、「どう思う？　私は何かを見落としていない？」と尋ねたりもします。また、マネジメントやプロダクト部門の人々にも相談します。プロジェクトの性質によっては、法務、ドキュメント、セキュリティなどさまざまな人々にも。それに、物事を一方的に披露してから人々がドキュメントにコメントを残すのをじっと待つのではなく、自ら電話をかけてフィードバックを求めたりもします。

### あなたはこれまでどんなことを提唱してきましたか？

今の仕事に就いてから熱心に提案した例の１つとして、APIの変更に関するデザイン文書を挙げることができます。誰かがコードを書きはじめる前に、つまり変更のコストが低いうちに、ユーザーのワークフローと、そのワークフローを実現するインターフェースについて書き留めるのです。そうすると、一見簡単に思われる何かが実際にはじつに難しいことがわかったりします。グループがそうした仕事に慣れていないときは特にそうです。

物事を提案するとき、私は誰もが経験し、変化を望むきっかけとなった痛みを、みんなに思い出してもらうよう促します。私たちは理論に忠実であるために、コードの美しさのために、あるいは崇高な理念のために、完璧になろうとしてるのではないのです。「みんなが感じている痛みがあって、このアプローチは結局のところその痛みを和らげるためのものなのだ」と言って聞かせます。

APIレビューでより多くのエンジニアと対話するなどの手段を通じて、私と同じことを気にかける人を増やすように努めています。レビューをするとき、私はあえて自分が注目しているものをほかの人に教えようとします。そして、プロセスや会話を通じて、彼らを発憤するのです。

**ほかのエンジニアを支援したことがありますか？　あなたの役職では、ほかのエンジニアに対するスポンサー活動が重視されますか？**

今の役割では、それほど重視していません。以前の勤務先のGitHubでは、私は年齢が高くて在職期間も長かったことから、エンジニアを１人支援していました。与える課題の難易度を少しずつ上げていったり、私の仕事についてわからないことや関心のあることがあればどんどん質問するように促したりしました。あるいは、もっと大きな責任を担って会社で目立つ存在になるよう説得することもありました。

**どのような手段を通じて会社からの信頼を築きましたか？**

Fastlyでは、私は初めから信頼されていました。特定の仕事に携わるという前提で入社したのです。そのころ、私は「これにどのぐらいの時間を想定している？」と尋ね、会社側の戦略を知ろうとしたことがあります。すると、それを考えるのは"君"の仕事であって、答えがわかったら"我々"に教えてほしい、と言われたのです。このことからも、私はかなり信頼されていて、同時に大きな責任を託されていたことがわかります。

信頼を得て採用されるのではなく、採用されてから信頼を築くことには長所もあれば短所もあると思います。信頼を築くときには、同時に数多くの関係を築くことになります。GitHubでの私がそうでした。ですが、今の職場では、私はそのような文脈なしでやってきて、先入観のまったくない目で物事を見られることが、とても役に立っていると思います。人々が「今までいつもこうやって来たのだから」といった態度を見せるときに、ツッコミを入れやすくなります。要するに、過去に縛られることがないのです

**スタッフエンジニアになるには「スタッフプロジェクト」を成功させなければならない、という考えが広まっています。あなたはスタッフプロジェクトを実行しましたか？　それはどんなものでしたか？**

私はその名前は知りませんでしたが、考え方自体は理解できます。私も何度かそのようなプロジェクトを率いて、とてもやっかいで会社にとって極めて重要なエンジニアリング問題の解決に努めました。ですが、残念ながら、

それが昇進にはつながりませんでした。それでも、そうしたプロジェクトのおかげでキャリアは確実に前進しましたし、経験と知識と自信が増え、自分を今までとは違う立場に置くことができるようになりました。外部のカンファレンスで講演することもありますし、「私はXをやり遂げたし、またXをすることもできる」と自負するようにもなったのです。

### 今の役職になるのに、社外での講演や認知度は重要でしたか？

ええ、私のキャリアにとってとても重要な要素だったと思います。絶対に必要だとは思いませんが、必ず役に立つでしょう。私の場合がそうでした。初めて講演を依頼されたのは——主催者が私の考えに興味をもったのでしょう——アート系のカンファレンスでした。私はびびってしまって断ろうとしたのですが、母に絶対にやったほうがいいと説得されたのです。ですから、講演をすることになったのは、意図的な戦略ではなく、むしろ偶然と呼べるものでした。

何より、私はカンファレンスで人々との出会いを楽しみます。そこで得た講演者のネットワークがのちに、私に仕事の機会をもたらしてくれます。

### どのような経緯でスタッフエンジニアやプリンシパルエンジニアの役職を得たのでしょうか？　昇進に最も役立った要素は何でしたか？

私はプリンシパルエンジニアとしてFastlyに雇われました。正直なところ、私にとっては会社が変わるという点がほかの何よりも大きな要素でした。仕事の内容はそれほど大きく変わりませんが、転職したからこそ、役職を得ることができたのです。

私の場合、ありがたいことに採用を強く推してくれた人が何人かいました。その方たちと直接いっしょに仕事をしたことはなかったのですが、みんな私の過去の仕事を知っていたのです。

### リモートワークがキャリアに影響を及ぼしましたか？

そうは思いません。私はずっとリモートで働いてきました。私には刺激的な会話をする能力があったのが役に立ったのだと思いますが、とにかくリモートワークには慣れています。リモートだと、意図的に会話をして人間関係を結ぶ努力をしなければなりません。また、私の勤めてきた会社もかなり分散化が進んでいます。リモートが少数派の場合、あるいは会社が分散化に前向きでない場合のほうが、問題は多くなるのではないでしょうか。

**スタッフエンジニアになるときに、特に役立ったアドバイスはありましたか？**

いいえ。むしろ、悪いアドバイスに悩まされました。「よくやった。さあ、もう一度実力を示すんだ」などといった感じです。昇進したいなら特別な何かを、あるいは魔法のようなものを発明しろ、などと、いわばヒーローになることを強いるようなアドバイスもあります。さまざまな道がスタッフエンジニアに通じています。エンジニアリング業界のキャリアラダーを見れば、スタッフエンジニアにつながる道はたくさんあることがわかります。

**スタッフエンジニアになったばかりの人たちに、何かアドバイスがありますか？**

思い浮かぶのは、仲間やサポートのネットワークを見つけることです。マネジメント職と同じで、ランクが上がるほど孤独になっていきます。だからこそ、あなたに難問を突きつけ、ともにアイデアを披露し合える仲間を見つけることが大切なのです。同じ部門で働いているか、あるいはほかの会社の人か、などといった点はどうでもいいのです。

**エンジニアリングマネジメントの道を進むことも検討しましたか？　もししたなら、マネジメントではなくスタッフエンジニアの道を選んだ決め手は何でしたか？**

一度、マネジメントの道を進もうとしましたが、うまくいきませんでした。夢中になれる仕事ではないと気づいたのです。エンジニアリングのマネジメントという仕事への思いが強すぎて、大義名分のない仕事はできません。その大義名分とは、ほかの人をサポートすることです。

**どんなリソース（書籍、ブログ、知人など）を学習に用いましたか？　あなたにとって、誰が手本になりましたか？**

私にとってはカンファレンスが、加えて、熟練して寛容なすばらしいエンジニアリングリーダーやエンジニアたちとの仕事が手本になっています。その頂点に立つのは、チャド・ファウラーと彼の書籍『情熱プログラマー』[133]でしょう。もう１人挙げるならデイブ・トーマスで、初めてRubyを学んでいたころの私は彼のワークショップに顔を出していました。著書『達人プログラマー』[134]もすばらしいです。

## バート・ファン
## ― Slack 社のシニアスタッフエンジニア

2020年5月取材。バートについての詳細はブログ[135]、Twitter[136]、Linkedin[137]で。

### 今の役割について教えてください。どこで働き、役職名は何でしょうか？ チームを率いてどんなことをやっているのでしょうか？

Slackのプラットフォームチームでシニアプリンシパルエンジニアとして働いています。Slack App Directory[138]がローンチされた直後にSlackに加入できたのは、私にとって幸運でした。おかげで、Slack Platformを今の形に発展させる機会に携わることができたのです。

私の仕事をひとことで言い表すのは難しいのですが、目標は1つです。顧客の日々の仕事をより簡単に、楽しく、そして生産的にするためにSlackを発展させる機会を開発者に与えることです。いくつか例を挙げるなら、プラットフォームの新機能の追加、APIパフォーマンスの改善、ドキュメント制作、パートナーや社内インテグレーターあるいはサードパーティ開発者と協力してインパクトの強いソフトウェアを開発することなどです。

### あなたの会社では、“普通の”スタッフプラスエンジニアはどんなことをしていますか？　あなたの仕事も同じようなものですか？　それともまったく違いますか？

Slackのスタッフプラスエンジニアの役割は、所属分野、チームの構成と大きさ、そして会社から何を求められているかによって大きく異なります。多くのプロジェクトで、スタッフプラスエンジニアはテックリードの役割を担います。技術仕様を書き、各種関係者からフィードバックを得て、デザインやプロダクト部門と協力して何をつくるかを決め、プロジェクトの技術面を主導するのです。同時に、ほかのエンジニアの指導にも当たり、面接プロセスやエンジニアリング文化の改善にも努め、エンジニアリングのプロセスとツールを開発し、リファクタリングや技術的負債に関して技術的な方向性も示します。総じて言えば、スタッフプラスは人々によりよく働いてもらうための仕事をする人――人々のパワーを増幅する「強化部隊」なのです。

私も今挙げたすべてを行っていますが、特定の技術に深くかかわるのではなく、むしろテクノロジーによって何ができるかという点に重点を置いています。ですから、ほぼ間違いなく破棄されるとわかっているようなコンセプトのプロトタイプ化や、システムの改善方法を知るために特定のユーザーフローに関する使用状況データの収集などをすることもあります。また、開発者の実際の感覚につねに正直であるために、Slack Platformでアプリを構築したり、積極的にほかの人たちのプラットフォームで開発したりするなどして、何が使えて何が使えないかを見極めるようにしています。社内のほかのエンジニアに比べれば私が書くコードが本番環境に移行することはかなり少ないのですが、私はそれで満足しています。

**スタッフプラスエンジニアとしてやった仕事で、その肩書きを得る前なら実行、あるいは達成できなかった仕事があると思いますか？**

私は去年、さまざまなアイデアをあれこれと試してみました。実際にプラットフォームに実装されたものもいくつかあります。それが許されるのは、私が過去にいくつかのプロジェクトを成功させて信頼を得たからなのですが、スタッフプラスの肩書きを得たことで、仕事における自由度がさらに増したと思います。

それがいいことか悪いことかは別にして、以前なら参加できなかった戦略会議や企画会議にも呼ばれるようになりました。もし、あなたがリーダーの観点から「ソーセージがどう作られるのか」を知りたいと思ったことが一度でもあるのなら、本当にソーセージのつくり方を知りたいのかどうかよく考えたほうがいいでしょう。

**実際の開発に携わる時間が減るなかで、現場での仕事がどのように行われているかを把握しつづけるには、どうすればいいのでしょうか？**

私にとって最善の方法は、会社全体のエンジニアたちと定期的に1対1の面談を行い、多くの時間を費やして彼らの話に耳を傾けることです。時間をかけてエンジニアたちと良好な関係を築き、この人になら何でも話せると思ってもらうことができれば、エンジニアリングの現状について多くを学べるでしょう。スタッフプラスエンジニアは従業員の収入や昇進については何の権限ももちません。だからこそ、あなたが聞く耳をもてば、エンジニアたちは率直に話してくれるのです。

**スタッフプラスエンジニアになるのに最も重要だった要素を教えてください。これまで所属した会社、働いた場所、教育などはどの程度あなたのキャリアに影響したのでしょうか？**

私は恵まれていました。コンピュータサイエンスを専攻して、借金も学資ローンもないまま卒業できました。そのおかげで、就職しても、家賃の心配やすぐに次の仕事を見つけなければならない不安などなしに、いつ仕事を辞めてもいい柔軟性を得ることができたのです。その柔軟性を仕事選びにも活かして、どこで働きたいかという問いも戦略的に検討しました。

ほかの人ではそのような選択肢はないことはわかっていますが、私は自分で有意義だと感じられる何か、言い換えれば、私自身が個人的に使って、これは世界にポジティブな影響を与えていると実感できた何かに携わることが重要だと思いました。この選択は正解だったと思います。なぜなら、そのような会社には志を同じくする人たちが集まってきては、方向性を同じくするほかの会社へと移っていくからです。これは実力主義ではありません。重要なのはあなたも含めた専門家のネットワークが構築される点です。私がいくつかの会社に就職できたのは、ほかのみんなと同じようにウェブサイトでの求人に応募したからですが、それだけではありません。それまで何年も話したことがないマネジャーに、私が尊敬し、この人なら私をエンジニアとして尊重してくれるに違いないと思えるマネジャーに、ぶしつけにもメールを書いたからでもあるのです。私たちは時間の使い方に融通の利く業界で働いています。もしあなたが自ら柔軟に選択できる特権ある立場にいながら、自分がやっていることを定期的に評価しないのなら、自分を害していることになります。

そのうちあなたも、新しい職場を見つけたとTwitterに書くだけで、いっしょに仕事をしたことがある人々がその日をカレンダーに書き込むほどのエンジニアになるかもしれません。そして、4年後ぐらいのころあいを見計らって、あなたを引き抜きに来るでしょう。ですが、それほどの大物になるまでは、あなたのほうがもう一度いっしょに仕事をしたいと思う相手にぶしつけなメールを書くしかないのです。

**スタッフエンジニアになるときに、特に役立ったアドバイスはありましたか？**

私がこれまで聞いたなかで最高のアドバイスは、多くの場合、スタッフになる決め手は運とタイミングと仕事の組み合わせだ、というものです。私が個人的に経験したのは次のような経路でした。

1. 上司から暗黙的に信頼され、上司を暗黙的に信頼する良好な関係を築く。自分の望みを上司に直接そして誠実に伝えること。信頼関係を築くには、上司から与えられた課題をうまくこなす必要がある。
2. 上司はあなたを信頼しているので、会社にとって非常に重要なプロジェクトがあると聞けばあなたをリーダーに推薦してくれる。そうでなければ、自分でプロジェクトを見つけたり立ち上げたりして、実行する。
3. プロジェクトを成功に導く。
4. プロジェクトが会社に大きなインパクトを与える。
5. あなたがプロジェクトを成功させて会社に大きなインパクトをもたらしたので、上司はあなたをスタッフに推しやすくなる。

単純な図式なので、どの時点で運とタイミングが必要なのか、説明しなくてもわかるでしょう。もし上司との関係がうまくいっていない場合はどうすればいいのでしょうか？　上司がほかの会社に移ったり、さらに昇進したりした場合は？　たまたま自分が会社の重要案件に関係していない分野に所属している場合は？　プロジェクトがうまくいかなかったら？　プロジェクトは成功したのに、インパクトを残せなかったときは？

どれも起こりえる事態で、すべてに通用するアドバイスを、私は持ち合わせていません。ただ１つ言えることは、絶対に昇進できない状況もある、ということです。自分がそんな状況にいるときは、自分に正直に、だめなものはだめと認めたほうがいいでしょう。その場合、それでも昇進する唯一の方法は今の会社を去ってほかの場所を探すこと。場合によっては、去ってから何年か後により高い肩書きをもって、もとの会社に戻ることもあるかもしれません。ですが、別れた相手とよりを戻すのと同じで、本当にそこに戻りたいのか、うまくやっていくにはあまりにも荷が重すぎないか、しっかりと検討する必要はあるでしょう。

### スタッフエンジニアになったばかりの人たちに、何かアドバイスがありますか？

エンジニアたちは笑い話としてよく「人と話すのが嫌いだからこの職業を選んだ」と言いますが、スタッフエンジニアとしてしっかりと仕事をこなすには、人との会話に多くの時間を費やす必要があります。キャリアの初期では、優れたコードをどんどん書くことに集中すれば昇進できますが、ある時点からは、良好な人間関係に重点を置く必要が出てきます。他人を信頼して技術的な決断を下す自由を与える、人々のモチベーションを理解する、難しいフィードバックを与える方法を学ぶ、論争をするタイミングを見極める――どれも貴重なスキルです。

この人といっしょに働きたいと思われるエンジニアを目指しましょう。もし退職しても、勧誘禁止条項を無視してでもまたいっしょに働きたいと思わせてくれるエンジニアが、どの会社にも数人はいます。あなたもそのようなエンジニアになれば、将来のキャリアで数多くの扉が開くことでしょう。

### エンジニアリングマネジメントの道を進むことも検討しましたか？　もししたなら、マネジメントではなくスタッフエンジニアの道を選んだ決め手は何でしたか？

キャリアがまだ浅かったころ、私はいつか管理職に就きたいと上司に話したことがあります。すると上司はこんなことを言いました。「余計なことを考えるな！　この会社にはマネジメントとICの2本の異なる路線があって、マネジメントの最高位と同等の役職がIC路線にも用意されているから、出世するためだけに管理職に鞍替えする必要はない」。この主張自体は正しいと言えます。ただし、今になってわかるのですがこの言葉ではある真実が省略されています。多くの会社ではマネジメントトラックのほうがエンジニアリングトラックよりも明確に定義されている、という点です。

エンジニアリングのキャリアラダーを上れば上るほど、参考にできる手本が少なくなり、その数少ない手本はどんどん実現不可能なように思えてきます。少し調べればわかるのですが、会社が買収されたときに高い役職を得た、プログラミングの言語やフレームワークを作成した、会社に数千億ドル規模の利益をもたらした、そんな人ばかりなのです。

私の同僚の多くも何らかの理由でマネジメントに路線変更しましたが、おそらく、マネジメント路線のほうが昇進の仕組みがわかりやすくて信頼できるものだというのが大きな理由だと思います。ですが、私はそれを第一の動機にすべきではないと確信しています。カレンダーを開いて、上司のスケジュールを見て、週に何度1対1の面談を予定しているか確認してください。あなたにとって、それは楽しみな予定でしょうか？　コードを書きたいという欲求は単純に白か黒かで割り切れるものではありません。テックリードマネジャーとしてコードを書くこともあるでしょうし、スタッフエンジニアの役職にいながら、プロダクションコードは1行も書かずにほとんどの時間をGoogle DocsやDropbox Paperに費やすケースも考えられます。ですが、私のキャリアでは、誰かを解雇したり、昇進願いを却下したり、業績評価を書いたりする必要は決してありません。私にはそちらのほうが向いています。

## ケイティ・サイラー＝ミラー
## ― Etsy 社のフロントエンドアーキテクト

2020年8月取材。ケイティについての詳細はウェブサイト[139]、Linkedin[140]、Twitter[141]で。

**今の役割について教えてください。役職名は何でしょうか？　会社は？あなたはチームを率いてどんなことをやっているのでしょうか？**

私はEtsyというハンドメイド製品の販売者が集う場所としては世界最大のオンラインマーケットで働いています。販売者は私たちのサイトを通じて世界の人々にアイテムを売りに出すことができます。商品を大量に陳列する個性のないディスカウントショップとは違って、本当にユニークで特別な、とりわけ手作りの商品を提供することに力を入れています。

今のところ、私は「フロントエンドシステム」と呼ばれるチームに所属しています。言い換えればプロダクトインフラストラクチャのチームで、フロントエンドアーキテクチャを担当しています。具体的にはPHPのViewレンダリングフレームワークなどが含まれます。私自身はそうした仕事に特に深く携わっているわけではありませんが、チームはよく頑張っています。私個人は、ここ数カ月はウェブパフォーマンスに力を入れています。モニタリングおよびレポーティングシステムの改善、改善余地のある領域の特定、パフォーマンス問題に取り組むプロダクトチームのサポートなどを通じて、パフォーマンス全般に関するアドバイザーとして働いています。

私の考えでは、多くの企業がウェブパフォーマンスにほとんど力を入れていません。私がEtsyに入社したころは、ララ・ホーガンのような人々のおかげで優れたパフォーマンス文化があったのですが、数年前に組織改革があってパフォーマンスチームがなくなったのです。私は、この会社は現状の成功に満足して、ウェブパフォーマンスに対する関心を失ってしまったと思いました。そして今、もう一度ウェブパフォーマンスを最前線に戻すことに決めたのです。特にSEOに関して“優れた”パフォーマンスの定義と測定法が最近になって大幅に見直されてきたからです。とりわけGoogleが、企業が検索ランクを上げるために重視すべき基準として、ウェブパフォーマンスに本当に力を入れています。つまり、小売業者にとって特に重要な分野なのです。

**あなたの会社では、“普通の”スタッフプラスエンジニアはどんなことをしていますか？　あなたの仕事も同じようなものですか？　それともまったく違いますか？**

スタッフエンジニアの役割について考えるときに興味深いのは、エンジニアが“上級”になるには２本の道があるのに、どちらの場合も「スタッフエンジニア」という１つのバケツに押し込む点です。ですが、実際にはバケツは２つあるのです。

１つは自分の専門分野で熟達して専門家になり、テックリードの役割を担ってチームや会社の技術アプローチやロードマップの推進力になる人々。そしてもう１つは、活動範囲と関連分野を広げて全体的な問題について考え、複数のチームにまたがって実行されるシステムやプラクティスの創造を後押しする上級エンジニアです。この２つ目のバケツを、私はアーキテクトとみなしています。アーキテクトは特定分野の専門家ではないという意味ではありませんが、特定チームのために働くテックリードよりも、アーキテクトのほうが影響範囲が広いのです。

Etsyには上級職としていくつかのレベルが設定されています。シニアエンジニアIとII、スタッフのIとII、そしてディレクターレベルに相当するシニアスタッフです。私は、形式上はスタッフエンジニアIIで、自分でもそれが妥当だと思っているのですが、特にフロントアーキテクトとしての役割を担っています。つまり、私のチームの活動のみに責任を負うのではなく、Etsyがフロントエンドで行うことすべてを監視する任務を負っています。これから先どうなるだろうか？　どの問題を解消しなければならない？　どうすれば問題をなくすことができる？　などといったことを考えながら、会社全体をそこにもたらすための技術的なアプローチを提案するのです。

**アーキテクトとして、ソフトウェア開発に多くの時間を費やしていますか？**

おかしな話ですが、ええ、そのとおりです。私はフロントエンドアーキテクトですが、最近はデータを分析することがとても多いため、もっぱらSQLを書いています。パフォーマンス指標を用いて改善すべき領域を見つけ、どの問題を解消すれば、パフォーマンスと事業の数値を上げるのに最も効果的であるかを見極めるのです。たまにJSやPHPを少し書くことがあるとしても、それはあくまでチームの障害物を取り除くためや、ちょっとしたパフォーマンス実験をするためだけです。あるいは、何か重要な問題が見つかって、ほかの人々にはそれに対処する時間がないときぐらいでしょう。

コードを書くスピードは間違いなく衰えましたし、カレンダーがミーティングで埋まるにつれて、コーディングに集中する時間を見つけるのも難しくなりました。ですから、これ以上コードを書くのは無理です！　そこで、機会のある分野を特定し、それを私のあるいはほかのチームが行うべき仕事として売り込むことに重点を移すことにしました。

### 日々、どのように時間を使っていますか？

半分がミーティング、残りの半分は日によって大きく異なります。コードを書いて過ごすこともありますし、SQLで大量のデータを分析することもあります。Slackでさまざまなチームや役割の人々と交流することも多いです。ときには、私のもとにプロジェクトが舞い込んできて、ほかのチームから彼らの仕事内容を説明してもらったり、彼らのやり方を変えるよう説得したりするためにミーティングの頻度がぐっと上がることもあります。時間の使い方は一定していません。

### どうやらスタッフプラスエンジニアの多くは自分の仕事を自己評価するのに苦労しているようです。あなたは自分のインパクトをどうやって測っていますか？

私自身、この問題には本当に頭を悩ませています。私はつねにたくさんのプロジェクトや議論に携わっていて、新しい情報がどんどん入ってきて1つのことに集中しにくいので、しっかりと意識して日々の仕事や、あるいはメモを整理しなければなりません。自分にできることを見極め、そこからその日のうちにやっておくべき最もインパクトがある、あるいは最も重要な項目を選ぶよう努めていますが、これがじつに難しいのです。

アーキテクトの役割を担うようになって初めて気づいたのですが、以前の私はJira Softwareを使ってチケットを「完了」コラムに移すことで、自分が担当する仕事が完了したと自分自身で確認するというやり方に完全に依存していました。ですが今の私の仕事には、そのようなチーム向けのやり方は適していないので、自分専用のToDoリストをつくるしかありません。現状のところ、その仕組みはまだ発展途上にあります。

間違いなく役に立つのは、ミーティング、メール、Slackのディスカッションなど、毎日実行したさまざまなタスクをすべて記録することです。上司とともに私の四半期目標をチェックするときに、その記録のすべてを読み返すことにしています。そうすることで、パフォーマンス問題に苦しむエンジニアたちを6回サポートすることができたとか、このチームには新機能に関して軌道修正を促すことができたとか、私があのエンジニアたちに与えたフィードバックが実際に役に立った、などということに改めて気づけるのです。どれも、その瞬間には気づかないような小さなことなのですが、のちにまとめて俯瞰するとかなりのインパクトがあることがわかります。

### どのようなときに、スタッフプラスエンジニアとして最もインパクトを感じますか？

それまでまだ対処されていなかった新しい問題や特異な障害を見つけて、それらの解決ために先例のないアイデアを思いつき、優秀な仲間たちがそのアイデアにもとづいてすばらしい何かを生み出すとき、この仕事をやって本当によかったと思えます。このプロセスは、このチームはXができない、あのチームはYがうまくいっていないなど、人々の仕事からたくさんのインプットを得ることから始まります。次にインプットのすべてと自分の経験、そして業界全体で起きていることなどを頭のなかでミックスしてしばらく寝かせておきます。するとそのうちピンとくる瞬間があって、問題の本当の原因がZであることがわかり、本当に難しい問題を解決する計画が思い浮かぶのです。

このプロセスの例として、私がアーキテクトの役割を担うことになる前の話をすると、私のチームは「Design System」のコンポーネントを担当していました。各コンポーネントのマークアップやテンプレートのための統一ソースがなかったため、共有コンポーネントの変更や修正はとても困難な仕事でした。全社員が同じテンプレートファイルを使うのではなく、それぞれがHTMLをあちこちにコピーアンドペーストしていたのです。そのためコンポーネントの各部分がさまざまな場所―― JavaScript コード、Mustache テンプレートエンジン、PHP ロジックなど――に拡散していたので、あるコンポーネントに変更を加えなければならなくなった場合、アップデートが必要な箇所をすべて見つけるのがとても難しかったのです。

そこで私はこう考えました。もし、私たちのカスタム PHP フレームワークを拡張して、全コンポーネントを代表する Mustache 内でテンプレートブロックの再利用を可能にしたら、React アプリケーションでできるように、コンポーネントを容易に組み合わせられるのではないだろうか、と。私は調査を行って考えが正しいかを検証し、プロジェクトの企画を書き、それをチームに提示しました。チームはその提案を実際に受け入れてコンポーネントシステムをサポートするインフラストラクチャを構築しました。するとそれが、私がそれまでつくってきた何よりもはるかに優れていて、堅牢でもあることがわかったのです。

私が本当に楽しいと感じたのは、問題を特定し、その解決策について独創的に考え、アイデアを売り込み、その実行のために人々を鼓舞したことでした。

### フロントエンドの仕事に従事する人も、開発者の生産性支援やインフラストラクチャを担当する同レベルの人と同じぐらい会社にレバレッジを生み出すことができますか？

はい、間違いなくそうでしょう。ただし、個人的には数人しかフロントエンド専門のスタッフエンジニアを知りませんし、スキルセットとしてのフロントエンドは、業界内ではまだ正当に評価されていないと思います。私はラッキーでした。Etsy のように「フルスタックエンジニア」を積極的に受け入れる会社に入ることができたのですから。私はコンピュータサイエンスを学び、包括的な開発技術を理解し、身につけていたのです。ですが実際のところ、私の情熱と視線はフロントエンドに向けられていました。なぜなら、フロントエンドこそ、ユーザーが目にするものだからです。私たちは貴重なスキルとユニークな考え方をもっています。ですから、もっと多くの会社がフロントエンドの価値を認めることを望んでいます。

スタッフエンジニアになるという点に関して言えば、優れたスタッフエンジニアになる資質は携わるスタックに左右されるものではないと思います。

結局のところ、スタッフエンジニアはエンジニアリングに関する意思決定を一連のトレードオフとして考える必要があり、そのようなトレードオフを正当化する能力はスタックのあらゆる観点から習得可能なスキルだからです。

また、私の考えでは、スタッフエンジニアは自分の専門分野に隣接する事柄についても広く知っておくべきでしょう。私はフロントエンドに携わっていますが、マーケティング、ビジネス目標、ユーザーエクスペリエンス、ビジュアルデザイン、サーバーのビューやビジネスロジックレイヤー、ブラウザへのコードの送信方法、コードを受け取ったブラウザがそれをウェブサイトに返す仕組み、ユーザーによる操作なども理解するように努力しています。さまざまな分野の知識を得ることで、私にとっては、技術的な決断を下すのが容易になり、その際のトレードオフをよりよく理解できるようになるのです。

特に、ユーザーの考えを理解することはすべてのエンジニアにとって重要なスキルです。この点はインフラストラクチャや開発者支援を行う会社の多くで過小評価されているようです。そうした会社は、自分たちのプロダクトにユーザーがいることを理解していないのです！　私はフロントエンドインフラストラクチャ部門で働いていますが、自分たちをプロダクトエンジニアとみなすことにしています。私たちがつくっているのは、ほかのエンジニアが使うシステムというプロダクトなのです。つまり、私たちには顧客が、ユーザーがいるということ。私たちが構築したシステムのためにAPIをデザインするということは、ユーザーのためにAPIをデザインするということですから、そのためにはユーザーを、つまりこの場合はプロダクトエンジニアをよく知らなければなりません。

この意味で、個人的にはフロントエンド関係者はスタッフエンジニアに向いていると思います。ユーザーについて考え、ユーザーがプロダクトをどう使うかをつねに意識することに慣れているからです。ユーザーの理解はフロントエンド関係者が有する特殊能力だと言えます。

### 自ら開発に携わることが減ってからも社内の開発現場に関する理解と認識を維持するために、何をしていますか？

ネットワークづくり、ネットワークづくり、ネットワークづくり、ネットワークづくり。私は完全にリモートで働いているので、1対1の対話の機会を設けることが特に重要になります。まあ、今では誰もがリモートで働くようになりましたが、まだ完全には分散していないチームでリモートワークを成功させるには、話しかける相手を本当に深く知り、たくさんのチームやたくさんのグループと関係を結んで、そのネットワークを確実に利用する必要があります。

幸いにも、Etsy には従業員リソースグループ（ERG）がいくつかあって、全社の職員を結びつける活動を行っています。私は通称 MAGIC と呼ばれる「テクノロジー分野における性同一性の標準から外れた人々」の ERG で積極的に活動しているのですが、すばらしいことに、そこにはエンジニアリング部門のあらゆる分野から人が集まってきます。リモート従業員のコミュニティにも同じことが言えます。私はキャリアの浅い人々に指導を与える機会を増やし、定期的に面談を行い、ネットワークの拡大を促すために Slack のディスカッションに参加するよう努めています。そうすることで、会社全体でどんなことが起こっているのか、よりよく知ることができるからです。また、私たちにとってはプロダクトエンジニアが顧客ベースであるため、プロダクトエンジニアリング全体のエンジニアたちと話をするように心がけています。

私が改善に取り組んでいる点を挙げるとすれば、マネジャーたちとのつながりでしょう。これまでずっと、私は「管理職ではない上級専門職」のネットワークをうまくつくってきたのですが、最近の数カ月ではそこにエンジニアリングマネジャーを加えてネットワークを拡大することに力を入れています。私のやっている仕事は頻繁に「権限のない影響力」を必要とします。私自身が決断するのではなく、ほかの人々が下す決断に影響を与えるのです。そして、多くの場合で最終的な決断を下すのがマネジャーたちなのです。

### ほかのエンジニアをスポンサーとして支援したことがありますか？　あなたの役職では、ほかのエンジニアに対するスポンサー活動が重視されますか？

私は運よく Etsy で数年間ララ・ホーガンといっしょに働く機会があって、スポンサーシップについてたくさん学ぶことができましたし、テクノロジー業界に携わる女性として、私自身スポンサーシップから多くを得ることができました。ですから、スポンサーシップはとても価値のあることだと思っています。そして、かなりの時間とエネルギーを後継者の育成に費やしています。

1年半ほど前、私ともう1人のスタッフエンジニアであるアンディ・ヤコ＝ミンクは、次のいずれの実行手段もまだ存在しないことに気づきました。各プロダクションチームがどんな仕事に取り組んでいるのかをプロダクションチーム同士で情報共有する優れた方法も、プロダクトインフラストラクチャに携わる各種チームを結びつける仕組みも、なかったのです。この点を改善するために、私たちは毎月ミーティングを行うことを提案し、それをプロダクトエンジニアリング懇談会と名付けました。誰もが自由に疑問を持ち寄り、作業について話し合い、成功を祝い、そして私たちインフラ仲間に仕事内容を教えるための場です。

まったく予想していなかったのですが、この懇談会がスポンサーシップにとっても貴重な機会になってくれました。毎月、アンディと私は彼らの仕事について理解しなければなりません。社内のより多くの人々に知ってもらうためです。どんな実験が行われて、どんな興味深い結果が得られたのだろう？

みんなが知るべきすごいことをしたのは誰？　そして、そのようなチームのエンジニアたちに「懇談会であなたが取り組んでいる仕事について話して！」と声をかけるのです。発表自体は気楽なものです。5分で十分。とてもざっくばらんなのですが、それでも人前で話す経験を集めるには最適な場所です。

この仕組みを導入して以来、懇談会で発表したあとに、全社集会や地域での会合でプレゼンテーションを行った人も何人かいます。懇談会で話した内容を拡大して、大型のカンファレンスで講演をした人も、少なくとも1人知っています。また、自分のプロモーションパケットにリーダーになる力があることを示す証拠として懇談会での発表を挙げた人もいたそうです。私は本当にうれしく思いました！

**あなたは今の会社でスタッフエンジニアの肩書きを得ました。その地位に昇進するまでの経緯を教えてください。**

私はシニアエンジニアとして採用されて入社しました。今ではスタッフエンジニアを直接採用するようにもなりましたが、当時はそのようなことはしていなかったのです。Etsyに入る前も10年ほど同じ業界で会社を転々としていましたが、どこもさほど名の通っていない小さな会社ばかりでした。

Etsyに入社する前の5年間はフロントエンド・テックリードとして働いていました。そのため、メンターあるいはリーダーとしての役割を担う下地は十分にできていたと思います。すでに多くの時間を経営陣あるいはプロダクトおよびデザイン部門と密接に連絡を取りながら働いていましたし、ロードマップやその実行にも精通していました。要するに、テックリードの仕事はそつなくこなせていると自覚していました。

ところがEtsyに来て、私の守備範囲は以前よりもさらにぐっと広がったのです。エンジニアリング部門は、私が以前働いたどの場所よりもはるかに巨大でした。小さな会社のそれとはまったく違う、大会社での働き方をたくさん学ぶ必要があったのです。とりわけ、データの見方をもっと深く学ぶ必要がありました。実験のフレームワークを理解するために、基礎統計学を学習しなければならなかったほどです。

その一方で、入社してすぐに、改善できる点を絶えず探しました。そして、こう言うのです。「ねえ、みんな。今はやっていないけど、これをやるべきじゃないの」。たとえば、みんなとても古くさい方法でデザインシステムのJavaScriptコンポーネントを書いているのに気づきました。だから、「そのためのフレームワークと標準モデルをつくったほうがいい」と言いました。本当にささいで、私にとっては当たり前のことだったのですが、チームの働き方にとっては大きな改善につながりました。私の考えでは、問題の存在に気づき、それをほったらかしにするのではなく、積極的に解消しようとするのが、スタッフエンジニアになるのに必要な素養だと思います。

私の場合、Etsyに入社してから2年がたたないうちにスタッフエンジニアに昇進するチャンスが来ました。そのころ、私の直属の上司が替わったばかりで、新しい上司は私の経歴を知りませんでした。そのため、私たちはとても密に協力しながらプロモーションパケットをまとめました。私はマネジャーが主導する昇進とICが主導する昇進の両方についてさまざまな経験談を聞いていましたので、自分の昇進プロセスに大いに関与することができて、とてもよかったと思っています。特にリモートで働いている場合、よほど自分で積極的に動かないと、業績の多くが誰にも気づかれないままになってしまいます。Slackやプルリクエストやドキュメントは、マネジャーが主戦場にしている場所ではありませんから。昇進プロセスでは、どんな場合も本人が最高の支持者になるべきですが、リモートで働いている人にはこの点が特に当てはまります。自分の業績を人に知ってもらうことに、かなりの努力を費やさなければなりません。

**スタッフプラスエンジニアになるのに最も重要だった要素を教えてください。これまで所属した会社、働いた場所、教育などはどの程度あなたのキャリアに影響したのでしょうか？**

要素のいくつかは、もうすでに指摘しました。創造力、積極性、共感などです。まだ詳しく話していない要素としては、コミュニケーションと透明性が挙げられるでしょう。スタッフへの昇進では、自分の仕事を目に見えるようにすること、人々に名前を知ってもらうこと、そして高い名声を得ることが重要になります。

私はフロントエンドインフラストラクチャの開発チームに入れて幸運だったと思います。この仕事では、エンジニアリング部門のあらゆる人に自分たちのやっている仕事を説明するメールを頻繁に書く必要があるからです。そのため、認知度は自然と高まります。ですが、インフラストラクチャの仕事では、質問するために、あるいは問題の解決法を求めるためにあなたのSlackチャンネルにやってきた人たちをサポートすることも重要になります。いわば、カスタマーサービスです。じつは、私は以前サービス業界で数年間働いたことがあるのです。その後、大学へ戻ってコンピュータサイエンスで学位を取りました。ですから、今の仕事でも機会があるたびに、当時カスタマーサービスについて学んだ教訓を活かそうとしています。具体的には、オープンに、謙虚に、人々のニーズをしっかりと聞き、理解することです。心からサポートしようとする態度は、相手に伝わるものです。

**一部の企業はスタッフエンジニアの育成に特に秀でていると思いますか？**

Etsy以外の会社でスタッフエンジニアがどう働いているのか知らないので、正直なところ、私の考えはとても偏っています！　Etsyは技術的な才能を評価する社風が強く支配していることに加えて、潔白さを尊び、大きな世界で善なる行いをしたいと願う文化があるため、スタッフエンジニアの育成に長けていると思います。だからこそ、Etsyでは賢くてしかも親切な人々が働くようになったのです。知性と謙虚さはすばらしいスタッフエンジニアの条件だと言えます。こうした環境が整っているため、優れたロールモデルが生まれ、そのロールモデルを手本にして昇進しようとする人が出てくるのです。ですから、Etsy で働いている、あるいは働いたことがある人々の多くが、スタッフエンジニアの優れたモデルになっていると思います。

その一方で、世間にはたくさんの名の知られていない小さな会社があって、そこでもスタッフエンジニアと同様の働きをしているすばらしい人々がいることを忘れてはなりません。彼らはスタッフエンジニアという肩書きこそありませんが、技術系のリーダーとして認められている存在です。多くの会社では、技術で強いリーダーシップを発揮した人はマネジャーになります。スタッフエンジニアのような役職が存在することを知らないケースも多いでしょう。大企業ではスタッフという肩書きにこだわることもできるでしょうが、キャリアにはさまざまな形があることを忘れてはなりません。

### スタッフエンジニアになるときに、特に役立ったアドバイスはありましたか？

スタッフエンジニアになれば自分の仕事を自分で管理でき、誰もがあなたに従い、あなたが望むことをするようになると考えるのは間違いだ、という教えこそが、私がこれまで受け取ったなかで最高のアドバイスであり、私もこの教訓をほかの人に伝えるように努めています。事実はまったく逆なのです！　誰もが長い時間をかけて「昇進する」という具体的な目標を追いつづけるのですが、いざスタッフエンジニアになってみると、突然すべての見通しが悪くなり、曖昧になるのです。はっきりと定義された問題を解決してきた人が、対処すべき問題を見つけ、人々にその問題を解消することは重要だと説得する責任を負うようになるのです。それまでのキャリアとはまったく異なる困難に直面することになります。

### スタッフの役職を得ようとする人に、何をアドバイスしますか？

私は２回スタッフエンジニアにノミネートされて落選しました。３度目の正直で昇進できたのです。その決め手になったのは、重役のなかに力強いスポンサーを得たことです。ですから、私のアドバイスは、重役や副社長などと頻繁に顔を合わせてネットワークを築くこと。なぜなら、彼らこそ、あなたの昇進の是非を決める会議に出席する人々だからです。あなたの同僚や直接の上司ではありません。だから、決断に直接関与する人々にあなたの名前と仕事を知っておいてもらうべきなのです。昇進会議で「ああ、この候補者は例のプロジェクトでエンジニアリング部門全体にメールを送っていたな」とか、「この候補者がSlackで人々の質問に答えているのを何度も見たことがある」とか、「これ、例のカンファレンスで講演をしていた人物か？」などと思ってもらえればこっちのものです。

人々、特に女性やノンバイナリー系の人が私にアドバイスを求めてくるとき、たぶんテクニカルリーダーとして成長する方法を知りたいのだと思うのですが、私は「おそらくあなたにはもう技術的な力はあるのだから、社内で名声を高めることに取り組みなさい」と言ってみんなを驚かせます。よかれあしかれ、評判がよくない者はスタッフになれないのですから。人々は、この社会が実力主義だと望んでいる、あるいはそう期待していると思いますが、実際には実力主義ではありません。スタッフレベルの役職を得るには、実力以外にもたくさんの要素が必要なのです。

**上級職になればなるほど顕著になる不確かさや曖昧さには、どう対処すればいいのでしょうか？**

何かを追っているとき、会社に利があるからではなく、個人的に興味があるからそうしているだけではないのかと問い、その真偽を見極める感受性を養うことが大切です。これは、場合によってはとても難しいことです。自分のお気に入りを捨てて方向転換し、新しい何かに取り組まなければならなくなるのですから。自分のアプローチがうまくいかないときには、そのアプローチにこだわってはいけません。

私はダン・ナが摩擦を乗り越える方法について語った講演[142]に感銘を受けました。テクニカルリーダーとして成長する際に誰もが経験するテーマを扱っていたからです。私は「権限のない影響力」という考え方にとても興味があります。なぜなら、スタッフエンジニアは人員配置や財務を決定する権限をもっていないにもかかわらず、チームや会社が何をすべきかを理解し、その目標に向けて人々を組織し、仕事をやってもらう方法を見つけることが仕事だからです。かなりの粘り強さが必要になりますし、物事を前に進めるには、いわば“技術以外の”スキルを大量に投入しなければなりません。

## どんなリソース（書籍、ブログ、知人など）を学習に用いましたか？　あなたにとって、誰が手本になりましたか？

ここまですでにたくさんの名前を挙げました。特に強調するなら、ララ・ホーガン[143]とダン・ナ[144]でしょう。ジュリア・エヴァンス[145]のやることなすことが気に入っていますし、あるプロジェクトで彼女に協力できて本当にラッキーでした。リン・ダニエルズ[146]はEtsyブログでキャリアの前進について多くを語っています。バリバリ働く母親であり、テクニカルリーダーとしても尊敬されているターニャ・ライリー[147]からもたくさんの刺激を得ています。フロントエンド界隈で、私が大いに影響を受けている人はたくさんいますが、例としてニコール・サリヴァン[148]、ジェン・シモンズ[149]、イーサン・マーコット[150]を挙げることができます。書籍のお気に入りはカミーユ・フルニエの『エンジニアのためのマネジメントキャリアパス』[151]です。私は管理職に就いたことがなく、マネジメントはまったく見知らぬ土地ですので、マネジメントの世界について洞察を与えてくれる書籍はとても役に立ちます。スタッフエンジニアは人事権のないマネジャーみたいなものですから。

## リトゥ・ヴィンセント
### — Dropbox 社のスタッフエンジニア

2020 年 3 月取材。リトゥについての詳細は Linkedin[152] で。

**今の役割について教えてください。役職名は何でしょうか？　会社は？あなたはチームを率いてどんなことをやっているのでしょうか？**

私は Dropbox でスタッフエンジニアをしています。以前、Dropbox でスタッフエンジニアとして働いていて、ある別のスタートアップに加わるために退社したのですが、数カ月前にまた戻ってきたのです。社内インキュベーターを立ち上げるという興味深い機会があったのがその理由です。社内におけるイノベーションを促すために働いています。Dropbox はファイル同期サービスとして力強いブランドになりましたが、競争も激しくなってきました。そこで、ほかのプロダクトに拡大する必要が生じたのです。このインキュベーターは CEO と直接連携しているとても小さなチームです。

Dropbox で過ごした時間が長いので、私は数多くの人と親密な関係を築いています。彼らが私をこの興味深い役職に推してくれたのです。また、2年ほど管理職をしていたので、コードを書くのに少しためらいを覚えていました。こうしたことすべてを考慮して、Dropbox に復帰することに決めました。

Dropbox のインキュベーターには 2 つの側面があります。

1 つ目は伝統的なインキュベーターで、全社のエンジニアがアイデアを売り込み、資金を得てプログラムに参加し、プロダクトマーケットフィットやそのほかの進展を示すことで、さらに数カ月分の資金を得ることができます。そうやってプロジェクトを成功させ、それをのちに独自のビジネスにまで発展させることが目標になります。ただし、私たちは初期段階にあるので、まだそこまで進んでいません。

2 つ目の側面を構成するのはインキュベーター専属のエンジニアです。彼らはインキュベーター内部でさまざまなアイデアを生み出し、かなり自由に活動します。私はこの常任の“スカウトチーム”に所属する 2 人の 1 人で、来年にはチームを拡大する予定です。以前経験してきたものとはまったく違う仕事なのですが、だからこそ、やろうと思えたのです。私にとって、大きなパラダイムシフトでした。正直なところ、この数カ月は楽しいと思えた反面、欲求不満を感じる場面も多くありました。数多くの新しいアイデアを迅速に試すことが活動目的なので、わかりやすく成果を測ることができないからです。試すアイデアの多くはボツになるのですから。成果というものをもっと長い目で捉えるように考えを改める必要がありました。大切なのは、今日何ができたかではなく、将来の会社に好影響を与えることができたかどうかなのです。

### あなたの会社では、スタッフプラスエンジニアはどんなことをしていますか?

Dropboxのスタッフエンジニアには2つの種類があると言えます。1つはチームのために数多くの調整やデザインワークを行い、プロジェクトを推し進めるために時間を使うテックリード。もう1つは何かに特化したスペシャリストです。

私が最初にスタッフエンジニアになったときは、テックリードとしての働きが求められていました。18人のチームを率いて18カ月におよぶプロジェクトを推進したのです。そのプロジェクトには数多くの依存関係が含まれ、やっかいな部分がたくさんありました。プロジェクトにまつわるコミュニケーションを管理し、メンバーの成長を促しながらプロジェクトを完了に導くために、細部をチーム内でどう分配するべきかに気を遣いました。

一方、スペシャリストは、たとえばPython開発者のグイド・ヴァンロッサム[153]のように、特定分野に深くかかわります。スペシャリストは本当に複雑なプロジェクトを引き受け、自分の力で実行します。そこには、ほかの誰にもできないようなプロジェクトも数多く含まれます。数的には、テックリードよりもスペシャリストのほうが少なくなります。

### スペシャリストは外部から採用されることのほうが多いのでしょうか?

グイドやML(機械学習)チームの経験豊かな人々のように、業界からやってきたスペシャリストもいますが、スペシャリストの多くは社内で育った人たちです。この点は、Dropboxではそうした役職の設置が比較的遅かったため、社員にテクノロジーの理解を深める時間が多くあったことと関係していると思います。

## 日々、どのように時間を使っていますか？

インキュベーターにおける今の役職では、一日ずっとプロトタイピングに携わっていますが、以前テックリードだったころはさまざまな仕事をしました。

コードも書きましたが、あまり多くの時間を費やすことはありませんでした。おそらく、仕事時間の20パーセントぐらいだったと思います。私はデスクトップクライアント分野のテックリードで、プロジェクトの調整や誘導に多くの時間を使いました。また、採用部門との連携にも多くの時間を費やしました。それが求められていたからではなく、個人的に興味があったからです。

たとえば、専門職の面接方法のデザイン、面接後の評価会議の司会、候補者の選別などにかかわっていました。多様性（ダイバーシティ）運動にも積極的に携わりました。その延長線上で、これまでのキャリアで何度かマネジメント職に挑戦したのです。組織の成長に関与するのが楽しいと感じたからです。

## どのようなときに、スタッフプラスエンジニアとして最もインパクトを感じますか？

Dropboxのエンジニアリングレベルの大幅な刷新に取り組んだことに、私は大きな誇りを感じています。2017年、私はエンジニアレベルの刷新に取り組むために選抜された数人のICに含まれていました。ほかの選抜者は、ほとんどがディレクターやマネジャーでした。そうやって刷新されたキャリアラダーはエンジニアリングとプロダクトとデザインにかかわるDropboxの全社員に影響を与えたので、私はこの仕事に誇りをもっています。

このプロジェクトは、会社の成長に伴って役職や責任がどう変わるのかについて深く考える機会にもなったので、この意味でも本当に興味深かったです。私たちはさまざまなバックグラウンドをもつ人々を集め、全員に健全な形で報いたいと願いました。普通の日々の仕事とはまったく違う責任を負うことになって、私も自分のコンフォートゾーンから大きく踏み出す必要がありました。

自分のスタッフプロジェクトにも誇りをもっています。このプロジェクトは技術的に見て、本当に複雑でした。チームメンバーの成長を促す機会として、私に託されたプロジェクトでした。数年後、会社を去って行ったエンジニアたちが私にメールで、そのプロジェクトを通じて自信がついたとか、たくさんのことを学んだなどと教えてくれました。

テックリードになっても私の負担は増えないと上司から教わったのもこのプロジェクトでした。初め、私は「全体を20に分割して、18を人に任せ、最も難しい2を自分で」と考えていたのですが、上司が最も難しい部分をチームにやらせて彼らを成長させるように私を説得したのです。

### テクノロジーやプラクティスやプロセス、あるいはアーキテクチャの変更を提唱することがありますか？

テックリードとして働いていたころには、変化を提案することはよくありました。さまざまな、ときには自分の専門外のアーキテクチャや技術の討論にも加わりました。みんなが私の直感を信じてくれたからです。技術的な勘に優れているのにスタッフエンジニアの肩書きをもたないエンジニアはたくさんいます。その勘を信用させるには肩書きが必要なのです。

私自身は、プロジェクトを担うチームが、そのプロジェクトに関する最終決断を行うのが理想だと思います。ですから、私は自分の考えが“正しい”と確信しているときは、チームに「これが正しい決断だ」と伝えるのではなく、チーム自らがその決断に到達できるように誘導することを心がけています。

### ほかのエンジニアをスポンサーとして支援したことがありますか？　あなたの役職では、ほかのエンジニアに対するスポンサー活動が重視されますか？

私は自分のことをスポンサーだとみなしています。自分で実行して何かをつくることにもやりがいを覚えますが、人々の成長を手助けするのも大好きです。私が非公式に支援したり、プロジェクトで手を貸したりした人が何か大きなことをやってのけると、本当に誇りに思います。

多くの人が、私をスタッフエンジニアとして、特にスタッフエンジニアの称号をもつ女性として、手本にしていることを実感しています。マネジメントのキャリアパスに比べれば、エンジニアリングにはそのような目標となる存在が少ないので、私はコーディングに没頭するのではなく、ロールモデルとしても責任を果たすように努めています。コーディングに没頭しても私自身は満足できると思うのですが、ほかの人々、特にインポスター症候群の人々の役に立ちたいと思うのです。

私のもとには「次のステップをどう踏めばいいのかわからない」とか「スタッフエンジニアになる方法がわからないので、マネジャーになろうと思う」と言う人がたくさんやってきます。そんな人に、自分のキャリアパスを見つける手助けがしたいのです。そうした疑問をもつ人の頼れる存在になることは、スタッフエンジニアの大切な仕事の1つだと思います。

**以前はできなかった、あるいはしようと思わなかったのに、スタッフプラスエンジニアになってできるようになったことはありますか？**

肩書きなしではできなかったことはないと言えますが、肩書きが自信を与えてくれたのは事実です。肩書きだけでなく、誰もがインポスター症候群に苦しんでいると気づいたことも、自信につながりました。私がこれまでいっしょに働いたなかで最も自信のあるエンジニアだと思う人が、そう気づかせてくれたのです。私にとって転換点となったその会話で、インポスター症候群について話しました。するとその人はこう言ったのです。「私だって自分のやることなすことに疑問を覚える。家に帰って、その日言ったことに、ばかなことを言ってしまったのではないかと、くよくよ思い悩む」と。

その会話で考えが変わり、そこに肩書きが加わったことで、私はスタッフエンジニアとして自分を信じられるようになりました。その結果、より困難なプロジェクトを、あるいはより多くのプロジェクトを上司に求める自信がついたのです。

**Dropboxでスタッフエンジニアになるまでの経緯を教えてください。**

私がDropboxに入社してしばらくして、追加の役職が設定されたのです。最初のキャリアレビューでは、ごく少数のエンジニアにのみスタッフの役職が与えられました。そのころはまだ、役職間の調整が定まっていなかったのです。2回目のレビューシーズンで、私はスタッフの肩書きを得ました。

そのときまで、私はしばらくテックリードとして活動していて、上司も私も、私にはスタッフレベルでやっていく資格があると感じていました。レビューサイクルの前に、新しいキャリアレベルの定義に隙間がないか確認する必要がありましたが、全体としてはスムーズな昇進でした。

### スタッフプラスエンジニアになるのに最も重要だった要素を教えてください。

私の場合は、認知度が間違いなく重要な要素でした。エンジニアとしての通常の仕事以外にたくさんのことをやっていたのが、認められたのでしょう。

たとえば、ある夏にはインターンプログラムを実行して、採用部門を援助しました。そのプログラムでは、さまざまなチーム内のメンターに協力しました。Dropboxには巨大なインターンクラスがあるため、結果として、会社全体に私の存在が知れ渡りました。雇用に関与したことも役に立ちました。毎月何度も雇用候補者のレビュー会議の司会をしたり、雇用調整の議論を促したりしていると、エンジニアリング部門のすべての人と交流することになります。また、オンボーディングでも、新入社員たちにコアエンジニアリングについてプレゼンテーションを行いました。

スポンサーを見つけることは間違いなく重要です。私は直属の上司との関係は申し分なかったですし、その上の上司ともすばらしい関係を築いていました。それが大いに役立ったと思います。

### そうした、「グルーワーク」などと呼ばれる接着剤としての仕事も、正しく評価されましたか？

Dropboxでは、この種の仕事がとても尊重されています。とりわけ採用関連の仕事に、経営陣も、かなり上級のエンジニアの多くも関与していて、もはやグルーワークとして認識さえされていませんでした。ですが、それをやったから私がスタッフになれたわけではありません。大切なのは、文化的なインパクトと技術的な強さの証明の適度なバランスを見つけることです。

**スタッフエンジニアになるには「スタッフプロジェクト」を成功させなければならない、という考えが広まっています。あなたはスタッフプロジェクトを実行しましたか？　それはどんなものでしたか？**

明確に期待されているわけでも、正式な要件としてどこかに記載されているわけでもありませんが、昇進するにはスタッフプロジェクトを完遂する必要があると考えられています。私自身、本当に強力なプロジェクトの経験なしにスタッフレベルに昇進できるとは思えません。そのようなプロジェクトは複数人が関与し、当該エンジニアはテックリードの役割を務めるのが普通です。

私はスタッフプロジェクトを受け持ちました。当時、初期の Dropbox は人々がダウンロードして自分のマシンにインストールするコンシューマー向けのプロダクトでした。Dropbox for Business をローンチしたとき、個人用アカウントとビジネス用アカウントを同時に使えるように、要するにいちいちログアウトとログインをしなくても両アカウントを切り替えられるようにしてほしいという要望がありました。最初の実装コードをかなりの短期間で書かねばならず、また2つの Dropbox プロセスを実行する必要もありました。

1つは個人アカウント用の、もう1つはビジネスアカウント用のプロセスです。単一の Dropbox プロセスで複数のログインユーザーを処理できるようにするのが、私に課せられたスタッフプロジェクトでした。そのプロジェクトは、カーネルからユーザーインターフェースにいたるまでプロダクトのあらゆる部分に関係していたため、簡単な課題ではありませんでした。Dropbox システムのあらゆるレイヤーを理解しなければならなかったのですから。

最初、6カ月ほどで終わると思っていたのですが、結局は18カ月もかかりました。しばらくの期間、デスクトップクライアント担当チームを総動員する必要がありました。

**スタッフエンジニアになるときに、特に役立ったアドバイスを教えてください。**

キャリアの初期のころは、私は本能的に、曖昧なプロジェクトに手を出して成長の可能性にかけるよりも、これなら自分でもできると確かに思えたプロジェクトにかかわることを望みました。そのころ、安全な領域から外に踏み出して、チームにとって困難なプロジェクトを求めるべきだというアドバイスをもらいました。スタッフエンジニアになるには、今の自分よりも多くのことを知り、実行する必要があります。つねに今の限界を広げる努力をすることが大切で、自分にとって難しすぎるかも、と思える仕事を恐れてはなりません。

インポスター症候群に陥ると、これなら自分にも確実にできると思えない仕事は避けようとしてしまいますが、それではだめなのです。ただし、失敗して痛い目に遭う恐れがあるという事実を受け入れる必要はあります。でも、失敗してもいいのです。みなさんにも、ぜひ頑張ってもらいたいと思います。

### スタッフエンジニアになったばかりの人たちに、何かアドバイスがありますか？

多くの人が私に「スタッフになるためには次に何をすればいい？」と尋ねてきます。その際、私がいつも言うのは、自分の上司に希望するキャリアをオープンにそして誠実に伝えることです。以前の私が上司との関係で犯した過ちは、私自身が考えていることではなく、彼らが聞きたがっているであろうことばかりを話したことでした。

たとえば、上司がある仕事をやることに興味があるかと尋ねてきたとします。そんなとき、私はいつも「なぜ尋ねたのだろう？　私にその仕事をさせたいのだろうか？」などと考えました。そして、本当はやりたくないのに、興味があると答えるのです。ある実行中のプロジェクトの進捗を尋ねられて、本当はかなりヤバい状況で、すぐにでも援助を求めるべきだったのに、がっかりさせたくないので、すべて順調だと言ってしまうこともありました。

ですがそのうち、上司といえども実際にはチームの一員であることに気づいたのです。上司たちも、私の成長を願っていて、私が生産的に、幸せに、そして最高のエンジニアになることを望んでいる。上司と有益な関係を築いて支援してもらうためには、彼らに対して本当に誠実に心を開かなければならない。

このことを、私は自分が部下をもったときにはっきりと悟りました。私自身、チームのみんなに昇進してスタッフエンジニアになってもらいたいと願ったからです。上司として、私は彼らが出世するにふさわしい理由を見つけ、昇進をサポートしようとしています。

**エンジニアリングマネジメントの道を進むことも検討しましたか？　もししたなら、マネジメントではなくスタッフエンジニアの道を選んだ決め手は何でしたか？**

私はキャリアラダーの両サイドに大いに興味があるので、かなりのペースで行ったり来たりを繰り返しています。人を育てるのも、リクルートチームと仕事をするのも大好きですし、面接するのを楽しいと感じるエンジニアの1人でもあります。チームの育て方が知りたくて。でも、コードを書くのも大好きですし、マネジメントの仕事をしばらく続けたあとは、コードに戻って、あれこれハックしたいという気になります。

指導や管理の仕事を経験してからは、キャリアの成長に対する考え方がガラリと変わりました。両サイドを行ったり来たりすることで、さまざまな観点を身につけることができました。マネジャーには、人員数や業績評価などといった極めてわかりやすい責任が課せられます。スタッフエンジニアが負う責任は本当に曖昧で、会社によっても異なります。その役割が曖昧なため、本来ならエンジニアを続けていたほうが幸せになれていたであろう人々の多くもマネジメント路線に乗り換えます。だからこそ、スタッフエンジニアの役割に関する情報を人々のためにもっと発信することが重要なのです。

**どんなリソース（書籍、ブログ、知人など）を学習に用いましたか？あなたにとって、誰が手本になりましたか？**

私は本をたくさん読みますが、それはおもに娯楽のためであって、仕事の本はあまり読みません。これまで私に最も大きな影響を与えてきたのは、メンターと呼べる数多くの人々、つまり友人、元上司、いっしょに仕事をしてきた仲間たちでしょう。過去にいっしょに仕事をしたことのある、気心の知れた信頼できる人々と、毎月何度もランチやコーヒーやディナーを繰り返しています。彼らとキャリアの困難や成長について話し合うことで、私は今のキャリアを築くことができたのです。

## リック・ブーン
### ― Uber 社のインフラストラクチャ副社長の戦略アドバイザー

2020年4月取材。リックについての詳細はLinkedin[154]で。

**今の役割について教えてください。役職名は何でしょうか？　会社は？　あなたはチームを率いてどんなことをやっているのでしょうか？**

私はUberでインフラストラクチャ部門副社長の戦略アドバイザーを務めています。つまり、インフラストラクチャを管轄する幹部陣のメンバーということです。チームには、ほかにもエンジニアリングディレクターや会社全体のプログラムマネジャーなどが含まれています。Uberのインフラストラクチャエンジニアリング部門はおよそ700人を擁し、データセンターやサーバーを扱う「メタル」、「ストレージ」、「デベロッパープラットフォーム」などの6つの下位組織で構成されています。私は技術戦略や文化戦略、あるいは特殊プロジェクトなどの点で副社長を補佐しています。

戦略アドバイザーは幅広い役割を担っていて、たとえば、次のような仕事をします。

- 社内における次の2年の技術ニーズを査定する
- 次の6カ月のロードマップにおける、優先すべきイノベーションの決定をサポートする
- 責任の所在が明確ではない重要事項を掘り下げ、進行中の関連プロジェクトの効率化を支援する
- 組織の大幅な改編の前後にエンジニアがどう感じているかを理解する
- あるテーマについて合意しなければならない2つのチームが考えを異にし、話がまとまらないときに、両者のあいだをとりもち、前進する道を探す手伝いをする

本当に幅広い役割で、エンジニアリング、文化、心理学、組織デザイン、そして戦略のミックスだと言えます。この役割を説明するのに、私はよく2つの人気ドラマにたとえます。1つは『ゲーム・オブ・スローンズ』の「王の手」。この「王の手」こそが、私のやっている仕事の完璧な再現だと言え

ます。2つ目は『ザ・ホワイトハウス』のレオ・マクギャリー。マクギャリーはよく「私は大統領が望むことなら何でもする」などと言いますが、私の場合は、インフラストラクチャ副社長の望みを満たすために働いていると言えるでしょう。

今は私だけですが、以前はインフラストラクチャ副社長の戦略アドバイザーは2人いて、取り組むプロジェクトの性質に合わせて役割を分担していました。もう1人の女性はマネジャーやリーダーシップと関連するプロジェクトを、私はICやエンジニアリングに関連するプロジェクトをおもに担当しました。もちろん、これはあくまで目安であって、実際には両者とも両分野に携わっていました。

戦略アドバイザーの役割は少し独特です。マシュー・メンゲリンク[155]がインフラストラクチャ副社長になってしばらくしてから、この役職を設置しました。私の知る限り、Uberのインフラストラクチャ部門とCTOオフィスだけが、この種の役職を設定しています。マシューはエンジニアリングチームで何が行われているかをすべて把握することに価値があると考え、その情報を意思決定プロセスで活かすためのフィードバックループをつくろうとしたのです。それがこの役職を新設した理由でした。

Uberのインフラストラクチャ部門にとっては特に貴重な仕事です。なぜなら、インフラストラクチャ部門は本当に幅広い組織で、そのなかで私がすべての部分を見渡す目として機能することができるからです。

### TPM（テクニカルプログラムマネジャー）との違いは何ですか？

おもしろい質問です。じつは私自身、自分の役割といわゆるチーフ・オブ・スタッフの違いは何だろうと考えていたばかりなのです。インフラストラクチャのリーダーシップチームには、戦略アドバイザーとプログラムマネジャーがいます。以前はそこにチーフ・オブ・スタッフの役割を担う者もいました。

私の見方では、プログラムマネジャーは組織の運営を担います。インフラストラクチャ部門内の主要プログラムや特定領域の進捗と定期的な評価が確実に行われるように見守り、その取り組みを推進するなど、ハイレベルな仕事を受け持ちます。一方、リーダーシップの仕組みを全体としてスムーズに機能させる任を負うのがチーフ・オブ・スタッフです。人、グループ、メッセージングなど、インフラストラクチャ部門の運営と管理にかかわるすべてを効果的に動かすのです。

私の担う戦略アドバイザーという役割は、技術と文化の両方にかかわる幅広い知識が問われ、個人レベルでも組織レベルでも問題に深入りし、そこにエンジニアリング上の見識をもたらすことが求められます。そのうえで、推奨事項や洞察をまとめ、それをインフラストラクチャ部門のリーダーや会社の経営陣に提案するのです。毎日、ほとんどの時間をディレクターや副社長に直接協力することに費やしています。ディレクターに提案を行い、それに対するディレクターからのインプットや承認をもって、副社長と協力しながらその案を実行するのです。

### スポンサーとの足並みを維持することは重要でしょうか？

戦略アドバイザーにとって、足並みをそろえることはとても重要です。不可欠だと言っても、差し支えないでしょう。マシューと私は、原則、価値観、世界観、感情的知性（EI）の重視、実行へのアプローチ法、哲学などといった点で、完全に同じ方向を向いています。ほとんど“共生”関係にあると言えるほどです。

効率よく働くにはスポンサーとの連携が欠かせませんが、戦略アドバイザーと副社長がただビジネスとしてつながっているだけでは不十分です。リックとマシューが人としてつながり、相性がマッチしなければなりません。

私の役割では、私たちが顔を合わせない日が何週間も続くこともしばしばありますが、それでも私は彼の直接の代理人として働くことが求められています。私は部屋に入って、「マシューならここで何をするだろうか？　何を尋ねようとするだろう？　この問題に対して、どんな指示を与えるだろう？」と考えるのです。毎回、マシューにそれでいいか尋ねるわけにもいきませんから、彼の世界観を深く理解しつづけなければなりません。それがなければ、彼の代理人として、彼の戦略とビジョンを効果的に実現するのに必要な深い信頼を得ることができません。人々は、もしマシューがここにいたら私と同じ答えを出したに違いないと、確信を得たいのです。

人々の背中を押すために私は自分の名声や信頼を賭けるのですから、その賭けに負けないために、マシューの目的、意図、価値観、原則などもしっかりと理解しておく必要があります。ときには、前後の文脈がわからないまま、マシューのビジョンや決断をエンジニアに代弁したり、翻訳したりする必要もあります。そんなときのために、マシューの行動のロジックや価値を理解するだけではだめで、自分に対する絶対の自信も必要になります。それがなければ、私の言葉はそもそも不誠実で、代弁者として受け入れてもらうのが難しくなるでしょう。

戦略アドバイザーになった当初、この点には苦労しました。マシューはいつもこう言っていました。「君は私の代理なのだから、私の名前と肩書きを使って物事を実行し、推し進めることに気兼ねすべきではない」と。それまでそんな仕事をしたことがなかったので、とても難しく感じました。それまでずっと、自分の名前と名声を使って働いてきた私が突然、副社長の名を借りて、彼の威光の下で、働くことになったのですから。私は時間をかけて、副社長という名の武器を控えめに使う術を学びました。使いすぎたくなかったからです。

また私は、「自分がどの帽子をかぶっているのか」を相手に教えなければならない場合もあることを学びました。私はメンタリングが好きですが、相手のほうは私が戦略アドバイザーとして組織や会社を代弁しているのか、それともメンターとしてその人の利益とキャリアのために助言しているのか、わからなくなることがあります。ですから、彼らとの会話では、その都度私がどの立場でものを言っているのか、はっきりと示すように努力しています。私が支援する相手と話すとき、相手のほうはチームを変える方法や、部門や会社を去ることに対するアドバイスなどを求めています。そんなとき、彼らは私がどの立場から助言をしているのか、はっきりと知りたいのです。

**あなたの会社では、“普通の”スタッフプラスエンジニアはどんなことをしていますか？　あなたの仕事も同じようなものですか？　それともまったく違いますか？**

最も大きな違いは、ほかの上級以上のエンジニアはおもに技術的な仕事に従事している点でしょう。彼らはリーダーとして感情的知性、コミュニケーション、コラボレーション、摩擦の解消、何かの伝道などの領域にも足を踏み入れますが、それでも日々の仕事の80パーセントは技術的なものです。

一方、私の場合は集団心理や組織デザインなどに数週間を費やすこともあります。純粋に技術的な問題に一日を使うことはまれでしょう。まったくないというわけではありませんが、それが前面に立つことはありません。

**開発に直接携わることが少ないなかで、どうやってエンジニアリングの現状を把握しているのでしょうか？**

エンジニアとして働いていたころは、自分でコードを書き、コミットをプッシュしようとしたり、サービスの提供や運用における問題点に対処したりしていたので、エンジニアリングの現状を自然と知ることができましたが、今ではそうはいきません。自分でコードを書くことが減ったからです。そのため、積極的に情報を集めなければならなくなりました。

その方法の１つは、私の以前のチームの近くに陣取り、彼らの話に耳を傾けることです。彼らはサービスの安定性やツールの欠如について不満を漏らすかもしれません。そうした場面に居合わせるのは、本当に有益です。

また、みんなに開発者としての経験について頻繁に質問するように心がけてもいます。自分の頭のなかに、問題を指摘する能力や各種アプローチに対するフィードバックに優れた人物のリストをつくっていて、その人たちに定期的に意見を求めるのです。その際、しっかりと計画された調査としてインプットを求めることもあれば、手短に話を聞くだけのこともあります。

また、緊急ではなくて時間に余裕のある仕事を私に送るようにも伝えてあります。それらを見て、最新のコードの書き方を理解することに努めています。ただし、重要プロダクトの進捗の妨げにならないように注意しなければなりません。私にはコードをメンテナンスするほどの余裕がないからです。

**ほかのエンジニアをスポンサーとして支援したことがありますか？　あなたの役職では、ほかのエンジニアに対するスポンサー活動が重視されますか？**

私の仕事の特徴は、副社長とともに行うメンターシップが最初から職務に組み込まれていた点でしょう。私がこの役職に就いたとき、副社長は私に「5年後に何をしていたい？　何を目指している？」と問いかけました。ですが、当時の私にははっきりと答えることができませんでした。それまでずっと、現代ではコードを書く能力があれば、就職やキャリアの点で人類史上最高のポジションに就くことができると考え、それだけで十分だと思っていたのです。

ですが、自分の目標について考えるうちに、私はエンジニアの、特にマイノリティである黒人エンジニアの手本になることが好きで、Uberで働く、あるいはまだキャリアの初期にいる人々をサポートすることに喜びを感じていると気づいたのです。特に、この業界に入ってきたばかりでさまざまな不安を感じている人をサポートするのを楽しく思います。今の役職に就いたことで、そうしたことに大いにやりがいを覚えていることに気づきました。以前の私なら、そうした側面は正当な目標と認めなかったでしょう。でも、今は違います。それが好きで、そこに情熱を注げるなら、そうすべきなのです。

これまでの生活とキャリアで、私にはおもに6人のメンターがいました。これも、メンターシップが大切だと思う理由になっています。彼らの誰もが、さまざまな時期に、私の人生に多大な影響を及ぼしました。過去から現在まで続く彼らの指導がなければ、今の私は存在しなかったでしょう。本当に感謝しています。たくさんの指導をいただきました。このように、指導者の重要さは重々承知していますから、私もほかの人を支援したいと思うのです。多くの場合、メンター自身は自分の言葉や行動が相手をどう変えるか、数年後にどんな波及効果を示すことになるかを理解していません。でも、誰かに人生を一変させるようなインパクトを与える可能性があるからこそ、私はメンターとしてほかの人を支援するようにしています。彼らが最も欲しているときに、適切な言葉を、適切な見方を、適切な後押しを与えるだけで、人生が変わることもあるのです。

私はいつも、「社交辞令ではなく本当に、私が必要なときにはいつでも声をかけてくれ」と言います。これこそが、私の仕事のなかで最もわくわくする部分の1つでしょう。そして、実際には2つの方法を通じて、彼らの話を聞く機会を設けています。

1つは、おもにエンジニアリング部門の新入社員向けに行う「エンギュケーション（「エンジニアリング」と「エデュケーション」の合成語）クラス」を通じて。このクラスは「レッスン＋クエスチョン」とも呼ばれていて、文字通り、Uberについて知りたいことなら何でも――技術のことでも、社風のことでも――私に質問できる場所です。私も、可能な限り率直に答えるように努めています。クラスの終わりには、参加者がいつでも私に相談できるように、メールアドレスを教えます。かなりの数のメールが送られてきて、私はキャリアあるいはUberでの仕事など、さまざまな点でアドバイスをします。また、私がオフィスにいるときに直接やってきて助言を求める人もいます。

黒人エンジニアとして、黒人でもエンジニアとしてやっていけると人々に示すことにも力を入れています。ある日、私にとってそれが大きなモチベーションになっていることに気づいたのです。黒人のロールモデルとして成長するには、公の場で発言するスキルを磨かなければならないと悟りました。それまで、人前で話すのは苦手でした。嫌っていた、とさえ言えます。ですが、多くの人に存在を示す最善の方法でもあるため、私は人前で話すことを好きにならなければならないと自分に言い聞かせました。そして、実際に優れた講演をする方法を学び、今では講演するのが大好きになりました。極めて刺激的で、まるでジェットコースターのよう。やるたびに、不安になり、ハラハラして、楽しい緊張感もあり、無我夢中になれるのです。

### 社外で自分のブランドを構築しようと思いますか？

私には社外ブランドの構築に時間を費やしている友人が２人いますが、そのうちの１人はまた会社に集中しようとしているようです。Uber でやることがあまりにも多いので、社外での活動を脇に追いやるしかなかったのです。

この点については、私はあまり積極的ではありません。公開された記事に関与したり、公の場で講演したりするときは、私は LinkedIn のリンクを投稿したりしますが、自分でコンテンツを書くことはありません。そうしようかと考えることもありますし、そうすることに興味もありますが、やりません。私はむしろ話しながら考えるタイプで、書くとなれば、前もって自分の考えを整理するのに多くの準備が必要です。これまでのところ、会社の外でそういったことをするのにあまり多くの時間を費やす気にはなれませんでした。

### あなたは今の会社で戦略アドバイザーの肩書きを得ました。戦略アドバイザーとして雇用されたのでしょうか？　そうでないなら、戦略アドバイザーになるまでの経緯を教えてください。

私はとても特殊な道を歩んできました。計画どおりだったわけでもありませんし、再現するのも不可能でしょう。むしろ、幸運な出来事が続いたと言えます。私の前に戦略アドバイザーを務めていたロブ・パンクナス[156]が会社を去ると決めたとき、マシューがロブに誰が後継者にふさわしいか尋ねたのです。ロブが私とケイトを推したので、2人とも戦略アドバイザーに就任しました。

私はマシューとすでに何度か直接交流をしたことがあり、価値観やものの見方が似ていることに気づいていました。たとえばある時期、質疑応答ミーティングに匿名のコメントが大量に殺到していました。私は社風がそのような方向へ傾くのを見て、本当に心が痛みました。そこで私は立ち上がって、人々にもっと建設的な方法で懸念を述べるようにお願いしたのです。この点にマシューも共感したようです。

マシューが私に戦略アドバイザーの役職を初めてオファーしたとき、私は強度のインポスター症候群に陥りました。自分にはできないと考えて、オファーを取り下げるように頼んだりもしたのですが、最終的には受け入れて、それ以来ずっとこの仕事を続けています。

**戦略アドバイザーになるのに最も重要だった要素を教えてください。これまで所属した会社、働いた場所、教育などはどの程度あなたのキャリアに影響したのでしょうか？**

ロブの推薦のほかに最も重要だった要素を挙げるなら、マシューの価値観に一致した仕事をやってきたことでしょう。2017年、私はあるプロジェクトでサイト信頼性エンジニアリング（SRE = Site Reliability Engineering）を理解および改善するためのワーキンググループに参加しました。そのグループ自体は、スーザン・ファウラーがブログ記事[157]を公表する前から計画されていたのですが、たまたまファウラーがその記事を投稿した3日後に初めての会合を開きました。その文化的なワーキンググループはすばらしい仕事をしたと思います。私もほかのメンバーも心から誇りに思えるほど、18カ月で100人からなる組織の文化を有意義な方向へ動かすことに成功しました。

加えて、私は個人的にずっと、文化と心理と行動の領域に心を引かれていました。私がキャリアを通じて働いてきた会社では、「文化と集団心理」の組み合わせが、優れた組織を卓越した組織に変える隠れた鍵だったと思います。個人的な関心から、私は行動経済学や行動科学などの本や論文を読んできました。それが、私を今のポジションにもたらす助けになったと言えます。

### スタッフエンジニアになるときに、特に役立ったアドバイスはありましたか？

これまで人々から、「君は自分で考えるよりもはるかに多くの影響力と潜在能力をもっている」と何度も言われてきました。私はそんな言葉には耳を貸さず、多くのエンジニア、特にマイノリティのエンジニアと同じように、自分の能力に自信がもてませんでした。短所ならいくらでも見つかるからです。私たちは、私たちが会議の席上であるテーマについて熱心に話すと、出席者は本当に関心をもって聞いてくれるという事実に気づこうとしないのです。ですが、それでも私に、「君は自分の影響力に気づいていない、君の見方は正しいだけでなく、組織にとってとても有益だ」と言いつづけてくれた人がいて、本当によかったと思います。

もう1点、私の役に立ったのはメンターがいたことです。特に、私に対して建設的に反対意見を述べてくれるメンターがありがたかった。彼らこそ、私ならできると信じて、私を文字通り恐ろしい仕事に放り込んでくれた人々だからです。私を、自分で感じる限界の向こうに押してくれたのが、そうしたメンターたちです。その大半は、私の上司でしたが、関係を通じて互いに学ぶことができました。

### スタッフエンジニアになったばかりの人たちに、何かアドバイスがありますか？

突き詰めて考えれば、私が今いる場所にたどり着けたのは、テクノロジーだけでなく、組織心理学、文化、メンターシップなど、幅広い関心をもっていたからだと言えます。私は四六時中コードだけに没頭する純粋なエンジニアではありませんでした。純粋なエンジニアではないという事実と、自分なりに折り合いを付ける必要がありました。

私にとっては、自分の情熱に従うことが大切だったのです。最近はメンターシップが中心になっていますが、ほかにも情熱の対象はたくさんあります。たとえば、機械学習などは趣味と呼べるでしょう。機械が人間の考え方を学んでそれを模倣する――技術と心理学に関心のある私にとって完璧な組み合わせです。

つまり、私には情熱をかき立てるものがたくさんあります。そして、会社のニーズと私の情熱が一致する機会に、積極的に取り組むのです。たとえば、Uberで以前率いていたチームは、キャパシティ計画のために車両の稼働率に関する見識を集めることを目的にしていました。興味の対象である機械学習とサイト信頼性を組み合わせる絶好の機会[158]だったと言えます。

小さな会社では数多くのさまざまな仕事に携わる機会があるでしょう。ですが、会社がある程度の規模になると、自分の情熱に特化する独特な機会を得ることができます。おかげで私は、キーボードの前に陣取ってずっとコードを書きつづけることがないのに、インパクトと情熱を維持することができたのです。

**エンジニアリングマネジメントの道を進むことも検討しましたか？　もししたなら、マネジメントではなくスタッフエンジニアの道を選んだ決め手は何でしたか？**

検討したことはありますし、今も検討しています。マネジメントへの異動は可能性の１つとして存在しています。これまでもたくさんの人から「マネジメントへ鞍替えするつもりはないか？」と聞かれてきました。

現在、私が目指しているのは、全体像を把握するハイレベルなリーダーとして実力を付けることです。そのうち、あまり遠くない未来で、人々のマネジメントスキルの発展に携わることになれれば、と思っています。私は人間の行動に本当に興味をもっています。人の管理はその情熱を活かす絶好の機会なのです。

**どんなリソース（書籍、ブログ、知人など）を学習に用いましたか？　あなたにとって、誰が手本になりましたか？**

キャリアの最初の３分の２では、技術的なコンテンツをたくさん読みました。Y CombinatorのブログやRSSフィードで集めたブログなどで、暇さえあれば分散型システムや信頼性などについて読みあさっていたのです。最近では行動経済学、行動科学、心理学、組織戦略などについて読むことがはるかに多くなりました。お気に入りはダニエル・カーネマン[159]、ティム・ハーフォード[160]、ダン・アリエリー[161]です。また、すばらしいポッドキャストもいくつか知っています。Freakonomics[162]、Choice-ology[163]、Hidden Brain[164]

などです。

昨年からは、人間の脳と行動に関する書籍の読書リスト[165]を作成し、このテーマに興味のある人々と共有しはじめました。

また、今でもRedditでr/linux[166]とr/programming[167]も追跡しています。私にとって、これらはRSSフィードに代わる新しい情報源になりました。

## ネルソン・エルヘージ
### ― Stripe 社の元スタッフエンジニア

2020 年 4 月取材。ネルソンについての詳細は Twitter[168] とブログ[169] で。

**今の役割について教えてください。役職名は何でしょうか？　会社は？あなたはチームを率いてどんなことをやっているのでしょうか？**

最後に務めていたのはStripeでした。オンライン決済処理を扱う急成長中のスタートアップで、およそ2000人が働いています。エンジニアリング部門は約600人。退職したとき、形式上私には肩書きがありませんでした。もしあと2カ月長くStripeに残っていたら、私はスタッフエンジニアになっていたでしょう。そのころ会社は数年の議論の結果として、ようやくいくつかの役職を設定したのです。

私が最後に所属したチームは「ペイメントアーキテクチャ」と呼ばれていて、そこにはかなり上級のエンジニアも3人か4人参加していました。Stripeの中核をなすプロダクトがペイメントで、私たちはそのコードベースを管理していました。特に力を入れていたのは、コードベースの金融インフラストラクチャレイヤーと、Stripeの現行および将来のプロダクトラインのすべてをサポートするのに必要になるデータモデルと抽象化の構築でした。

会社が急速に成長し、チームやプロダクト、あるいは取引国家や支払い方法が増えていくなかでのコードの構造化など、組織の構造に合わせてコードの構造を最適化することを目指しました。私たちのアーキテクチャにとって特に重要だったのは、数多くのオフィスやタイムゾーンにまたがるオーナーシップをサポートすることでした。

コードの質やアーキテクチャに関する一連の取り組みを率先し、実装やリライトのプロジェクトも実行しました。どの取り組みにおいてもそれぞれのメトリックとゴールを設定し、チームをそのゴールに向かわせ、彼らに新しい基準への移行を容易にするためのツールを提供しました。

### その「ペイメントアーキテクチャ」チームは常設のチームだったのでしょうか？　それとも期限付きのプロジェクトチームだったのでしょうか？

そのどちらでもあったと言えます。特定の狭い範囲に焦点を絞った特殊部隊という性質ではありませんでしたが、チームとして永遠に存続するとも想定されていませんでした。私たちは実験的なアプローチを通じてアーキテクチャの進化を促しながら、その都度アプローチそのものも修正あるいはアップデートすることを目指しました。そして、チームがそのうち自力で仕事ができるようになることを望んでいました。

### あなたの会社では、スタッフプラスエンジニアはどんなことをしていますか？

私がいたころのStripeはそうした肩書きを導入したばかりだったので、はっきりしたことは言えません。誰がスタッフエンジニアなのかも公表されていませんでした。ですが、最も重要でインパクトの強い仕事をしている人は明らかだったので、誰が上級エンジニアなのかはだいたい想像できました。

スタッフエンジニアにはいくつかのアーキタイプがあります。1つは技術色の強いプロジェクトにかかわり、たとえば新しいインフラストラクチャを調査したり構築したりするタイプ。ペイメントアーキテクチャのチームに加わる前の私は、StripeのRuby用静的型チェッカーであるSorbet[170]の開発に取り組んでいました。2人の上級エンジニアと協力しながらSorbetを1年で開発したのですが、これなどは深くて高度な技術仕事の典型例でしょう。

横断的なプロジェクトに取り組むスタッフエンジニアもいました。大きな問題を解消するためにアーキテクトとプロジェクトマネジャーの両方の役割を担いながら社内の異なる部門を1つにまとめ上げるのです。そうした問題のほとんどは、現行のアーキテクチャや組織では扱いが難しかったため、さまざまなチームが合同で作業する必要があったのです。

1つのチーム、または少数のチームからなる小さなグループで、ビジョンのキーパー（守り神）として活躍するスタッフエンジニアもいました。チームがどこに向かっているのか、1年後から5年後にどう成長しているのかを見極めるのが仕事です。そうしたビジョンを組織全体で構築および共有し、その実現のために働くのです。

## 日々、どのように時間を使っていますか？

ペイメントアーキテクチャのときと、Sorbetのときで、時間の使い方はまったく異なりました。Sorbetは「とにかくコードを書く」タイプのプロジェクトでした。ペイメントアーキテクチャでも、自分たちの推すアイデアを試したり披露したりすることがあったので、ある程度はコーディングにも携わりました。

同時に、プロジェクトマネジメントにもかなりの時間を費やしました。タスクの管理をしたり、日々のスタンドアップミーティングを取り仕切ったり、誰が助けを必要としていて誰がブロックされたかなどを把握したりする仕事です。また、会社とエンジニアリング組織全体のコミュニケーションの潤滑剤としても働き、特に私たちがつくったツールやパターンに興味をもつチームと密に会話し、アドバイスを与えました。

その際、技術戦略を練るために数多くの会議を行いましたし、週のかなりの時間を、私たちが認識した問題点を指摘し、その問題を解消するであろうアーキテクチャの形状を推薦するためにデザイン文書を書くことにも費やしました。そして最終的には、そうしたアイデアをリーダーシップやほかのチームに披露して売り込み、重要事項として優先し投資するように促すのです。

## どのようなときに、スタッフプラスエンジニアとして最もインパクトを感じますか？

インパクトがはっきりと感じられたのはSorbet[170]でした。3人のチームが2年でStripeを動的に型付けされたコードベースから、本質的に静的型付けのコードベースに移行させたのですから。これは、会社で開発にかかわる600人のエンジニア全員の日々の仕事に影響を与えました。

そうは言うものの、それが最もインパクトの強いプロジェクトだったかというと、答えは定かではありません。漠然とした意見になりますが、アーキテクチャ戦略の仕事のほうが長期的に見れば大きなインパクトをもたらすと考えることもできるでしょう。

### 以前の役職ではできなかった、あるいは許されなかったのに、スタッフプラスエンジニアになってできるようになったことはありますか？

「許される」というのは質問としておもしろいと思うのですが、適切ではないかもしれません。なぜなら、誰がどの役割を担うことになるかを取り決める公式のポリシーと呼べるものがほとんど存在しないからです。物事のほとんどは、年功序列という非公式な尺度に影響されています。

とは言え、Sorbetもペイメントアーキテクチャのチームづくりも、比較的野心的なプロジェクトでした。たとえばSorbetでは、より現実的なプロジェクトから３人の上級エンジニアを引き抜く必要がありました。彼らをそれまでの仕事から引き離し、１年間別のプロジェクトに取り組ませる許可やサポートを得るには、組織から高く尊重され、信用されている必要がありました。

### テクノロジーやプラクティスやプロセス、あるいはアーキテクチャの変更を提唱することがありますか？

はい、計画の段階では。優先順位付けの問題は結局のところ人員配置の問題で、人員配置の決断は計画の段階で行われます。

何らかの緊急を要する事態があるから計画が行われるのですが、私は緊急時以外でも絶えず、多かれ少なかれ、エンジニアリング全体における優先順位付けについて考えるのをやめませんでした。たとえば、多くのエンジニアが問題に直面していることに気づいたり、チームの前進を妨げている何かが見つかったりしたときです。そうしたことにつねに考えを巡らせていると、ときにある問題が緊急の優先事項になることがあったので、私がその問題への対処を呼びかけたり、チームをつくることを提案したりしたのです。

### ほかのエンジニアをスポンサーとして支援したことがありますか？　あなたの役職では、ほかのエンジニアに対するスポンサー活動が重視されますか？

この側面については、今まであまり意識したことがありませんでしたし、自分がどうしてきたかもはっきりと説明することができません。ただし、似た内容として、私自身は所属していないチームの立ち上げを何度かサポートしたことはあります。たとえば、私の管轄下だったシステムを引き継ぐ目的でつくられたチームに、アドバイザーとして情報や助言を与えました。

**あなたはKsplice買収後のOracleで初めてアーキテクトの肩書きを得ました。それまでの経緯を教えてください。**

買収前のKsplice[171]にすでにそうした役職が存在していたか、もう覚えていません。買収後、私はOracleで1年を過ごし、アーキテクトの役職を得ました。当時のOracleでは、管理職ではない上級専門職としては最高位だったと思います。買収に伴って、Oracleでは役職のインフレが起こっていたことは確かです。もし買収という過程をへていなかったら、私はアーキテクトという役職を得られなかったかもしれません。

**OracleがKspliceを買収し、あなたはアーキテクトになりました。買収を機に、日々の仕事の内容は変わりましたか？**

それまでとほぼ同じスタイルで仕事を続けました。変わったことといえば、Oracle内のOracle Linux組織と向き合う時間が増えたことでした。私は、私たちのプロダクトと彼らのプロダクトをどう統合するかという問題に重点を置き、彼らにも使えるように私たちの技術をスピードアップさせることに焦点を当てました。以前、新入社員のトレーニングにかかわったこともありましたが、Oracleではそのころとは段違いのスピードが求められました。何しろ、「君を400人の組織に放り込む。400人をトレーニングするのが君の仕事の大部分だ」と言われたようなものなのですから。

**スタッフプラスエンジニアになるのに最も重要だった要素を教えてください。**

私はかなり早い時期にStripeに加入したため、特殊なキャリアパスを歩みました。だいたい30番目の社員だったと思います。おそらくほかの人はそんなことをしないと思うのですが、私はStripe全体に関する幅広い知識を集め、意識を高めようとしました。当時はまだ15人しかエンジニアがいなかったので、難しいことではありませんでした。

ですが、会社が成長してからも、チーム間の相互作用に始まり、拡大に伴う痛みにいたるまで、エンジニアリングに関する“すべて”を把握しようとする努力をやめず、ほかの人にないグローバルな視点を得るよう努めました。おかげで、どの問題に対処するのが重要かを理解し、さらには少し高い視点から重要な問題を見ることができるようになりました。ある組織が特定のプロダクトをリリースする目標を掲げているとき、私には、以前のアーキテクチャ関連の決断が、あるいはそうしたダウンストリームのシステムが現在のそのタスクには不適切であるためリリースが難しくなるといった予想ができたのです。

組織が本当に大きくなるにつれて、“少し高い視点”を維持するのはどんどん難しくなっていくため、広い視野とシステムレベルの視野を維持することに努めました。チームを結びつけることや、自分を情報やアイデアのルーターもしくは提案の発信源と位置づけることも、役に立ちました。

チームの多くは自分たちの領域のみを見つづけるため、社内ユーザーが自分たちをどう必要としているかについてあまり考えようとしません。なぜなら、彼らは自分たちがサポートしている社内ユーザーのチームで働いたことがないからです。私はチームがつくったシステムをほかのチームが実際にどう使っているかを示すなどしてチーム同士を結びつけ、チーム間の連携を促しました。

組織が大きくなればなるほど、そうした連携を維持するのは難しくなります。会社がまだ小さかったころにそのような全社横断的な連携に取り組んでいなかった場合は、さらに困難です。そうした活動は早い時期に始めるほうが有利なのです。あとから始めた者は、アーキテクチャや組織内の依存関係をリバースエンジニアリングする必要があるのですから。

**キーヴィー・マクミンは、そうした歴史的な文脈を知らないほうが物事を正しく理解しやすくなることもあると、とても興味深い指摘をしています。あなたも、歴史的な文脈を知っているがゆえに前進するのが難しいと感じたことがありますか？**

もちろんです。あるチームと話すときには、そのチームがやろうとしていることを過去の７年の歴史で実際に試みた前例を見つけ、それがなぜうまくいかなかったのかを考えます。歴史を振り返って「はたして、この情報はチームにとって有益なのだろうか？　重要なのだろうか？」と慎重に考えなければなりません。

そうした情報は有益ではないこともあるのです。たとえば誰かが何かにチャレンジして暗礁に乗り上げた場合、そこには本当に重大な技術的な問題が存在するのかもしれません。そのような暗礁の存在を指摘するのは重要なことなのかもしれませんが、前回の試みから数年がたって、組織のほうに変化や成長があった場合には、もう一度チャレンジする大胆さも大切だと思うのです。

**スタッフエンジニアになるには「スタッフプロジェクト」を成功させなければならない、という考えが広まっています。あなたはスタッフプロジェクトを実行しましたか？　それはどんなものでしたか？**

私はスタッフプロジェクトという考え方に少し距離を置いています。と言うのも、私が知るスタッフエンジニアは、自分で壮大なプロジェクトを実行したり、大きな仕事を成し遂げたりする必要のない人々だからです。その代わりに、みんな優れた指導者であり、エンジニアリングの組織運営の全体を改善する力のある人々です。

私の場合、スタッフプロジェクトにいちばん近い仕事は、最後の昇進を受けるきっかけになった「データモデル Stripe リリースプラン」という6カ月におよぶ計画でしょう。そこで私は数多くのチームを率いて、社のデータモデルの弱点に対処し、変革と呼べるほどの進化を促す目的でいくつかのプロジェクトを実行したのです。

ただし、この仕事はスタッフプロジェクトの例としてはふさわしくないと思います。まず、私たちはいい仕事をしましたが、いくつかの理由から、変革と呼べるほどの成果を挙げることはできませんでした。私の実力が足りなかったのも理由の１つですが、問題のいくつかはあまりにも難しくて、6カ月で解消できるほどのリソースが組織になかったのです。

この仕事がほかに比べて大いに成功したというわけではなかったのですが、それでも私は注目度の高い目立つポジションにいました。私は社内で名を広め、重要人物とみなされるようになったのです。

## スタッフエンジニアになるときに役立ったアドバイスを教えてください。

集中と優先順位付けが重要だと学びました。先に述べたように、会社全体におよぶ幅広い連携がある場合は、それが特に重要になります。いつでも、30ほどの対処すべき事柄を見つけるのは簡単です。

場合によっては、30すべてに取り組んで、少し前進させることも可能かもしれません。それでもしばらくは生産性を保つことができるでしょうが、注意が必要です。うまくいくはずなのに、なかなかうまく事が運ばない問題があるときは、多くのプロジェクトを同時に少しずつ進めるよりも、どれか1つに努力を集中したほうがよい結果が得られるでしょう。

その際に注目すべきは、それら30の問題にすでに取り組んでいるチームが存在するか否かです。すでに問題に取り組んでいるチームがあるのに、その取り組み方が間違えていると思える場合には、そうしたチームに出向いて障害を取り除く手伝いをすれば、多くの影響力を発揮できるでしょう。

結局のところ、「私が取り組みたいと思う事柄はたくさんあるものの、すべてに対処することはできない。どれも主要な問題だと思うが、それでも今年は1つか2つの項目を選んで、それ以外のものはあえて無視することにする」と言うしかないのです。

## スタッフエンジニアになったばかりの人たちに、何かアドバイスがありますか？

1つは、私は組織の技術的アーキテクチャを導く際に、そのシステムは組織の構造を反映するという「コンウェイの法則」が働くと確信していることです。

もう1つは、エンジニアリングリーダーシップ、つまりマネジャー、ディレクター、そしてバイスプレジデント（統括本部長、事業部長）との関係づくりに力を入れるべきだという点でしょう。会社の仕組みが関係しているのかもしれませんが、少なくともStripeでは、そうした人々に助言を求めるのが普通でした。つまり、彼らに暗黙の裁量権があったのです。また、人事や優先順位付けにも大いに影響力をもっていました。

あなたのアイデアを納得させるためにも、彼らの懸念を理解するためにも、そうした人々と良好な関係を築くことが大切なのです。彼らのインセンティブは何なのか、彼らがあなたには見えていないどんな問題を見ているのか、そうした点を理解できるようにならなければなりません。リーダーシップと足並みがそろっていると、物事の多くが簡単になります。

ほかに重要だと思うのは、推量する能力です。システムを見て、1秒当たり何ギガバイトとか、データのストレージ容量がどのぐらいになるかなどを見積もる習慣を身につけることが本当に重要だと思います。完璧に予想できなくてもいいのです。だいたいの値がわかるだけでも、じつに役に立ちます。

**エンジニアリングマネジメントの道を進むことも検討しましたか？　もししたなら、マネジメントではなくスタッフエンジニアの道を選んだ決め手は何でしたか？**

考えたことはありますが、真剣に検討したことはありません。少なくとも今の時点では、マネジメントの仕事をやったところで、楽しいとは思えないでしょう。管理職としての活動をずっと続けていけるとは思えないのです。マネジャーになれば多くの力を得ることができると思うので、もっと関心をもったほうがいいと考えることもあるのですが、幸運にも私は自分という人間をある程度は理解しています。マネジャーの仕事を、私は楽しめないでしょうし、楽しめなければ、優れたマネジャーになることもできないに違いありません。

**どんなリソース（書籍、ブログ、知人など）を学習に用いましたか？**

この点については本当によく尋ねられます。私の知識の幅が広いからでしょう。ですが、その知識がどこから来ているのか、はっきりと答えることはできません。私は、コンピューティングとソフトウェアとアーキテクチャに関してはかなり貪欲です。さまざまなものを読み、ソフトウェアエンジニアリング関連のTwitterに張られたリンクを読みあさることに、不健康だと言えるほどの時間を費やします。

また、ほかの上級エンジニアと良好な関係を築けたのは、私にとって本当にありがたいことでした。今の仕事のこととか、考えていることとか、どんなことでも気さくに話し合います。個人的につながっていれば、彼らがどんな問題に直面しているのか、どんなソリューションを考えているのか、曇りなくはっきりとわかるのです。

そうした人間関係のほとんどは、職業上の知人のネットワークを介してだけでなく、学生時代からも構築してきたものです。あとになって意図的につくったものではありません。

ときどき技術論文を読むこともありますが、誰かが紹介したから、などといったきっかけがなければ自発的に読むことはありません。何かを追求したり、最新の出版物をチェックしたりする努力はしていません。ただし、いわば基礎文献をしっかりと理解しておくのは有益だと思います。

## ダイアナ・ポジャル
### — Slack 社のスタッフデータエンジニア

2020年4月取材。ダイアナに就いての詳細はブログ[172]、Twitter[173]、Linkedin[174]で。

**今の役割について教えてください。役職名は何でしょうか？　会社は？あなたはチームを率いてどんなことをやっているのでしょうか？**

私はスタッフデータエンジニア兼テクニカルリードとしてSlackのデータプラットフォームチームで働いています。Slackに入社したのは2016年の2月で、データエンジニアチームの初期メンバーの1人でした。データを長期的な分析に利用できるようにするためのツールやインフラストラクチャの開発に深く携わりました。入社当時、チームはログ形式としてThriftの採用を決めたばかりで、データから知見を得たい人は、本番MySQLデータベースのリードレプリカ上にcronジョブをスケジュールする必要がありました。

Slackのデータエンジニアリングの目的は、（データサイエンティスト、エンジニア、プロダクトマネジャーなど）社内の誰もがデータにアクセスして洞察を行い、ビジネス上の決断を下し、新たな機能を構築できる状態にすることでした。データプラットフォームチームは、データウェアハウスのデータを処理したり使ったりする必要のある人のために、大規模に機能するサービスやフレームワークをつくることに重点を置いています。チームの成果としては、タスクやテーブルやカラム系統や一般メタデータを公開するデータディスカバリーサービス、イベントログ構造、イベントを消費してデータウェアハウスのRAWテーブルで公開するパイプラインなどを挙げることができます。

**Slackでは、スタッフプラスエンジニアはどんなことをしていますか？日々、どのように時間を使っていますか？**

スタッフプラスエンジニアの役割はチームが必要としているもの、あるいは特定のエンジニアの長所に応じて大きく変わります。個人的な経験から、スタッフプラスエンジニアの責任は時間とともに変わっていくとも言えますが、基本的には、会社にとって戦略的価値の高いプロジェクトや試みに携わり、技術デザインを推進したり、チームのレベルアップを促したりします。

私の考えでは、スタッフプラスエンジニアは2種類に大別できると思います。深さを追求するスペシャリストと広さを求めるジェネラリストです。

深さに重点を置く前者は基本的に特定領域の専門家で、ほとんどの時間を自分の専門分野にソリューションをもたらすためのコーディングや技術的なデザイン文書の作成に費やします。企業というものはそれぞれ独自の課題に直面しているので、極めて困難な問題を技術的に解消するために専門家を必要としているのです。Slackの場合は、会社が成長するにつれてシステムも拡大および改善する必要があったので、パフォーマンス問題を発見して修復することに努力と情熱を注ぐプリンシパルエンジニアが必要になりました。

一方、幅広い活動を行うジェネラリストはリーダーシップチームと密接に協力しながら組織や会社全体の技術的なビジョンに影響を与え、プロセスや文化を改善します。その守備範囲の広さゆえに、彼らは柔軟に活動し、会社の優先事項やニーズに応じて、エンジニアリング組織のさまざまな領域にかかわります。

今のところ、私は幅広い活動に重点を置いているので、時間の使い方はチームや組織のニーズに左右されます。今年は時間のだいたい半分をテクニカルリーダー[175]として今後注力すべき大きな技術投資について人々に話すことに費やし、残りの半分は、メンター活動、コードレビュー、コーディング、重要問題の解決などに使っています。ただしその比率は四半期によってまちまちです。

### どのようなときに、スタッフプラスエンジニアとして最もインパクトを感じますか？　以前はできなかったのに、スタッフプラスエンジニアになってできるようになったことはありますか？

昇進してからは、肩書きが変わる前にいっしょに仕事をしたことがない人から信頼あるいは尊重されやすくなったと実感しています。肩書きを得ることで、組織や会社のロードマップや優先事項の決定に参加できるようになります。言い換えれば、「決断が下される場所」にいることができるのです。

会社の成功に直接関係する事柄の構築に参加するようになります。そうしたプロジェクトを提唱したり、関与したりするのは、以前の役職では不可能でした。

また、経験の浅い人々のレベルアップを促し、彼らの声を聞くことも可能になりました。スタッフプラスの肩書きを通じて、ほかの人にない特権が得られました。チームや仲間たちのレベルアップにために、その特権をうまく活用しようと努力しています。

### テクノロジーやプラクティスやプロセス、あるいはアーキテクチャの変更を提唱することがありますか？　これまでどんなことを提唱してきましたか？

実際、技術的ソリューションやプロセス、あるいはアーキテクチャや文化の変更を提唱することに、かなりの時間を使っています。コードを書くだけが仕事ではないのです。私はデータエンジニアリング部門のツールやサービスが不可欠なシステムを構築している数多くのチームの技術デザインのレビュープロセスに携わっています。技術プロジェクトだけではありません。文化やプロセスの変更を提案するのも私の仕事です。

私がとても気にかけていて、私自身が組織のために大いに役立つと信じている分野として、インシデントの管理と分析を挙げることができます。私は会社のレジリエンスチームに参加してインシデント分析プロセスの改善に努めました。加えてデータエンジニアリング部門のために、会社のインシデント対応態勢を取り入れて、緊急時体制の拡充にも深くかかわってきました。

### ほかのエンジニアをスポンサーとして支援したことがありますか？　あなたの役職では、ほかのエンジニアに対するスポンサー活動が重視されますか？

私にとって、スポンサー活動は重要で、いっしょに働く多くの人と良好な関係を結ぶことに力を入れています。そうやって互いを高め合うことが必要だと強く信じています。スタッフエンジニアになるまでの過程で、私は自分自身のインポスター症候群と戦ってきました。その際、私を支援し、私を成長させてくれたすばらしい人々と仕事をしてきました。私のメンターあるいは手本になった人々としては、ジョッシュ・ウィルズ[176]、スタン・バボリン[177]、ボグダン・ガザ[178]、トラビス・クロフォード[179]を挙げることができます。

まわりの人を指導し成長させることは、私にとってつねにとても大切でした。スタッフプラスの役職では、ほかの人がもっていない権限と権力を得るのですから、私はそれらを人々のレベルアップのために有効に使うように最善を尽くしています。

**あなたはSlackでスタッフエンジニアの肩書きを得ました。スタッフエンジニアとして雇用されたのでしょうか？　そうでないなら、スタッフエンジニアになるまでの経緯を教えてください。**

私は中級エンジニアとしてSlackに就職して、1年でシニアエンジニアに昇進し、エンジニアリング組織と会社全体に影響のあるプロジェクトの数々に取り組む機会を得ました。それらの多くは会社の株式公開の準備に不可欠なビジネス指標の計算に関係していました。

シニアエンジニアとして2年が過ぎたころ、上司が、私がすでに1つ上のレベルの仕事をこなして結果を残しているので、昇進させるつもりだと言ったのです。Slackではスタッフプラスの役職に昇進するには、当人が高いレベルで活動していることを詳細かつ具体的に示すプロモーションパッケージが必要になります。その際、技術力、影響力、協調力、実行力に重点が置かれます。私は上司とともにプロモーションパッケージに必要な情報をすべてまとめました。ICとして、私は可能な限り上司の協力を得ながら、そのような文書を作成することを推薦します。この仕事はチームで行うべきです。完成したプロモーションパッケージは、会社の全部門からのリーダーやスタッフプラスエンジニアで構成される特別な昇進委員会で審査されます。

**スタッフプラスエンジニアになるのに最も重要だった要素を教えてください。これまで所属した会社、働いた場所、教育などはどの程度あなたのキャリアに影響したのでしょうか？**

ジュニアエンジニアだったころの自分を思い出してみると、スタッフエンジニアになるのに最も重要な要素はインポスター症候群に負けることなく、「できる、なれる」と信じることだったと思います。

基本的には、私は自分のキャリアを意図的に選択するように努めていて、毎年自分のやっていることと、今後力を入れていきたい分野の検討に多くの時間を費やします。これがとても役に立っています。自分の活動を一歩下がって眺め、今の環境で成長できているか、新しい機会にチャレンジしたほうがいいかを考えることができるからです。

2015年の終わりにTwitterを去ると決めたころ、Slackがデータエンジニアリング部門の立ち上げを始めたと知りました。システムとフレームワークとサービスをゼロからつくってデザインする機会があるという事実に、私はわくわくしました。Slackで新設されたチームに加われたことは、ほかにない特別な機会で、間違いなくスタッフエンジニアになる役に立ちました。組織や会社全体に影響するプロジェクトに参加する機会を得ることができたのですから。たとえば、私が関与した最初の大きなプロジェクトは、本番MySQLデータベースにかかる負荷の25%をデータウェアハウスに移すことでした。そうすることで、会社は数百万ドルのコストを減らせたのです。

もう1つ、スタッフエンジニアになる道のりで私を大いに助けてくれた要素として、まわりの人々を挙げることができます。私はチームのなかにすばらしい模範や指導者を見つけることができて、本当にラッキーでした。Slackに入社したとき、私は最上級チーム（その全員がシニアスタッフ）の4番手でした。それが刺激になって、能力を高め、自分もこのチームでやっていけると示すモチベーションにつながったのです。個々のプロジェクトでメンターとしての実績を重ね、また知名度と技術力を高めてきたことも、スタッフエンジニアになる役に立ちました。私は自分の仕事をただの仕事だとは捉えていません。どのプロジェクトにも情熱を捧げ、解決すべき問題にしっかりと取り組んでいます。

**スタッフエンジニアになるには「スタッフプロジェクト」を成功させなければならない、という考えが広まっています。あなたはスタッフプロジェクトを実行しましたか？　それはどんなものでしたか？**

いいえ、スタッフプロジェクトを任されたことはありませんし、そのようなものはSlackでは昇進の条件に含まれていません。キャリアラダーで各レベルに対する期待や影響範囲が定義されていて、スタッフプラスのレベルになると、影響範囲がエンジニアから会社全体へと広がります。

私はいつも挑戦することを心がけていて、組織内で変化やインパクトを起こそうと考えています。影響が大きくて、スタッフエンジニアになるのに最も貢献したのは、会社のビジネス指標（ARR = Annual Recurring Revenue：年間経常収益など）の計算方法について、そのプロセスの信頼性、拡張性、そして何より再現性を確実にするために技術デザインを考案し、実装したプロジェクトだと思います。Slackが株式公開の準備を終えるのに欠かせない重要なプロジェクトでした。

### スタッフエンジニアになるときに、特に役立ったアドバイスはありましたか？　今振り返ってみて、スタッフエンジニアになるのにもっと簡単な道があったと思いますか？

スタッフプラスエンジニアの仕事と責任はコードを書くことだけではないと理解したことが、とても有益だったと思います。基本的に、シニアエンジニアになるのと、スタッフプラスになるのとでは、まったく異なる要素が求められます。自分の会社で、さらには業界で何が求められているのかを知ることが大切でしょう。会社によって、スタッフエンジニアに求めるものが違いますから。

直属の上司やさらに上の人々の協力を得ながら、困難なプロジェクトにチャレンジして、今の自分の仕事範囲を広げる努力をしましょう。私の場合は、リーダーシップとコミュニケーションのスキル向上に力を入れたことが、とても役に立ちました。また、ある問題でストレスを感じたり、自信をなくしそうになったりしたときには考え方を変えて、今まさに自分は成長しているのだ、あるいは成長の機会がたくさんあるエリアに足を踏み入れたのだと、理解するように努めました。

### スタッフエンジニアになったばかりの人たちに、何かアドバイスがありますか？

スタッフエンジニアになると担う責任が増えますし、仲間の強力な支持者になる必要もあります。ICとして、私は何かを自分の手で実行することは「簡単」なことだと考えます。難しいのは、組織に変化やインパクトを促すことなのです。

スタッフエンジニアとして活動をしていけば、あなたは時期によってさまざまな事柄に集中する必要があるでしょう。それはそれでいいですし、そう期待もされています。スタッフエンジニアの仕事に、明確な定義などないのです。

**エンジニアリングマネジメントの道を進むことも検討しましたか？　もししたなら、マネジメントではなくスタッフエンジニアの道を選んだ決め手は何でしたか？**

数年前、実際に検討しました。そして、この問いについて考えるたびに出てきた答えは「今のところはノー」でした。マネジャーになりたくなかったのです。私はコードを書くのが大好きであると同時に、マネジャーとして成功するにはコードを書くべきではなく、チームの成長に完全に集中すべきだと確信しています。技術的な決断に関与したり、技術的なソリューションを考えたりする仕事が気に入っているので、たとえ上級の役職になるにつれて実際にコードを書く時間は減っていくとしても、現場を離れたくないのです。

エンジニアリングマネジャーではないからといって、インパクトを残したり、人々の成長を手助けしたりすることができなくなるわけではありません。実際、スタッフプラスエンジニアにはたくさんのマネジメントスキルが必要です。私もマネジャーではないのに、マネジメントに関する書籍がとても役に立っています。マネジメントとスタッフプラスは別々の、並行するキャリアではあるのですが、一般に考えられているよりもはるかに近い関係にあると思います。

いつか、この問いに対する答えが変わり、マネジメントへの移行に「イエス」と言う日が来るかもしれません。

**どんなリソース（書籍、ブログ、知人など）を学習に用いましたか？　あなたにとって、誰が手本になりましたか？**

私はTwitterを大いに利用していますが、そのほとんどは読者としてで、テック業界の多くの人をフォローしています。カンファレンスで講演していた人々やいっしょに働いたことがある人をフォローして、私に関係しているコンテンツを探します。何人か例を挙げると、カミーユ・フルニエ、ララ・ホーガン、ジョッシュ・ウィルズ、ヴィッキー・ボイキス、デヴィッド・ガスカ、ジュリア・グレース、ホールデン・カラウ、ジョン・アルスポー、チャリティ・メジャーズ、テオ・シュロスナーグル、ジェシカ・ジョイ・カー、サラ・カタンザロ、オレンジ・ブックなどです。

本もたくさん読んでいて（毎年だいたい50冊ほど）、去年からは読後の感想をすべてGoodreadsのアカウント[180]に記録するようにしました。以下、特に役に立った書籍のレビューをいくつか紹介します[訳注1]。

- ハーバード　あなたを成長させるフィードバックの授業[181]
- Radical Candor[182]
- エンジニアのためのマネジメントキャリアパス[183]
- Leadership and Self-Deception: Getting Out of the Box[184]
- The Coaching Habit: Say Less, Ask More & Change the Way You Lead Forever[185]
- まず、ルールを破れ：すぐれたマネジャーはここが違う[186]
- 嫌われる勇気 自己啓発の源流「アドラー」の教え[187]
- GIVE & TAKE「与える人」こそ成功する時代[188]
- Mistakes Were Made (But Not by Me) : Why We Justify Foolish Beliefs, Bad Decisions, and Hurtful Acts[189]

もちろん、ほかにもたくさんあります！

**訳注1** 邦訳がある場合はその書名を示す。

## ダン・ナ
### ― Squarespace 社のスタッフプラスエンジニア兼チームリード

2020 年 3 月取材。ダンについての詳細はブログ、Twitter[190]、Linkedin[191] で。

**今の役割について教えてください。役職名は何でしょうか？　会社は？あなたはチームを率いてどんなことをやっているのでしょうか？**

Squarespace でスタッフエンジニアをしています。Squarespace はウェブページ、ドメイン、オンラインストア、マーケティングツール、スケジュール登録など、美しいオンラインサイトを構築するオールインワン型の一大プラットフォームです。また、Squarespace プロダクトの国際化の基礎を開発・維持する役割を担う国際化プラットフォームチームのチームリードとしても働いていています。私たちのツールやライブラリを使って、エンジニアがローカライズされたプロダクトをつくるのです。

**Squarespace では、スタッフプラスエンジニアはどんなことをしていますか？　あなたはどのように時間を使っていますか？**

スタッフプラスエンジニアの日々の責務は、組織における具体的な役割や責任の所在によって大きく左右されると思います。

私の場合、チームリードですのでチームの業績に、ビジネスという点でも、技術的な側面でも、責任を負います。ビジネス面では、私は、プロダクト、戦略、顧客業務など、会社のさまざまなチームや部門とのミーティングに多くの時間を割いています。会社にとっての最重要項目を私のチームのロードマップに確実に反映させるためです。

技術面では飛行機のなかで技術文書をレビューしたり、チームの仕事のためにホワイトボードとにらめっこしたりしていることが多いです。役割としては、実際にコーディングすることが減って、アーキテクチャに関する決断やデプロイ戦略について検証や問いかけすることのほうが多くなりました。スタッフエンジニアになったあとのほうが、なる前よりもはるかにコーディングする時間が減ったのですから、皮肉なものです。みんなそうだ、と言いたいのではありません。私のチームの場合は、私が Vim を閉じて、戦略や監督的な役割に多くの時間を使うことが最も有効だったのです。幸運なことに、私のチームにはすでにすばらしいエンジニアがいますので、私が実際にコーディングしなくても、チームの成果には影響がほとんど出ません。

ですが、Squarespaceにはチームリードの役割を担っていなくて、自分で大量のコードを書くスタッフプラスエンジニアもたくさんいます。プロセスや文化に責任を負う人もいます。要するに、スタッフプラスエンジニアの責任は置かれた状況によって違うということです。

**どのようなときに、スタッフプラスエンジニアとして最もインパクトを感じますか？　以前はできなかった、あるいはしようと思わなかったのに、スタッフプラスエンジニアになってできるようになったことはありますか？**

私は個々のプロジェクトやチームよりも上のレベルで行われる高度なエンジニアリング会議に参加しています。技術的なチームにも技術以外のチームにもまたがる種々の問題について議論するスタッフエンジニアリングミーティングを定期的に開いているのです。たとえばの話ですが、そのようなミーティングで私はエンジニアリング部門のオンボーディングプロセスにおける欠点と思われる問題などを、反発を恐れずに指摘することができます。エンジニアリングへのオンボーディングのようなトピックを特定のチームに任せるのは難しいでしょう。ですが、責任の所在が決まっていないからといって、それらが重要ではないわけではありません。エンジニアリングの成果に貢献（またはじゃま）するものなら、技術戦略だろうが文化だろうが何でも引き受けるのが、スタッフプラスエンジニアのおもな責任だと思います。

肩書きを得てから変わったことといえば、誰かと話をするとき、初めから高く信用されるようになりました。アイデアよりも肩書きが重視される社風をよしとしているわけではありませんが、肩書きのおかげで以前は聞く耳をもたれなかった主張を拡大したり押し通したりするのが容易になった点を否定すれば、嘘をつくことになってしまいます。

**テクノロジーやプラクティスやプロセス、あるいはアーキテクチャの変更を提唱することがありますか？　組織に影響を与えた具体例を挙げることができますか？**

私は何かを提唱するという行為を仕事のカテゴリーとはみなしていません。ただ、エンジニアリングチームとプロダクトが最高の状態であることを望んでいて、経験から私に手助けができると思えることに取り組むだけです。

たとえば次のような点です。

・私が入社したころ、会社は従業員を大幅に増やしていました。そのため、何らかのプロジェクトを共同で行うなどといった機会がなければ、ほかのチームにいる人々と知り合うのがとても難しかったのです。そこで私は「#connect-engineering」というSlackルームをつくりました。ボットを使ってエンジニアリング部門にいる人員からランダムに2人を選び、隔週でコーヒータイムを設けたのです。このSlackルームはもう2年以上にわたって、コーヒーの輪を通じて人々を結びつけています。

・個人的な経験から、エンジニアリングのリーダーは孤立しがちであることを知っていましたし、同僚と話していると、彼らの一部は孤独感を味わっていることもわかりました。そこで私は何人かの仲間と手を組んで、非公式の「エンジニアリングマネジメント読書クラブ」を立ち上げ、チームリードとエンジニアリングマネジャーを招待しました。今では最大10人の参加者で構成される読書クラブが2つあって、新米リーダーとベテランリーダーが互いにサポートし合える安全な環境を提供しています。読書クラブに関するフィードバックは驚くほどポジティブです。

正直なところ、上の2つの例を実行するのにスタッフプラスエンジニアの肩書きはいりません。ですが、技術の隙間と同じぐらい熱心に文化の隙間に対処するのが優れたスタッフプラスエンジニアだと、私は確信しています。

**あなたはSquarespaceでスタッフエンジニアの肩書きを得ました。その地位に昇進するまでの経緯を教えてください。**

私はシニアソフトウェアエンジニアII（スタッフエンジニアの1つ下のレ

ベル）という形でSquarespaceに採用されました。そして幸運なことに、インパクトの強いプロジェクトに取り組んでいたチームに加わり、すぐに結果を出すことができました。私がすでにある程度慣れ親しんでいた問題（コードベースにおける広範囲におよぶ変更）に対処するのが、このプロジェクトの目的だったのです。そこで私は会社の成功に貢献すると思える代替えのアーキテクチャを提案し、プロトタイプをつくり、そして最終的には完成させたのです。これがのちに会社のフロントエンド翻訳システムになりました。これについては「Building a System for Frontend Translations」[192]というブログ記事も書きました。

この新しい翻訳システムに関するコミュニケーションや教育も私の責任で、社内ミーティングでそのアーキテクチャについてプレゼンしたり、プロジェクトのステータスについてメールを発信したりもしました。この技術面での貢献と、文化面での活動（ほかの社内プレゼンテーションや#connect-engineeringなど）を総合的に判断したうえで、上司が私の昇進を提案し、エンジニアリングディレクターが承認したのです。

### スタッフエンジニアになったばかりの人たちに、何かアドバイスがありますか？

キャリアラダーを上るたびに、私はそれまで気にかけてきたことよりももっと多くのことに関心を向けろと強制されているような気になります。この「もっと多くのことに」がじつに難しい。

大ざっぱに言えば、こんな感じでしょう。インターンは、3カ月以内に構築できる単独機能（フィーチャー）に意識を集中します。チームに属するフルタイムのエンジニアはそのフィーチャー全体のライフサイクルについて考えます。チームリードやマネジャーはプロダクトを構成する一連のフィーチャーに責任を負います。ディレクターはエンジニアリング部門が担う一連のプロダクトすべてを気にかけるのです。

階段を上がるたびに抽象化レイヤーが加わり、その下にあるそれまでのレイヤーをひっくるめてすべてに責任を負うことになります。

特定の技術領域というコンフォートゾーンから「エンジニアリング」というより広範囲な問題に足を踏み入れるのが、スタッフエンジニアの役割だと思います。そしてリーダーとしては、技術的なコンフォートゾーンを抜け出して、エンジニアリングのアウトプットに影響する、困難に満ちた領域に入っていかなければなりません。隙間に入り込んでエンジニアリングチームの前進を阻んでいる最大の問題は何だろうか？　それまでの技術的な問題に加え、そうした問題にも取り組むことが、スタッフプラスエンジニアには求められるのです。

スタッフは目指す価値のある肩書きですが、それには責任の大幅な増加が伴うのです。スタッフプラスエンジニアは、望もうと望まなかろうと、リーダーなのです。

**ほかのエンジニアを支援したことがありますか？あなたの役職では、ほかのエンジニアに対するスポンサー活動が重視されますか？**

スポンサーシップはスタッフプラスエンジニアに限らず、すべての上級職にとって重要な役割ですし、エンジニアリング組織の成長に欠かせない要素だと思います。「スポンサーシップ」の定義はさまざまだと思いますが、私は露出する機会を与えることだと思います。いくつか例を挙げましょう。

- ・ランクの低いチームメイトに、大規模な会議で自分の仕事について発表する機会を与える。
- ・優れた機能を納品したばかりのチームに声をかけて、エンジニアリングブログに記事を投稿させる。
- ・#connect-engineering コーヒータイムで出会った、ユニークな経験や考え方をもつ人に、社内プレゼンをするように勧める。
- ・会議が声の大きい少数派に支配されないよう気を配り、参加者全員から意見を求める。
- ・すばらしい業績を上げたのに誰からも気づかれていない人がいたら、人がたくさん集まる大型のSlackルームでその人を称賛する。

実際のスポンサーシップについて、ララ・ホーガンが「What does sponsorship look like?」というすばらしい記事を投稿しています。

**エンジニアリングマネジメントの道を進むことも検討しましたか？　もししたなら、マネジメントではなくスタッフエンジニアの道を選んだ決め手は何でしたか？**

はい、今でも検討を続けています。エンジニアリングとマネジメントを2本の排他的な道と考えるほうが便利だと思いますが、私はそう考えません。

私はいまだにコードのリリースとチームの運営に携わっていて、その両方を高いレベルでこなすことがエンジニアリングにおける長期的な成功に不可欠だと考えています。チャリティ・メジャーズが「The Engineer/Manager Pendulum」というタイトルですばらしいブログ記事を書いているので、読んでみることをお勧めします。

チャリティは「マネジャーキャリアとエンジニアリングキャリア」と分けて考えるのは間違っているとして、両方の役割を行ったり来たりすることで、どちらの能力も高めることができると指摘しています。この主張は私自身の経験とも一致しています。私がマネジャーとして有利なのは、ろくに計画されていないプロジェクトでICを努めるのがいかに大変かを知っているからで、私がICとして有利なのは、プロジェクトがまずい方向に進みはじめたとき、どのタイミングで、どのような警鐘を鳴らすべきかを知っているからです。

ソフトウェア開発で最も重要な戦略スキルの1つは実用的な意思決定に集中する能力だと思います。私がよく目にする失敗のパターンは、プロダクトマネジャーがビジネス要件を主張し、エンジニアが技術面を押し出し、どちらも引こうとしないケースです。両方の動機を理解し、緊張関係をうまくナビゲートする能力がなければ、何も成し遂げることができません。そして、双方の考えを理解する最善の方法が両陣営で席を得ることでしょう。

質問に対しての答えですが、Squarespaceに来る前の役職はエンジニアリングマネジャーでした。エンジニアリングマネジャーの仕事がとても気に入っていましたが、技術スキルを高い水準に保ちたかったのでICの仕事を受け入れることにしました。その後、スタッフエンジニアに昇進したのです。

**どんなリソース（書籍、ブログ、知人など）を学習に用いましたか？　あなたにとって、誰が手本になりましたか？**

エンジニアリングリーダーシップの点では、2冊の本が優れています。

私にとっての不動の第1位はアンドリュー・S・グローブの『HIGH OUTPUT MANAGEMENT（ハイアウトプット マネジメント）人を育て、成果を最大にするマネジメント』[193]です。気づけば1年に1回はこの本を手に取って読み直しています。この本が私の仕事観とリーダーシップ観を形成したと言えます。具体的には、「マネジャーの尺度はマネジャーの下にある組織のアウトプットだ」や「委任は放棄ではない」、あるいはエンジニアリングあるいは管理のレバレッジなどといった考え方です。エンジニアリングリーダーシップの戦術面を説いた書籍としては、いまだにこの本が最高だと思います。

リーダーシップの人間面に関してはララ・ホーガン[194]の『Resilient Management』[195]がとても気に入っています。私にとって、2013年にEtsyに就職してニューヨークで働きはじめたときに、最初の上司となるエンジニアリングマネジャーがララだったことが本当に幸運でした。ララは、感情、個性、心理的安全、仕事仲間の支援などの最も困難な課題に取り組み、適切に対処する名人だと言えます。ほぼ4年もララの下で働く機会があった私は、彼女が本物で、有言実行する人物であることを知っています。

書籍以外では、「Irrational Exuberance」[196]に登録しています。ウィル・ラーソンが定期的にエンジニアリングマネジメントに関する実用的かつ戦略的な記事を投稿しているブログサイトです。最近はマーティ・ケイガンの「Insights Blog」[197]も読むようになりました。私にとってあまりなじみがなくて学ぶ部分の多いプロダクトリーダーシップを扱っているからです。

私が模範としているのは、過去の年月で密接な関係を築いてきたすばらしい同僚たちです。Etsyでは4年間ダニエル・エスペセット[198]とデスクを並べ、技術的な手段と文化的なインパクトを組み合わせる方法を大いに学ばせてもらいました。エンジニアリンググループ全体における平等な報酬を訴え、それを実現したララからも、多くを学びました。今の仕事仲間であるターニャ・ライリー[199]が拡大しつづけるスケールに合わせてエンジニアリングプロセスを調整し、進化させる様子も、大いに参考になります。どんな困難に直面しても会社をよりよい方向に変える勇気をもつ人々を、私は目撃してきました。

そんな人たちから、大いに刺激を受けています。

## ジョイ・エバーツ
### ― Split 社のシニアスタッフソフトウェアエンジニア

2020年3月取材。ジョイについての詳細はブログ[200]、Twitter[201]、Linkedin[202]で。

**今の役割について教えてください。役職名は何でしょうか？　会社は？　あなたはチームを率いてどんなことをやっているのでしょうか？**

私はSplit.ioでシニアスタッフソフトウェアエンジニアとして、COEと呼ばれるチームのバックエンドで働いています。Splitは、ユーザーごとに異なる機能を提供できる「フィーチャーフラグ」を提供して事前検証できるフレームワークです。顧客にCI/CDのデプロイとリリースを分離し、A/Bテストを可能にすることに重点を置いています。私のチームは、データストレージからAPIまですべてを含むウェブアプリケーションのビジネスロジックの大半を担当しています。検証面に取り組む（たとえば検証に欠かせない詳細な統計などを集める）のは別のチームの役割なので、私のチームはメインプラットフォームに集中できます。

**Splitでは、スタッフプラスエンジニアはどんなことをしていますか？　あなたはどのように時間を使っていますか？**

この役職になってまだあまり時間がたっていないので、いまだに自分の役割を明確にしている途中なのですが、この点こそが上級職の利点だと思います。今のところまだ駆け出しですから、時間の半分から4分の3ほどは私のスクラムチームのタスクに費やしているでしょう。この点ではほかのエンジニアと同じです。残りの時間で、ほかのエンジニアとの会話や作業を通じて、長期的なアーキテクチャや戦略を定めています。具体的には、将来のAPIやプラットフォームの戦略、認証フレームワークの開発方法、ビルドの分割とデカップリングなどです。最近では、ほかのエンジニアとともに会社のバックエンド部分の指揮も執るようになり、バックエンドの技術的なビジョンの取りまとめ、テックプロジェクトの優先順位付け、議論の主導などに取り組んでいます。また、定期的にブログで記事を発表していますし、カンファレンスで講演することもあります。

**どのようなときに、スタッフプラスエンジニアとして最もインパクトを感じますか？　以前はできなかった、あるいはしようと思わなかったのに、スタッフプラスエンジニアになってできるようになったことはありますか？**

私は特定分野のために技術的なビジョンの設定を促し、人々をそのビジョンのほうへ動かすとき、自分の仕事のインパクトを最も強く実感できます。私は、私たち誰もがコードを今よりもうまく設計したい、あるいは何らかの形で改善したいと望んでいると考えています。ですが、多くの人はただ漠然と何か今よりもいいものを望んでいて、自分たちが何を求めているのか明確な意識はないようです。私はみんなに正確な目的地の共通理解を促し、そこにたどり着くためのゲームプランを考える手助けをするのが好きなのです（そこに実際に到着できなくてもいいのです）。そうすることで、みんなが同じ方向へ進めるようになります。自分たちが何を望んでいるのかをはっきりと意識できれば、プロダクト部門と協力して優先事項を決めるのも容易になります。たとえ優先順位で完全に合意できなくても、そこにたどり着く道さえわかっていれば、変化をゆっくりと促し、その方向へ進むことができるでしょう。

たとえば、何らかの形で私がファイルに触れることで、いくつかの調整が可能になりビジョンへ少しでも近づくのであれば、私はそうします。ビジョンがなければ、そのような調整が行われることはないでしょう。ビジョンはそこにあるだけではだめで、誰もがそれを自分のものとして理解しなければなりません。今指摘したような小さな調整の力は、誰かが日常のコーディングの一部として行ったときに真価を発揮します。突然全員が共通のゴールを目指すようになります。

私の場合、以前と今の最大の違いは、当事者意識と責任感だと思います。私は昔から改善に前向きで、そのための努力を惜しみませんでした。でもキャリアが浅かったころは、何か問題があっても、それは誰かほかの人の責任だと単純に考えていました。ですが、それらは今、私が担う責任になったのです。今でも、ある問題をほかの問題よりも小さいと考えて、後回しにすることもあるでしょう。ほかの人に任せるという決断を下すこともあるかもしれません。それでも、責任を負うのは私です。ほかの誰かがやる問題、などとは考えなくなりました。私は今も、自分がどの戦いに身を投じるか、よく考えるべきだと考えています。すべてに取り組むなんて、私にはできませんから。同時に、ほかの人がすべてをやれるとも思っていません。ですから、やる価値のある何かが存在するなら、それを自分でやるか、それとも誰かに託すかを決めるのが私の責任なのです。

**テクノロジーやプラクティスやプロセス、あるいはアーキテクチャの変更を提唱することがありますか？　これまでどんなことを提唱してきましたか？　組織に影響を与えた具体例を挙げることができますか？**

はい、すべての質問にイエスと答えることができます。今の私にとって、主要な仕事です。私はエンジニアとしてスクラムチームにも参加していますが、仕事の大部分はかつて遭遇したことがある落とし穴や起こりがちな問題に目を光らせることだと言えます。私の仕事は、テクノロジー、アーキテクチャ、あるいはプロセスなどを通じて、すべてのエンジニアにもっと効率的に働いてもらうこと。ですが、変更を加えるという目的のためだけに変更を加えることは絶対に避けなければなりません。これまでの年月で、電子メール通知システムの刷新からテストの再検討、さらにはいくつかの承認フレームワークの修正まで、たくさんの提案を行ってきました。

いくつかのケースでは私は特に大きな仕事をしていません。たとえばメールシステムの刷新では、プロダクト部門が何らかの通知の追加を望むたびに、システムはもう崩壊寸前で、何かを付け足すよりもまずは修正を行うべきだと言いつづけただけです。私がそうやって抵抗するものですから、まわりのエンジニアたちも、ときにはノーと言っていいのだと気づきました。初めのうち、プロダクト部門は通知をそれ以上追加しないという選択をしましたが、最終的にはシステムの刷新を決断しました。このケースでは、プロダクトの人々にシステムがリスクを抱えていることを根気よく伝え、私自身が正しいと思うことにこだわりつづけたのが功を奏して、システムの運用を続けることができました。

承認フレームワークのケースのように、私にソリューションの考案が託されたこともあります。そうしたときには、人々は新しいあるいは今までよりも優れたソリューションを求めてはいるのですが、それでも私の決断が正しいのだと納得してもらわなければなりません。システムが極端に複雑な場合、人は私が何かを見落としていると考えることがよくあります（実際にその主張が正しいことも）。そのため、早い時期から頻繁にフィードバックを得ることが重要になります。その際、自分が選択したことだけでなく、ほかに何を検討したのか、それらをどうして選ばなかったのかも、しっかりと記録し、人々に伝えるべきでしょう。人々の意見を聞き、彼らの懸念をしっかりと理解していると知ってもらうことが大切です。また、人々はあなたの考え方を理解したいとも望みます。つまり、彼らにとっては、あなたが適当に何かを選んだのではなく、しっかりとリサーチしたうえで結論にいたったのだと知ることが重要なのです。実際、私がほかの誰かのデザインを審査するときも、結局のところ考えることはいつも同じです。「この人は、このデザインのほかに何を考慮したのだろうか？」です。

**ほかのエンジニアを支援したことがありますか？　あなたの役職では、ほかのエンジニアに対するスポンサー活動が重視されますか？**

はい。上級職になればなるほど、スポンサー活動は役割の一部とみなされ、実行されることが求められます。私はSplitに来てまだ日が浅いので、スポンサーとして活動する機会があまりありませんでしたが、今後は増えていくと期待しています。スポンサー活動には、大きなものと小さなものがあります。ある人にプロジェクトを率いさせたりチームを管理させたりする大きなスポンサー活動もときにはありますが、小さな活動のほうが多いでしょう。自分に自信がもてない人を勇気づける、人々の成果を上層部に見せる、自分の仕事を誰かに託して成長を促す、などです。スポンサー活動をしない上級のスタッフエンジニアも想像はできますが、スポンサー活動をせずに優れたスタッフエンジニアになることはできないと思います。スポンサー活動は身のまわりの人々を成長させる優れた方法です。そして、人々を成長させることはスタッフプラスエンジニアにとって最も重要な役割の1つだと思います。

**あなたはBoxでスタッフエンジニアの肩書きを得ました。その地位に昇進するまでの経緯を教えてください。**

Boxでは、私たちはエンジニアリングの習慣に従って、実際よりもひとつ上のレベルの仕事をしていることを立証するプロモーションケース（昇進申請書）を提出しています。加えて、上司も推薦書を提出するので、2つの文書が（申請者が目指す役職よりも少なくとも1つ上のレベルの）マネジャーとICで構成される昇進委員会に送られることになります。委員会が申請をレビューし、マネジャーに質問を行い、最後に昇進を推薦します。バイスプレジデントにはこの決断を覆す権限がありました（私の知る限りでは、実際に覆したケースはありませんでしたが）。昇進が認められなかった場合、本人がその理由を受け取り、すぐに追加情報を提出して決定の取り消しを求めることができます。それがうまくいくこともありました。ですから、決断に不服なら、再挑戦する価値があったのです。

私はこのやり方が気に入っていました。なぜなら、自分の業績について最もよく理解している者が自ら文書をまとめ、たとえ上司の合意がなくても、昇進を申請することができたからです。ですが、気に入らない部分もありました。自分にあまり自信がもてない人や自己主張の苦手な人には厳しい仕組みだからです。また、上司が積極的に昇進を促すケースが少なくなるという欠点もありました。上司は自分で昇進を提案するよりも、部下のエンジニアのほうが自ら昇進を希望するのを待つようになるのです。

**スタッフプラスエンジニアになるのに最も重要だった要素を教えてください。これまで所属した会社、働いた場所、教育などはどの程度あなたのキャリアに影響したのでしょうか？**

場所はあまり重要ではなかったと思います。教育に関して言うと、若かったころは教育のおかげで面接を受けることができたという意味で役には立ちましたが、その後は（直接的な意味では）それほどでもありません。私にとって最も重要だった要素を挙げるとすれば、会社、露出、そして機会の3つだったと思います。

どの会社にいても出世することは可能でしょう。ですが、急成長中のスタートアップに在籍したことが、私にはとても有利に働きました。Boxに入社したてのころは、エンジニアリング部門にはおよそ30人しかいませんでしたが、同社を8年後に去るときには、数百人に増えていたのです。ただし、一気に増えたのは最初の4年でした。私は小さなエンジニアリング組織に入ったので、環境、人、コードを深く知ることができました。そして会社が成長する過程で、やる気がある者にはリーダーシップを握る機会や技術的な困難に挑戦する機会が山ほどあったのです。会社が成長するにつれて、そのような機会も増えていきました。同時に人も増えたので、彼らから多くを学ぶこともできました（以前2〜4人の本当に小さなスタートアップにいたときには、得られなかった機会です）。

露出とは、人に存在を知られるために何をするかということ。私は会社のオフィスで働いているので、露出を高めるのは少し簡単だったと思います。ですが、リモートで働いている人も（少し難しいかもしれませんが）知名度を上げる方法が見つかるはずです。たとえあなたが本当に優れた仕事をしたとしても、誰もそのことを知らないのなら、昇進の時期が来ても、誰もあなたのことを気にとめません。さらに、上級職に就けば、ほかの人々を支援したり指導したり、あるいは会社のテックブランドを構築したりするのが仕事の一部になります。これらはどれも“目に見える”仕事です。

露出にはさまざまな形がありますが、私の場合は次の数点が役に立ちました。私は会社のSlackディスカッションフォーラムに積極的に参加し、人々の質問にできる限り多く答えるようにしていました。ブログにもたくさん投稿しましたし、社内でも社外でも、講演活動も行っていました。そして、社内の女性グループにも積極的に関与していました。おかげでエンジニアリング部門のさまざまな人々と関係を結ぶことができたのです。

3つ目の「機会」ですが、これも人によって大きく異なると思います。私の場合は、特に大きな機会が1つありました。API標準委員会に参加したのです。私はAPIの専門家ではないので、初めのうちは参加するのをためらいましたが、以前APIに携わっていたこともありますし、RESTに関する短い本を数冊読んだので、理解は十分にできていると考えたのです。このグループの魅力は、エンジニアリングに関連する多くのチームに横断的に関与していたことで、おかげでさまざまなエンジニアといっしょに働く機会を得ることができました（それが露出にもつながりました）。また、他人に影響を与え、品質のために闘うとはどういうことなのかをはっきりと知ることもできました。このグループの仕事がエンジニアリング全体に多大な影響を与え、私はあるトピック（この場合はAPI）を総合的に考える力を養いました。

**スタッフエンジニアになるには「スタッフプロジェクト」を成功させなければならない、という考えが広まっています。あなたはスタッフプロジェクトを実行しましたか？　それはどんなものでしたか？**

スタッフプロジェクトはやりませんでした。私は管理職から復帰して6カ月後に昇進したので、マネジメントでの経験をリーダーシップに活かしました。当時の私は会社間のコラボレーションプロジェクトに参加するとても小さなBoxチームを（技術面で）率いていました。そこでは、ほかの会社が求める開発チームの要件を理解し、彼らのニーズを満たしながらも、可能な限り小さなチームをつくる必要がありました。私はAPI標準の確立と維持を担当するエンジニアリングAPIワーキンググループのメンバーとして、いくつかのサイドプロジェクトを実行しました。そうした活動のすべてが有利に働いて、私にはスタッフエンジニアになるにふさわしい条件がそろっているとみなされたのだと思います。

**スタッフエンジニアになるときに、特に役立ったアドバイスはありましたか？　スタッフエンジニアになるのにもっと簡単な道があったと思いますか？**

自分の長所を伸ばせというアドバイスは何度かもらいました。人は誰でも長所と短所があり、多くの時間を短所の「改善」に費やしています。欠点をなくすことが前進する最善の方法だと思えるからでしょう。ですが、自分が本当に苦手な分野では、1本の針を動かすだけでも多大な努力とエネルギーが必要になります。苦手な分野をなくしたいという気持ちはわかりますが、長所があるなら、そちらを強化することに努めたほうがいいでしょう。では、すでに得意なことをどうすればスーパーパワーに変えることができるのでしょうか？　さらに言うなら、弱点を補うために、長所を使う方法があるでしょうか？　たとえば、私はとても内向的で、見知らぬ人と交流するのが苦手です。人とのネットワークをつくるのが下手なのです。代わりに、文章を書くのは得意ですし、楽しいとも感じます。そこで、一般に公開するブログを書くことで、人々と交流をもち、露出を増やすことにしたのです。ブログ活動を通じてネットワークが広がりました。もし、ブログの代わりにたくさんの交流会に出ていたとしても、そこまでの広がりにはならなかったはずです。

もう1つ、より戦略的なアドバイスとしては、Boxで私たちが実践していたプロモーションケースの作成が思い浮かびます。私は「今なら昇進できると自分で確信できなくても、とにかくプロモーションケースを書いておけ」というアドバイスを何度かもらいました。それを書くことで、自分のどこに隙間があるのかがわかり、次に何をすればいいのか具体的に把握しやすくなるのです（場合によっては、プロモーションケースを書くことで、自分がすでに昇進の条件を満たしていると気づくこともあるでしょう）。

どこに隙間があるかわかったら、それをしっかりと意識しましょう。昇進委員会が読むプロモーションケースはどれもとてもポジティブに書かれています。昇進しようとするときに、ネガティブなことを言う人はいません。だから、委員会はネガティブな点を探すのではなく、言及されなかった点を見つけようとします。どこに空白がある？　話すのを避けようとしている点は？

この視点から自分のプロモーションケースを読み直してみて、何かが欠けていないか確かめましょう。何かをごまかそうとしていませんか？　そういう隙間は埋めてください。そうして、あなたの物語を紡ぐのです。

私たちのプロモーションケースには質問リストを含むテンプレートがありましたが、人は皆同じではありませんし、特に上級職では同じであるべきでもないのです。ですから、質問にただ答えるだけではなく、まずは自分の長所についてよく考えてみましょう。あなただけがもつスーパーパワーは何？

あなたの物語はどういうもの？　それらをテンプレートに反映させるのです。自分の最高の長所を含めれば、プロモーションケースが全体として際立ちます。

もしマネジメントに寄り道していなければ、私はもっと早くスタッフになれたでしょう。ですが、寄り道を後悔しているわけではありません。人々の考え方、組織の運営方法、大規模なプロジェクトの優先順位など、たくさん学ぶことができました。それらすべてが、私がICとして仕事をしていく助けになっていますし、シニアスタッフに昇進した際にもきっと役に立ってくれたのだと思います。マネジメントを経験したせいでスタッフになるのに間違いなく余分な時間がかかったと思うのですが、その次のレベルへの昇進でも同じことが言えるかは、あまり確信がもません。マネジメントの経験がなければ、もっと長い時間をスタッフエンジニアとして過ごしていたとも考えられます。要するに、私はスタッフエンジニアに向けて直進してきたわけではありませんが、その代わりに長期的に有益なことをたくさん学べたのです。

**スタッフエンジニアになったばかりの人たちに、何かアドバイスがありますか？**

職務が上級になればなるほど、コードと疎遠になっていきます。もちろん、人事部長などとは違って、スタッフエンジニアになっても技術的な問題に深く携わりますし、代理人を通してでも、少しばかりのコーディングをすることはあるでしょう。でも、地位が上がれば上がるほど、まわりの人々の指導や育成（その数もどんどん増えていきます）、会社におけるチームの構築、改善や修正が可能なより大きなテクニカルトレンドの把握、チームにおける技術的なビジョンの確立、あるいは技術的な負債を抱えるプロジェクトに対するリソース割り当ての提唱などがおもな仕事になっていきます。視野を広げ、ほかの人に手を貸すことが重要になります。昇進したとたんに、コミュニケーション、リーダーシップ、説得力が以前よりも重要になるのです。

**エンジニアリングマネジメントの道を進むことも検討しましたか？　もししたなら、マネジメントではなくスタッフエンジニアの道を選んだ決め手は何でしたか？**

Boxで過ごした期間のちょうど真ん中ころに1年半ほどマネジメントに携わっていたのですが、気がつけば嫌いになっていました（このあたりの経緯についてはブログに詳しく書いています）。そうは言うものの、ほとんどの会社ではマネジメント職とスタッフプラス職が多くの点で重複していることを知ることができました。どちらの役職にも、人々を指導したり、率先したり、説得したりする力が欠かせません。技術という意味でも、人間関係という意味でも、物事をより大きく考え、より長期的に注意を維持することが求められます。後戻りするつもりはありませんが、管理職を経験したことで多くを学ぶことができました[203]。そのころの経験が、スタッフエンジニアになってからの私に、とても役立ってくれています。

**どんなリソース（書籍、ブログ、知人など）を学習に用いましたか？　あなたにとって、誰が手本になりましたか？**

誰か特定の人についていくということはしませんが、その代わりにまわりにいるみんなから学び、刺激を受けています。本当はあらゆるレベルの数え切れないほど多くの人から（私よりもずっと若い人々からも）学んできたのですが、ここでは数人を挙げるだけにしておきます。

私には、問題があるときにはいつでも声をかけることができた上司がいました。相談するといつでも質問の向きを変えて、「どうすべきだと思うか」と私に問いかけてくるのです。そうしたことが続くうちに、私はその上司は「誰かに直接フィードバックをしなさい」とか、「尋ねることなしに問題を修正する方法を考えなさい」と伝えようとしているのだと悟ったのです。彼は上司として私をサポートしながら、同時に、自分で責任を負うことを覚えれば、私はもっと多くのことを学び、最高の自分になれると教えてくれていたのです。あらゆることに責任を負う姿勢を、その上司から学びました。

その一方で、あるプリンシパルエンジニアがのちに、すべてを自分でやろうとする必要はないと教えてくれました。責任を負うことを学んだあと、どうやら私は、私は一人ではないという事実を忘れてしまっていたようです。もちろん、人に仕事を託すことも大切だという話は聞いたことはありました。ですが、スプリントタスクで何かを人に託したり委任を検討したりすることはできても、最優先の仕事、チームのテクニカルビジョンの考案、優先事項への取り組みなどは人に任せるべきではないと考えていたのです。

もう１人、その仕事ぶりを見ているだけで、こちらの頭がおかしくなりそうな人がいました。その人の問題解決のアプローチが、私のそれとはまったく違っていたからです。私が当たり前だと思うことにその人は意見を求め、私が誰でも知っていると思う事柄に、詳しい説明を要求するのです。ですがその女性は、私がこれまで知り合ったなかで最も賢いエンジニアの１人だとも言えます。彼女と仕事をすることで、スタイルの違いが有益であるだけでなく、ときには２つの対立的なスタイルを掛け合わせることでそれぞれのやり方を貫いた場合よりも優れた結果を生み出せることがわかりました。彼女は私が当たり前だと思っていたことのなかに穴を見つけて、ときに私を大いにいらだたせましたが、ありがたいことに、手を組むことですばらしい成果を上げることができました。

## ダミアン・シェンケルマン
### ― Auth0社のプリンシパルエンジニア

2020年8月取材。ダミアンについての詳細はブログ[204]、Twitter[205]、Linkedin[206]で。

**今の役割について教えてください。役職名は何でしょうか？　会社は？　あなたはチームを率いてどんなことをやっているのでしょうか？**

サービスプラットフォームのAuth0[207]でプリンシパルエンジニアとして働いています。所属しているのはシステムアーキテクチャ担当のグループで、そこには3人のプリンシパルエンジニアがいます。さまざまなチームと協力しながら戦略的に主導権を発揮して、Auth0の技術戦略[208]、アーキテクチャ関連の決断、ガイドラインの形成などに携わっています。

現在は大型新規プロジェクトのテックリードとして「アイデンティティおよびアクセス管理（IAM）」[209]に携わるグループに協力していますし、ほかのチームとともに信頼性とスケーリングに関連する作業も率先して進めています。

**あなたの会社では、"普通の"スタッフプラスエンジニアはどんなことをしていますか？　あなたの仕事も同じようなものですか？　それともまったく違いますか？**

エンジニアリング部門は複数のドメイン（領域）で構成されています（現在のところは、アイデンティティおよびアクセス管理、デベロッパーエクスペリエンス、サービスマネジメント、そしてプラットフォームの4ドメインです）。Auth0のスタッフエンジニアは個別のドメインにおいて技術的にチームを率いる能力のある人たちです。通常はあるドメインの1つのチームに所属しているのですが、そのドメインの範囲を超える業務に積極的に関与する権限をもちます。

スタッフエンジニアの1つ上のレベルがプリンシパルエンジニアになります。プリンシパルエンジニアは特定のチームに所属する（深さ）こともあれば、複数のチームに協力して組織全体に活動の場を広げる（広さ）こともあります。今の私は「広さ」の仕事をしています。具体的には、複数の領域に携わりながらプラットフォームの技術的戦略や技術選択などにも関係し、デザイン・アンド・アーキテクチャ（DNA）と名付けられたワークグループも率いています。

DNAは6人のメンバーで成り立っています（3人の常任プリンシパルと6カ月ごとに交代する3人のスタッフもしくはシニアII）。Auth0の技術を特定の方向に導くための決定やガイドラインを定義したり（言語が増えすぎないようにライブラリを構築して､チーム間の人々の移動を容易にするなど）、大きな領域に関連する技術レビューでほかのチームをサポートしたりするのがDNAの役目です。

私がそのような役割を得ることになったのは、6年以上会社に在籍して、そのうちの3年以上をエンジニアリングディレクターとして働いていたおかげで、「最も広い視野」をもっていたからです。私はさまざまな領域でプロダクトチームやプラットフォームチームとも働きますし、会社のもっと別の部署に協力することもよくあります。重要な見込み顧客との会話に同席したり、契約言語について法務チームをサポートしたり、マーケティング部門に協力したりすることが多いのです。

## 日々、どのように時間を使っていますか？

その日によって大きく異なります。平均的な週はミーティングがあまりに多いため、最近新しい試みを始めました。月・水・金にミーティングをまとめるのです。火曜日は緊急のミーティングのみ、木曜日は絶対に会議をしません。私たちは全員がリモートで働いているので、会議はすべてZoom経由で行います。

ミーティングの日には次のことをします。1つは、上司（エンジニアリングのバイスプレジデント）、チームマネジャー、テックリードと「1対1」の面談。これのおかげで、彼らと最新の情報を共有することができ、彼らの抱える困難が理解できます。そうしたことが理解できなければ、私は自分の仕事に悪影響が出ると思います。もう1つは、エンジニアリングリーダーシップやDNAワークグループとの「チームミーティング」です。

臨時のミーティングが開かれることもあります。たとえば次のようなものです。

- 私がテックリードとして主導する具体的な戦略
- 何かを軌道に乗せようとするチームのサポート
- 同期デザインのレビュー

木曜日は（そして火曜日も可能な限り）次のようなことに時間を費やします。

- 現在手がけている領域の進捗について検討
- 将来（次の四半期や翌年）の課題の検討
- 文書、ガイドライン、ブログ投稿の執筆
- （たまに）PoC（Proof of Concept：概念実証）の実践や、ちょっとしたツールの作成

### どのようなときに、スタッフプラスエンジニアとして最もインパクトを感じますか？　具体的な話をしてください。

最大のインパクトは、「組織としてのスケーリング（成長や拡大）」を後押しして、社内でできるだけ多くの人の仕事にポジティブに影響できることでしょう。『Scaling Up Excellence』[210]という本でとてもわかりやすい例が紹介されています。その本によると、スケーリングとは地上戦であり、1回限りの空爆ではないのです。多くの時間と忍耐が必要ですが、あなた自身のゴールに到達するためには、目指すゴールとそこへいたる方法の点で、会社全体と歩調を合わせる必要があります。

プリンシパルエンジニアとして、私はできるだけたくさんの人に長期的な方向性を示すための機会やギャップ（隔たり）を見つけるよう努力しています。ある問題に対するソリューションを自分で書くよりも、プロダクトデリバリー組織に属する200人近くの人々を特定のトピックにおいて協調させるほうが仕事としてははるかに価値があり、インパクトもスケールも大きいのです。

### スタッフプラスエンジニアとしてやった仕事で、その肩書きを得る前なら実行、あるいは達成できなかった仕事があると思いますか？

プリンシパルエンジニアになるまで、私はAuth0でエンジニアリングデ

ィレクターをしていました。プリンシパルになって最も興味深いと思ったのは、私からのフィードバックに人々があまり身構えなくなったことと、1対1の会話にオープンになったことです。おそらく、プリンシパルエンジニアは「組織を代表する」存在ではないという点が影響しているのだと思います。

この意味で、管理職ではない上級専門職のほうが気楽です。

### テクノロジーやプラクティスやプロセス、あるいはアーキテクチャの変更を提唱することがありますか？　これまでどんなことを提唱してきましたか？　組織に影響を与えた具体例を挙げることができますか？

急成長中の企業はだいたい「わかりやすさに欠ける」という欠点を抱えています。Auth0の場合、将来の先行きについて混乱が広がっていて、そのため技術的な決断を下すのに時間がかかり、効率が損なわれていました。どのチームも特定の技術を使うべきか決めかねていました。その技術が将来もサポートされている保証がなかったからです。また、どの方法でプロダクトをつくるべきかも決めかねていました。そのアプローチが長期的な技術戦略と合致するのか、わからなかったからです。そのため、とても非効率的な状況が続いていました。

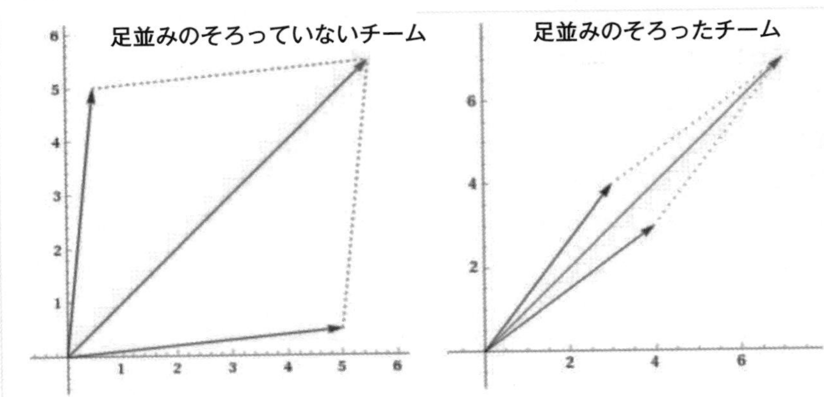


そこで私たちは、今日の問題に技術的にアプローチする方法と、初期状態と未来のビジョンのあいだにあるギャップを埋める方法を知るために、長期的な方向性が必要だと考えました。より具体的に言えば、長期的な成功を勝ち取るために私たちがすべきこととすべきでないことを明記した技術戦略書が必要だったのです。

たくさんの人と話したところ、みんなじつにさまざまな情報やうわさにさらされていて、そのために決断を下すのを恐れていたことがわかりました。たとえば、「会社はそのうちXに乗り換えると聞いた」あるいは「このY技術はプラットフォームチームからサポートされることがないらしい」などといったうわさです。特に強い混乱を引き起こしたのは、会社が特定の顧客のニーズに応えて技術面での変更を行う予定であるといううわさでした。人々はそのうわさを繰り返し聞いたのに、具体的な計画が発表さなかったのです。私はそうした問題をすべて書き留め、点と点を結んで得た情報を知識に変換しました。その結果、短期と長期の両側面から問題を解決する必要があるとわかったのです。

**【短期】** まず、緊急かつ短期的な問題に関係する情報のギャップを埋める必要がありました。各チームは技術的決断を下す必要があり、完全なビジョンやロードマップを待っている余裕はありませんでした。また、長期のビジョンや決定を得た場合には、当然ながら、それまでの決断をレビューして特定の例外を認めなければならないことにも気づきました。そこで私は各チームにレビューを必要としない独自裁量とRFCレビュープロセスの確立を促すために、「デザイン・アンド・アーキテクチャ(DNA)」グループをまとめ、「承認された」技術選択などを含むガイドラインと推奨事項を書いたのです。

**【長期】** 私は、一連のトピックに関しては、会社が決断を下さなければならないと考えました。そこで、2つの異なる相手向けにプレゼンテーションを作成しました。経営幹部と技術専門家です。幹部向けには、非技術的なたとえ話や説明を駆使して実行可能なソリューションを提案した簡潔なプレゼンテーションを、技術専門家には数多くの専門用語を含んだ詳細なプレゼンテーションをつくったのです。私は「根回し」[211]と呼ばれる技法(ある変化やプロジェクトの提案に際して、関係者と事前に協議を行いサポートやフィードバックを得るなどして、事前に非公式な下地づくりを行うこと)を駆使して、エンジニアリングバイスプレジデントをはじめとした経営幹部、同僚、ほかの上級リーダーたちに、正式な決断が下される前に同意を取り付けることに成功しました。具体的に説明すると、私はみんなの賛同を確実にするために、前もって彼らの考えや意見を尋ねていたのです。そのため、決断を下すための実際の会議は、彼らが提案を聞く初めての機会ではありませんでした。最後の段階として全員で会って、トレードオフについて話し合い、一連の決断で合意を取り付けます。すべての決断を記録したうえで、決断事項それぞれに責任を負う者を――文書を通じて――指名しました。

**実際の開発に携わる時間が減るなかで、現場での仕事がどのように行われているかを把握しつづけるには、どうすればいいのでしょうか？**

この問題には２つの側面があると思います。まず、技術全般に関する知識を絶やさないこと。そして、Auth0で起こっていることとエンジニアリングチームの「現状」について理解しておくことの２点です。

Auth0に関することでは、以下を心がけています。「社内的」にはSlack経由で、あるいはテックリードやエンジニアリングマネジャーとの１対１の面談を通じて情報を集めています。おかげで、現場のみんながどんな困難に直面しているかが理解できますし、特定のパターンを見つけたり、あるいは限局的なものではなくてもっとグローバルなソリューションを思いついたりできます。「対外的」には、顧客や見込み顧客と話して、彼らがプロダクトをどのように使っているのかを理解することに努めています。また、Auth0やアイデンティティ関連業界について言及しているツイートやニュースも読んでいます。

テクノロジー全般に関しては、自分で望んでいるほど最新動向についていけているとは思えません。ですが、ついていく努力はしています。この業界では毎月のようにたくさんの重要な進歩があるので、ついていくのが大変です。ミーティングが中心で、現場での作業が減るのを受け入れるということは、重要な物事に直接触れる機会が減ることを意味しています。この事実を受け入れてから、私は本当に大切なことを優先できるようになりました。

私は本を読みますし、PoCをしたり、特定のテーマについてブログ記事や論文を読んだり、あるいは特定領域のリーダー役を引き受けたりなどして、自分でコードを書くことが減ったなかでも、開発現場の状況を正しく理解するように努めています。

**ほかのエンジニアをスポンサーとして支援したことがありますか？　あなたの役職では、ほかのエンジニアに対するスポンサー活動が重視されますか？**

はい、それはたくさん！　私はエンジニアリングリーダーシップのチームメンバーとして、週に2度、組織に関するトピックについて話し合っています。そこで耳を傾け、中期計画の話し合いに参加することで、今後訪れるであろう機会について知る（ときには提案する）ことができます。

そのたびに、私はその機会から多くの恩恵を得ることができると思われる人物を、そう考えられる理由を添えて、担当者として推薦することにしています。また、彼らのスキルに隙間があると思われる場合には、メンター役も買って出ることにしています。

**あなたはAuth0でプリンシパルエンジニアの肩書きを得ました。プリンシパルエンジニアとして雇用されたのでしょうか？　そうでないなら、プリンシパルエンジニアになるまでの経緯を教えてください。**

私は特殊なケースです。Auth0に入社したのは2014年の5月、エンジニアとしては5番目で、従業員としては10人目でした。肩書きも、レベルも、そういったものは一切ありませんでした。2015年ごろから、新入社員の指導や1対1の面談をするようになりました。2015年の末ころには、自分が立ち上げた課題に取り組みながら、雇用のサポートなど、ほかの活動も率いたりしていました。そのころ、Auth0の共同創業者兼CTOのマティアス・ウォロスキ[212]がエンジニアリングチームのリーダーを探していて、私にエンジニアリングディレクターになるつもりがないかと声をかけたのです。

キャリアを通じて最大限に学び、困難な問題の解決に携わる機会を得たことは、私にとって本当にありがたい特権でした。おかげで、決断力を養うことができました。アルゼンチンに住む25歳の私に「シリコンバレー」で急成長中の、リモートワークを第一に考える企業がエンジニアリング組織のリーダーになる機会を提示したとき、私の答えはもちろん「イエス」でした。「管理職に就きたい」と考えたことは1度もありませんでしたが、学習して難しい問題を解きたいという願いを追っているうちに、自然と管理職になっていたのです。

すべてが順調で、チームのまとめ方、組織づくり、人の率い方などについてたくさん学びました。私は会社初期のエンジニアなので、多くのシステムの構築に携わってきました。そのため、プロダクトチームを相手にした場合も、プラットフォーム／インフラストラクチャチームが相手の場合でも、技術的な会話でリーダーシップを発揮することができたのです。2019年が始まるころ、プラットフォームディレクターだった私は、以前ほど速い学習ペースを保てなくなっていることに気づいて、プラットフォームだけにかかわるのではなく、守備範囲をもっと広げたいと願うようになりました。当時Auth0のエンジニアリングバイスプレジデントだったクリスチャン・マキャリック[213]と何度も話し合った結果、自分が挑戦すべき次の課題はAuth0のテクニカルリーダーになることだと気づきます。その結果として、2019年8月にプリンシパルエンジニアの職に異動することになったのです。

**プリンシパルエンジニアになるのに最も重要だった要素を教えてください。これまで所属した会社、働いた場所、教育などはどの程度あなたのキャリアに影響したのでしょうか？**

私の好きな言葉に、セネカが言った「準備と機会が出会うとき、そこに幸運が訪れる」というものがあります。プリンシパルエンジニアになるには、それなりの結果を残さなければなりませんが、運も大いに必要でした。以下、私がプリンシパルエンジニアになる際に重要だったと思える要素を挙げながら、そこに運がどのように関係しているのかを説明します。

**【最初の仕事】** アルゼンチンでは大学在学中に就職するのが当たり前です。私の場合、高校を出てすぐにSouthworks[214]というすばらしい会社で職を見つけました。この会社には2つの特徴がありました。

・最先端のテクノロジーを扱っていたので、学習する機会がいくらでもあった。
・おもに米国マイクロソフトの国外ベンダーとして活動していたので、技術的なスキルが高く評価されたのはもちろんのこと、コミュニケーションや期待値管理などといった対人スキルを高める必要があった。

では、どうして私が高校を出てすぐにソフトウェア開発に携われたかというと、11歳のころにはすでに「ビデオゲームをつくる」という夢をもっていて、それを知っていた両親がプログラミングの授業がある高校を見つけて、そこに入学させてくれたからです。

**【幸運】** じつは、私はほかの会社に就職しようとしていました。ところがそのころ、同級生のお兄さんがSouthworksで働いていて、若い人材を探しているという話を聞いたのです。その話を聞いた私は、ほかの会社へ行くのをやめて、Southworksを選んだのでした。

**【Auth0】** 私はAuth0最初期のエンジニアだったので、数年後には会社のプロダクトやインフラストラクチャのほとんどに関与していました。そのため、さまざまなテーマに関して、ほかのエンジニアに貴重な助言を与えることができたのです。また、エンジニアリングディレクターになったことで、ビジネスについても理解を深めることができたので、より効率的に働けるようになりました。

**【幸運】** どのスタートアップも、さまざまな時期に数多くの幸運がなければ成功はできません。もしAuth0が実際ほど大きく成長しなかったとしたら、私は学習する機会を得ることもできず、今の立場にはいなかったでしょう。この点は特に重要です。なぜなら、アルゼンチンはソフトウェア産業がアメリカよりもはるかに小さくて、ほとんどの会社が管理職と専門職のデュアルトラック路線を敷いていないからです。

**【チームスポーツ】** 私は子供のころからバスケットボールをしていて、10代のころに、「たくさん点をとったのに負けるぐらいなら、とった点は少なくても勝つほうがましだ」と思うようになりました。この考えが、仕事にも2つの点で影響しています。(1) チームメンバーを積極的にサポートし、チームとして勝つことを考えるようになりました。(2) ギャップを埋めるのに必要な物事を学んで実践する態度を養った結果、キャリアを積むにつれて重要度を増すリーダーシップや対人スキルを得ることができました。

### スタッフエンジニアになるには「スタッフプロジェクト」を成功させなければならない、という考えが広まっています。あなたはスタッフプロジェクトを実行しましたか？　それはどんなものでしたか？

やりませんでした。Auth0で育ったため「その部分をスキップした」のです。スタートアップ企業のディレクターとして、私は大規模で重要な領域を技術面で率いることが多かったのですが、スタッフプロジェクトあるいは「プリンシパルプロジェクト」と指定されている仕事はありませんでした。

スタッフプロジェクトに最も近いものを挙げるとすれば、2017年から2018年にかけて私が率いた、主要顧客の一部に対してより高度なサービス品質保証（SLA = Service Level Agreement）を提供するというプロジェクトでしょう。その目的はAuth0の信頼性とスケーラビリティを高めることにありました。

### スタッフエンジニアになったばかりの人たちに、何かアドバイスがありますか？

スタッフエンジニアの役割は場所によってさまざまですから、私からの最初のアドバイスは、「できるだけ多くの人と話して彼らがスタッフエンジニアから何を期待しているのかを明らかにする」でしょう。

そして2つ目のアドバイスが、「焦らないこと」です。みんな、技術力が高くて結果を残してきたからスタッフエンジニアになれたのでしょう。ですが、上級職では仕事の成果が現れるまでかなりの時間がかかります。1度に取り組む仕事の数は増えるでしょうが、時間がたってからでないとそれらの影響は現れてきません。また、さまざまな役割をもつたくさんの人にかかわることになります。そうした人たちに、あなたの考えを理解させるのも時間のかかる作業です。我慢強く、少しずつ人々に働きかけながら教えていくことで、長期的に見返りが得られます。

最後のアドバイスは、「物事を書き留め、人に繰り返し伝える」でしょう。考え、計画、理由、基準などを書くことはあなたの成長につながります。そして、書いた文書をほかの人が簡単にアクセスできて将来も読めるようにすると、それがよりどころとなります。文書化は「ただ話すだけ」よりもはるかに優れています。拡大が可能ですし、誤解される恐れも少ないのですから。文書を公開するだけでは意味がありません。自分のアイデアをほかの人と共有してもらうには、繰り返しが必要です。質問会や懇談会など、自分の考えを説明する機会を設けるのもとても有益です。

**エンジニアリングマネジメントの道を進むことも検討しましたか？　もししたなら、マネジメントではなくスタッフエンジニアの道を選んだ決め手は何でしたか？**

管理職になるつもりはなかったのですが、ディレクターになる話が来たとき、そのオファーを受け入れました。ですが、私の考えでは、マネジメントの道とエンジニアの道は行ったり来たりができると思います。それがどれだけ容易かは会社によっても、スタッフあるいはプリンシパルエンジニアに求められるスキルによっても違うでしょうが、不可能だとは思いません。

今のところ、私は技術的なスキルとリーダーシップスキルの両方を高めたいと考えています。そうすることが、最もチャレンジする価値のある学習機会だと思うからです。

**どんなリソース（書籍、ブログ、知人など）を学習に用いましたか？　あなたにとって、誰が手本になりましたか？**

私は、おもしろいことをやっている人や学ぶべき部分がある人を Twitter

でフォローしています。そして、おもしろいことをやっている人も、学ぶべきものも、たくさんあります！　頭に浮かぶ名前をいくつか紹介しましょう。

- アフィールの仕事は、Jepsen[215]関連でも、分散システムにおける一般的なコンテンツも、どれもすばらしいものです。
- ターニャ・ライリーが@Squarespaceで発表したRFCプロセス[216]に関する記事や接着剤としての役割[217]の考察はとても優れています。
- デヴィッド・ファウラーは.NETフレームワークとASP.NET internalsについてたくさんの興味深いコンテンツを共有しています。また、ASP.NETアーキテクト[218]になった経緯を説明するビデオも公開しています。
- Auth0で、私はジョン・アリー[219]と協力関係を結んでいます。ジョンはエンジニアとしてだけでなく、人としてもすばらしい人物で、単純さを追求し、物事をとてもわかりやすく説明する能力をもち、知識量が半端ないのに、それでいて謙虚なのです。

「管理職ではない上級専門職」をテーマにした書籍やコンテンツを、私はあまり知りません（自分で書くのもおもしろいかもしれません）。最近では『ソフトウェアアーキテクチャの基礎』[220]という本を読みました。アーキテクトの役割を描写するだけでなく、その役割の微妙な部分やグレーゾーンについても記されていて、とてもためになりました。

組織意識を高め、メンター活動、1対1の関係、雇用など、スタッフプラスエンジニアに役立つ内容を扱ったマネジメント関連の書籍もいくつか知っています。『HIGH OUTPUT MANAGEMENT（ハイアウトプット マネジメント）人を育て、成果を最大にするマネジメント』のなかでアンドリュー・S・グローブが「ノウハウマネジャー」を「誰かを直接監督しているわけではないが、厳格な組織的権限なしで他人の仕事に影響を与える者」と定義していて、これはスタッフプラスエンジニアにとてもよく似ていると思いました。強くお勧めしたいのは『Managing Humans』[221]で、この本は読みやすくて楽しいエピソードを紹介しながら、スタッフプラスエンジニアにとってとても重要な要素であるマネジャーとうまく付き合う方法を明らかにしています。『7つの習慣』[222]にも、スタッフプラスエンジニアに有益な教訓がたくさん含まれています。

『Lean と DevOps の科学［Accelerate］』も優れた本で、エンジニアリングの実践と成果で利害関係者、特に経営幹部レベルに影響を与えるという形で会社に成功をもたらす方法を論じています。

## ドミトリー・ペトラシュコ ― Stripe 社のインフラ主任のテクニカルアドバイザー

2020年5月取材。ドミトリーについての詳細はTwitter[223]、Linkedin[224]、あるいはプレゼンテーション[225]で。

### 今の役割について教えてください。役職名は何でしょうか？　会社は？　あなたはチームを率いてどんなことをやっているのでしょうか？

私はStripeでスタッフエンジニアとして、インフラストラクチャ責任者のテクニカルアドバイザーを務めています。

今のところ、私のチームはStripeのインフラストラクチャ部門のすべてを統括していて、社の基本的なインフラサービス、具体的には、コンピューティング、ネットワーク構築、ストレージ、データベース、データエンジニアリング、パフォーマンスと効率、可観測性サービス、そして開発ツールを担当しています。私たちがいるから、Stripeのエンジニアはプロダクトに集中できるのです。

私は、もとは開発生産性のチーム出身で、プロダクト開発の際に利用されるプロセスやツールやコアライブラリをつくっていました。そこには段階的なロールアウトに有効なテストフレームワーク、linter（解析ツール）、型チェッカー、ビルドツール、ライブラリなども含まれていました。そのチーム（当時は1つのチームでした）でエンジニアとしての経験を積んで、最終的にはそのグループのピラーテックリード（中心となるテックリード）になったのです。

### あなたの会社では、“普通の”スタッフプラスエンジニアはどんなことをしていますか？　あなたの仕事も同じようなものですか？　それともまったく違いますか？

Stripeにおけるスタッフエンジニアは役職というよりもむしろ、ある人物に期待されるインパクト、コミュニケーション、人やプロジェクトの統率力などをどの程度満たしているかで決まる「レベル」のようなものです。どのスタッフエンジニアも、それぞれ異なった役割を演じます。私の場合は、今のところテクニカルアドバイザー（TA）の役割を担っています。ファウンデーション部門の長であるラフール・パティルに協力しながら、今後重要性が増すに違いないトピックについて調査したり、重要問題（デザイン、コード、解析）の解消に取り組んだり、テクニカルアクションアイテムを検討したり、緊急の技術問題をフォローしたり、データ収集用のコードをつくったりしています。ラフールの活動範囲や戦略を拡大するのが私の役目であって、私が直接技術的な決断を下すことはありません。

ピラーテックリード（PTL）の役職に就いたことが、今の立場になる踏み台になりました。社内でPTLの数が増えるにつれて、彼らに何が期待されているのかも明確になってきました。

- PTLは自らのチームが技術的な意思決定を行う際のサポートをする。その際、チーム内の、あるいは社内のほかのチームの種々の決断が対立しないように気を配る。Stripe社内の各チームはほとんどの場合において自ら技術的な意思決定を行うことができるが、PTLがそれら決断から最善を引き出すための微調整を行う。また、各チームが技術的な問題において合意に達することができない場合には、PTLが仲裁に入る。
- PTLがStripeの技術的方向性を示し、何が解消すべき最重要課題であるかを指定し、それらの解消のための大ざっぱなアプローチを設定する。
- PTLがほかのチームのPTLに対して自らのチームを代弁し、またほかのチームで下された技術的意思決定を自チームに伝え、足並みをそろえる役目を担う。
- PTLがエンジニアたちにインパクトの強いプロジェクトを遂行する機会を設け、その成功をサポートする。

私の場合、PTLとしては開発生産性部門の長や同部門内のチームリーダーたちと協力することが多かったです。情報交換をしながら、共通のゴールを目指すのです。

エンジニアリングマネジャーと協力しながらユーザーのニーズやそれらニーズに対処するためのツールに関する洞察を共有するという意味では、PTLとTAは似ていると言えるでしょう。一方、エンジニアリングマネジャーには、全社に関連する非技術的な条件（リソースの制約など）の深い理解が求められます。

## 日々、どのように時間を使っていますか？

理想の一週間では、月曜日と水曜日と金曜日がミーティングとグループ作業の日で、個人面談、チームミーティング、長短期の計画や戦略に関するコラボを行います。理想の火曜日と木曜日には１人でコーディングします。ですが実際には、そのときのチームの状況に合わせて、ミーティングを増やすことも、コーディングに余分な時間をかけることもあります。たとえば新規プロジェクトの立ち上げが必要なときには、ミーティングの数は減ります。プロジェクトの内容に意識を集中して、デザイン、中間成果、マイルストーン、セキュリティや信頼性などに思いを巡らせるからです。

逆に、コードを書く時間が見つけられないほどミーティングが増えることもあります。大切なのは、エンジニアリングとの密接な関係を維持しながら、PTLが必要とするビジネスニーズや優先事項とエンジニアリングの制約のあいだの橋渡しをすることだと思います。

## どのようなときに、スタッフプラスエンジニアとして最もインパクトを感じますか？

スタッフエンジニアは、特にPTLは、新しいプロジェクトの方向性を定める役目を負います。的を射ていて、実在する問題の解消に役立つ企画があるのに、それを提案したチームに企画を実行に移す計画を立てる経験や下地が欠けているとき、その企画の改善に貢献できれば、私はいい仕事ができたと感じます。そのようなケースでは、計画をしっかり練ることで、スコープを大幅に絞りながら得られる価値を最大限にできて、その結果、インパクトも早く示せるのです。または反対に、受け取った提案が、チームが当初想定していたよりも多くのユースケースに適用できると見抜き、彼らも気づかなかったもっと大きなビジネスにインパクトを与えられるユースケースにプロジェクトをフォーカスし直したとき。どちらの場合も私はエンジニアたちの力を引き出すことができたと感じます。

### スタッフプラスエンジニアとしてやった仕事で、その肩書きを得る前なら実行、あるいは達成できなかった仕事があると思いますか？

いいえ、Stripeはスタッフの肩書きを新しい機会への入り口とはみなしていませんし、私はそれが正しい判断だと思っています。PTLにも同じことが言えます。PTLになれるのは、ほかの人の意見を代弁するのに優れた人々です。私がPTLになる前、先のPTLだったポール・タージャン[226]も私の考えを代表してくれていました。

### テクノロジーやプラクティスやプロセス、あるいはアーキテクチャの変更を提唱することがありますか？　これまでどんなことを提唱してきましたか？　組織に影響を与えた具体例を挙げることができますか？

私はRubyに型チェックを導入するためにStripeに雇われました。具体的には、ネルソン[227]とポールとともに、型チェッカーのSorbetを設計および実装して、それを使用する状況をつくりあげる任を帯びて採用されたのです。

Sorbetの初期のころ、私たちはStripeが切実に必要としているユースケースを考慮しながら、追加する機能を慎重に選びました。Stripeが有していたユースケースのほとんどを型システムでカバーしながら、同時に単純さも維持できたと、自負しています。実際、型システムや文化は気を抜くとすぐに複雑さやエリート意識につながるのですが、努力のかいがあって私たちはそのような極端な事態に陥ることはありませんでした。

今はテクニカルアドバイザーとして、おもに信頼性、拡張性、安全性、生産性の点で大いに影響を与えるであろう変更を提案しています。それにより、データの共有や保存のしかたが変わるでしょう。あるいは変更管理のしかたも変わるはずです。Sorbetのころとの大きな違いは、今の私は特定のプロジェクトに何年も携わっている点です。組織が納得し、明確なマイルストーンとリスクコントロールの計画ができたらすぐに、プロジェクトを引き継ぐ人物を探すあるいは育てるつもりです。私はリスクを軽減し機会を見つけながらプロジェクトを迅速に実行に移すために、重要なプロジェクトを担っている人々と頻繁に連絡を取り合います。そのため、私の活動がほかの人の目に触れるのはそのプロジェクトの初期のころだけだと言えます。

**実際の開発に携わる時間が減るなかで、現場での仕事がどのように行われているかを把握しつづけるには、どうすればいいのでしょうか？**

PTLだったころは、少なくとも週に2日はコードを書くことがあり、チームのほかのエンジニアと連携しながら、互いに学び合うことができました。

テクニカルアドバイザーになってからは、PTLだったころほどコードを書けなくなりました。コードを書くのは、おもに状況が「コードイエロー」[228]になったときです。ですが、この役職で成功するには、優れた洞察力とエンジニアリングへの深い理解が欠かせません。そこで、私は社内ユーザー（顧客）と密に話し合うことで、デザインについて、特に私が支援するチームのシステムが有する障害閾値と障害モードについて、十分に理解しておくよう努めています。

私の役割では、顧客のニーズを理解することが本当に重要です。理解のための情報源として、Stripe全社を対象にしたエンジニア調査を挙げることができます。開発生産性チームが生産性を損なっている最大の原因を特定するために行う調査です。最後の調査をしてから何らかのツールが遅くなったのかもしれません。あるいは、ユーザーベースの拡大に伴って生じた何らかのユースケースにうまく対処できていないのかもしれません。この調査が、私たちがそれまで気づいていなかった新しい問題を暴き出すことはめったにありませんが、各問題の優先順位を決めるのには大いに役立ちます。それぞれの問題を指摘する人の数に応じて、優先度を決めればいいのですから。

また、Covid-19（新型コロナウイルス）によるロックダウンが始まるまでは、Stripeで不定期に開かれていたディナー会にも参加していました。そのとき、次の3つの質問をするのが常でした。

・今、どんな仕事に取り組んでいるのか？
・その際の困難は？
・インフラストラクチャチームに期待するサポートは？

これが2つの点でとても役に立ちました。(1) ユーザーとのつながりが生じ、彼らのニーズを知ることができる。(2) 十分なサポートを受けていないチームの不満を解消できる。たとえば、こんな感じです。「そう、Xをすることで君たちを手助けすることができるんだ。だから何をやめればXのための余地を開けられるか考えてみよう」。そう言うと、相手が「問題は解消したいけど、今のプロジェクトの優先度を下げるのは困ります」と反応することがよくあります。

PTLの役職を退いたあと、私は開発生産性部門の各チームのリーダーを集めて「DevProdアセンブリ」というグループをつくりました。このグループのメンバー全員に、いくつかのプロダクトチームと深い信頼関係を築くことが求められています。毎月各チームと面会を行ったうえで、そこで得たフィードバックをアセンブリのメンバーと共有するのです。

**ほかのエンジニアをスポンサーとして支援したことがありますか？　あなたの役職では、ほかのエンジニアに対するスポンサー活動が重視されますか？**

スタッフエンジニアに、ほかのエンジニアのスポンサーになることは期待されていませんが、エンジニアたちに機会を与え、成功に導くことができれば、スタッフエンジニアとしての影響力が増して成功しやすくなるでしょう。

だから私も数多くのプロジェクトに関与して作業範囲の設定、立ち上げ、リスクの軽減などの手助けをしています。私が新しいことを始め、それをほかの人に任せることもあります。そうやって、成長を促すのです。

メンターシップとスポンサーシップは別物で、私はその両方を行っています。メンターシップは人々に影響を与えて育てることです。スポンサーシップは、今よりも大きなインパクトを残してもらうために、その人が本来の能力を発揮できるポジションに就くのを後押しすること。私はチームのみんなに、それぞれのコンフォートゾーンの少し外に出ざるをえないプロジェクトを任せるように心がけています。そうやって彼らをスポンサーとして支援し、メンターとしてプロジェクトの成功を後押ししています。

**あなたは今の会社でスタッフエンジニアの肩書きを得ました。スタッフエンジニアとして雇用されたのでしょうか？　そうでないなら、スタッフエンジニアになるまでの経緯を教えてください。**

雇われたとき、私はスタッフエンジニアではありませんでした。2度の昇進を通じて、スタッフのレベルに到達したのです。この2回の昇進は、どちらも同じような経緯でした。ある人物が実際の役職よりも上のレベルの仕事をしばらく実行した場合、Stripeは昇進を認めます。つまり、昇進したときには、そのレベルでの仕事を続けていくことが期待されるのです。

### スタッフプラスエンジニアになるのに最も重要だった要素を教えてください。

重要度の高いものから順番に言えばこうなります。

1. ビジネスと会社にインパクトを与えることへの集中。
2. 協調性。ミーティングやワークグループに参加して、よりよい成果の達成を目指す。
3. 技術的な知識。

私の場合、スタッフエンジニアになるまでは2番が特に求められていました。私はすでに影響力を発揮していたので、技術的なアドバイザーとしての任を受けるのにうってつけの人物とみなされたのです。その際、自分のチームに含まれない人々も建設的にサポートできるように、コミュニケーションスキルと協調性を高めることが求められました。初めて会う人、プロジェクトには前向きなのにそれを実行に移す計画がうまく立てられない人をサポートするためです。

そこで私はミーティングのあと、とりわけうまく事が運ばなかったミーティングのあとに、すぐに個人的なチャットの場を設けてそこでフィードバックを求めることにしたのですが、これがうまくいきました。何が原因でミーティングの参加者が不快になったのかが理解できるようになったのです。ときには、どうすればもっとうまくいくかを直接尋ねることで、それまで空回りしていたミーティングが有益なものに生まれ変わったこともあります。

### 以前の勤務先や教育がキャリアパスにどう影響しましたか？

**【会社】** ありがたいことに、Stripeはインパクトを残す機会が豊富で、そのおかげで私はキャリアを積むことができました。

**【教育】** 私は偶然とても実用的な分野（高速で保守しやすいコンパイラの

構築）で博士号を取得したので、そこで得た知識――企業がエンジニアリングを拡大する手段――を直接仕事に活かすことができました。教育は間違いなく大切で、同時に幸運にも恵まれたと思います。たまたま最適な時期に最適なラボ（研究室）に参加することができたのです（Scala3が誕生しようとしていたとき、私はすでにラボでかなりのベテランメンバーでしたが、自分の研究の方向はまだ決めかねていました）。ですが、ほかの人々にも博士号をとるべきだとアドバイスするかどうかは微妙なところです。私の考えでは、現実問題として、博士号をとるためにかかる4年以上の年月をStripeやGoogleやFacebookでシステムの構築に携われば、同じぐらいの知識が得られると思います。データベースの仕組みを学びたい人は、大学のデータベース研究ラボだけでなく、データベースを最高レベルで駆使しながらその改善に努めている会社に就職しても学習することができるでしょう。そうは言うものの、博士号があったからこそ、私は就職先を見つけることができたとも言えます。

**【場所】** 私はStripeに就職するためにスイスからアメリカへやってきました。その前は、コンピュータサイエンスで最高の博士過程に入学するためにロシアからスイスへ来たのです。そしてその前には、旧ソビエト連邦で最高の大学に通うためにウクライナからロシアに渡ったのでした。私は自分が1番だった場所から、もっと上の人がいる場所へと渡り歩いたのです。自分が1番ではない場所へ移るたびに、たくさんのことを学び、大いに成長しました。キャリアにとってアメリカとヨーロッパのどちらが優れているのかを判断するのは難しいですが、個人的な経験から、居場所を変えることが成長につながったと言えます。

**スタッフエンジニアになるには「スタッフプロジェクト」を成功させなければならない、という考えが広まっています。あなたはスタッフプロジェクトを実行しましたか？　それはどんなものでしたか？**

今振り返ってみても、答えるのが難しい質問です。なぜなら、Sorbetはスタッフプロジェクトと呼ぶにふさわしいビッグプロジェクトでしたが、ネルソンとポールも関与していて、私たちは密接かつ迅速に協力しながら働いたからです。そのため、Sorbetプロジェクトはチームの勝利であって、個人の成功とみなすことが難しいのです。

プロジェクトが始まってから最初の人事考課の時期に、私たち3人はどの成果が誰に帰属するのかを簡単に知る方法を特定するよう求められました。その次の人事考課で同じような要求が出なかったのは、それが意図的に避けられたからだと言えればよかったのですが、実際にはそのプロジェクトがもっと大きなステージに入ったからだと思います。そのため、「同じ10個のファイルで迅速に同じことを繰り返す」的な必要がなくなり、私たちはより大きな範囲に対して明確な責任を負うようになったのです。

私は「内部アーキテクチャ／サブタイピング」ならびに「ユーザーとの対話」担当に、ポールは「型チェッカーに都合のいい形にコードを書き換える」担当になりました。ネルソンはStripe内のほかのシステムの仕組みに精通していたので、それらにツールを組み込む仕事に携わりました。この役割分担には理由がありました。私は型チェッカーの経験が豊富でしたし（博士号取得）、ポールはプログラムコードの修正に精通していました。ネルソンはシステムに理解が深かったですし、Stripeに入社して長かったですから、社内のどのシステムにも慣れ親しんでいました。プロジェクトが安定化やロールアウトの段階に入ってからは、そうした役割が巨大な領域に広がったので、ある領域における直接の責任者（DRI = Directly Responsible Individuals）を決めるのが、また必要なサポート要員を追加することも、容易になりました。

Sorbetのあと、私はいくつかの重要な短期プロジェクト（6カ月）に携わりました。これがスタッフエンジニアへのレベルアップを確かにする決め手になったのかもしれません。ですが、どちらがスタッフプロジェクトだったのか選べと言われたら、私はSorbetを選ぶでしょう。技術的にも文化的にも、Sorbetのほうが大規模だったからです。

### スタッフエンジニアになるときに、特に役立ったアドバイスはありましたか？

1. 学生時代にマルティン・オデルスキーやオンドレイ・ロータクと学んだことで、複雑なシステムの働きを理解し、それをわかりやすく説明する能力が身につきました。
2. ブライアン・ゲッツのおかげで、単純ながら、広範な採用やデザインに耐えられる堅牢なシステムの背後にどれほどの仕事が詰まっているのかを理解することができました。

3. ポール・タージャンが私のコミュニケーション方法をどう変えれば関係者全員にとって建設的な結果につながるかを教えてくれました。

**スタッフエンジニアになったばかりの人たちに、何かアドバイスがありますか？**

少なくともStripeでは、スタッフエンジニアはそれぞれ異なる分野に携わります。ですから、自分が目指す成果は何か、そしてそれを得るために何を妥協していいのか、上司と意志を疎通しておく必要があります。なぜ、どんな妥協を行うのか、はっきりと伝えましょう。

**エンジニアリングマネジメントの道を進むことも検討しましたか？　もししたなら、マネジメントではなくスタッフエンジニアの道を選んだ決め手は何でしたか？**

これまで、その点について考えるたびに、私は自分自身にも、まわりの人々にも「マネジメントに移ることで今よりも大きなインパクトを与えることができるだろうか」と尋ねました。そして、そのたびに「おそらくノー」という答えが得られたのです。

ですが経験から、すばらしいマネジャー（私の場合はジェームズ・アイリー、スコット・マクヴィカー、ウィル・ラーソン、クリスチャン・アンダーソン、シェーン・オサリバン）から管理スキルを学ぶことは、管理職ではない上級専門職にも大いに役立つことがわかっています。

## スティーブン・ワン
## — Samsara 社のスタッフエンジニア

2020 年 9 月取材。スティーブンについての詳細は Github[229]、Twitter[230]、Linkedin[231] で。

**今の役割について教えてください。役職名は何でしょうか？　会社は？ あなたはチームを率いてどんなことをやっているのでしょうか？**

私は Samsara[232] でスタッフエンジニアとして働いています。

4 年前に入社しました。当時は会社ができて 1 年で、社員は 50 人ほどでした。それが今では 1000 人を超え、エンジニアリングチームはベイエリアとアトランタとロンドンに散らばっています。

入社したばかりのころは、まだチームづくりを進めている最中で、私たちエンジニアは何だってしました。9 カ月がたったころには、チームは倍の大きさになっていて、当時の中心事業のためにいくつかのプロダクトチームを擁するようになっていました。私はしばらく 1 つのプロダクトチームを率いてから、まだ生まれたばかりのインフラストラクチャグループに移って、フロントエンドインフラストラクチャに携わるチームを始動したのです。数年をそこで過ごしながら、次第にフロントエンド関連の仕事を減らして、バックエンドシステムや可観測性システムに活動範囲を広げました。

今はインフラストラクチャ＆プラットフォーム（通称 I&P）という部署に所属して、ほとんどの時間を「デベロッパーエクスペリエンス」チームのために費やしています。会社のフルスタック開発ワークフローの生産性を維持するのに必要なツールをつくることが目的です。

**あなたの会社では、“普通の”スタッフプラスエンジニアはどんなことをしていますか？　あなたの仕事も同じようなものですか？　それともまったく違いますか？**

Samsara のスタッフプラスエンジニアのほとんどはウェブインフラストラクチャかデバイスファームウェアのどちらかに関係する具体的な役割を担っています。この意味では私も大多数の 1 人なのですが、スタッフエンジニアがやる仕事の内容はそれぞれ異なっていますので、何が「普通」かを定義することはできません。
「IC と管理職」という対比で言うと、スタッフエンジニアは管理職におけるディレクターに相当する役職とみなされています。スタッフエンジニアは希望すれば、基本的にはマネジャーが関与することになっているプロセスへ参加することができます。エンジニアリングチーム合同のディレクター会議に出席することが認められていますし、少なくとも I&P のスタッフエンジニアはロードマップの作成やマネジメントの同期に関与しています。最近では、昇進関連の会議にもスタッフエンジニアが参加するようになりました。

そのようにマネジメントにも大いに関与しているため、スタッフエンジニアをしていると、専門職と管理職の両分野で活動してると実感できます。「シニアエンジニア」のレベルとは違って、スタッフエンジニアは「個人として」ソフトウェア開発に携わる機会は減りますが、それでも人の管理に専念するマネジメント路線からも明らかに一線を画しています。

ウィルが定義したスタッフエンジニアのアーキタイプに従えば、私の役割はソルバーとテックリードのちょうど中間になると思います。だいたい 6 カ月から 12 カ月ごとにまったく違う仕事に携わることになるので、さまざまな人といろいろなシステムにかかわるのですが、それが楽しいと感じます。

## 日々、どのように時間を使っていますか？

日によってまったく違います。現時点では、自分の仕事に集中する時間をつくるために、ミーティングは火曜日と木曜日に限定するようにしています。

ミーティングのある日は、密接に連携している人々と 1 対 1 の面談と、スタッフ会議の両方をやることがほとんどです。コードやデザインのレビュー、あるいはもっとオープンなデザイン討論を行うためにミーティングを開くこともあります。

ほかの日は調べ物に時間を費やします。現状の問題点をあぶり出し、将来のプロジェクトの基盤をつくるためです。どんなシステムに投資すべきだろうか？　チームは順調に働いているだろうか？　今後どんな変化が起こり、チームはどう備えておけばいいのだろうか？　大ざっぱに言えば、シェーピング[233]（具体的な解決策の作成）をしているのです。

振り返ってみると、この部分がスタッフエンジニアになる以前の役割との大きな違いだと思います。あるプロジェクトやチームに直接参加して個人として仕事をするのではなく、もっと広いレンズを通して見て長期的に活動することが求められます。

実際、コードを書くのに2日以上のまとまった時間を確保することがとても難しくなりました。そのため、エンジニアリングの日程を計画するとき、私がコーディングに参加することは期待されなくなりましたが、それでも少なくとも週に1回は何らかのコードを書くように努めています。

個人的には、「スティーブンは何をしている？」というタイトルの文書をつくって、日々の仕事を1時間単位で管理しています。その文書には主要なセクションとして、その週の予定と翌週以降の計画を書き込みます。そして毎週月曜日に、前週に手つかずだった項目を削除するのです。そのため、週をまたぐ仕事はほとんどありません。

この「基本的には削除」というやり方を取ることで、私はとっちらかることなく、大事な仕事に集中できるようになりました。以前は、後回しにした仕事のリストもずっと維持して、何とか実行しようとしましたが、ほとんどの場合で、ストレスが増えただけでした。後回しにされた仕事のほとんどは、1カ月も過ぎればどのみち不完全に終わって削除されることになるからです。

### テクノロジーやプラクティスやプロセス、あるいはアーキテクチャの変更を提唱することがありますか？　これまでどんなことを提唱してきましたか？　組織に影響を与えた具体例を挙げることができますか？

はい。具体的な技術や方法は四半期ごとに変わりますが、そうした提唱活動は私の仕事の重要な部分です。小さな例を挙げると、デザイン文書やコードレビューあるいはコードオーナシップルールに私たちがどうアプローチしているかを説明する、企業文化に関する文書の作成を後押ししました。

大きな例で言うと、数四半期にわたってプロダクトチームに働きかけて、サービスレベル目標(SLO = Service Level Objective)の導入を実現しました。

当時、私たちには一連の確立された機能と顧客ベースがすでにあったのですが、アップタイムの計測法はまだかなり原始的でした。メトリックやダッシュボードは充実していたのにコミュニケーションの方法や定義が曖昧だったため(顧客の何パーセントが影響を受けた？　読み取りと書き込みの両方？　機能停止？　それともバグ？)、ダウンタイムにおける顧客への影響を把握するのが難しかったのです。

# 🍗 what is stephen doing?

## quarter commitments

- investigation: lightstep/tracing poc
- design partner: 99.9% availability measurement
- design partner: good error handling in frontend
- design partner: org isolation rollout plan with security
- design partner: deploy state migration plan

## 10/14

- [ ] +Infra and Platform Roadmap Brainstorming
- [ ] product team rotation plan for adam
- [ ] catch up with federation design with will
- [x] ~~terraform splitting chat with kelly~~
- [ ] review dev exp okr draft
- [x] ~~review: https://github.com~~ [redacted]

## 10/20

- [ ] revise + 💡 RFC: Buildkite workload improvements with adam/aashish
  - edit rollout schedule
- [ ] re-evaluate latency monitor false positive/negatives set from 10/9

**スティーブンは何をしている？**

**四半期の課題**

・調査：lightstep/tracing poc
・デザインパートナー：99.9%の可用性測定
・デザインパートナー：フロントエンドにおける適切なエラー処理
・デザインパートナー：組織分離の実行計画とセキュリティ
・デザインパートナー：デプロイステートのマイグレーション計画

**10/14**

□ +Infra および Platform Roadmap のブレインストーミング
□アダムのためにプロダクトチームのローテーションプラン
□ウィルとともにフェデレーションデザインの確認
☑~~ケリーとテラフォーミングに関するチャット~~
□ dev exp okr ドラフトのレビュー
☑~~レビュー：https://github.com~~【黒塗り】

**10/20**

□改訂 +【電球アイコン】RFC：アダムとアーシシュとともに Buildkite ワークロードの改善
　□ロールアウトスケジュールの調整
□ 10/9 からセットされているレイテンシーモニターの誤ポジティブ／ネガティブの再検証

SLOの導入には新たなエンジニアリング作業も必要でしたが、ほとんどの時間は文書の作成、人々との対話、チームへのコンサルティングに費やしました。みんなにSLOをしっかりと理解してもらいたかったからです。目標をどう定義すればいいのか、機能停止時にどうコミュニケーションすべきか、それをどう計測あるいは長期的に記録するのか、事態が悪化したときにどう対応すべきか、などといった点です。ここまで深いレベルになると、わかってもらうためには大量のメッセージとマッサージ（擦り合わせ）が必要になります。

大規模な「マイグレーション」の場合と同じで、私たちはSLOを段階に分けて各チームに導入しました。最初に手厚いサポートをしながら1つのチームでSLOを試して、組織全体にそれをどう浸透させるかを検討したのです。その際、私に期待されていたおもな役割は、エンジニアたちにSLOという新しいツールの使い方を細かく具体的に説明することと、SLOに力を入れることには価値があるとディレクターたちを説得することの両方だったと思います。

このことは、私がスタッフエンジニアとしてやってきた仕事のほとんどに当てはまります。組織に変化をもたらすためにエンジニアとマネジャーの両陣営の橋渡しをするのです。

### 実際の開発に携わる時間が減るなかで、現場での仕事がどのように行われているかを把握しつづけるには、どうすればいいのでしょうか？

たとえちっぽけなバグフィックスだけしかできないとしても、毎週少しの時間をプログラミングとコードレビューに割いていて、ほかのICたちが毎日やっていること、たとえばコードレビュー、文書管理、停止状況への対処などに携わる時間をつくるように心がけています。

もちろん、それだけでエンジニアリング現場での仕事のすべてを頭に保つことはできません。追跡するチームの数があまりにも多いですし、それぞれのチームでたくさんのことが起こっていますから。残りの時間の多くは、ほかの人々からフィードバックや体験談を聞くことに費やします。

また、組織にフィードバックループを確立させる活動もしています。その手始めに、テクニカルシステムとエンジニアリングカルチャーの両方に関係する質問でできた、開発チームに対するアンケート調査を半年にわたって行いました。この調査への回答が、組織が誕生からどう感じてきたかを理解するのに大いに役立ちました。

**ほかのエンジニアをスポンサーとして支援したことがありますか？　あなたの役職では、ほかのエンジニアに対するスポンサー活動が重視されますか？**

はい。私は自分の権限を貸し、一歩下がって、人々に経験を積ませるように心がけています。

私は、エンジニアを対象分野の専門家として希望する地位に後押しするスポンサー活動が組織レベルでできると考えています。たとえば、去年の後半に新しい分散トレーシングシステムの導入に取り組みました。会社の中心的なウェブアプリケーションはさまざまなバックエンドシステムに支えられていて、年月がたつにつれて、各システム間のデータフローが複雑になり、ページパフォーマンスが落ちてきていました。いわば、データに埋まった自分たちを助け出すツールが必要だったのです。

以前、パフォーマンスツールの初期導入に繰り返し携わっていたので、そうしたシステムの知識は頭に残っていました。新しいプロジェクトでは、もっと多くの人をスピードアップさせることが私の目的でした。システムを設計するための技術的な基礎を築くだけでは不十分で、私のプロジェクトチームがその専門分野に責任を負わねばなりませんでした。

私にとってそれは、コードやデザインにかける時間を減らし、実際には、まもなくトレーシングに責任を負うことになる人々と話し合ったり協力したりすることに多くの時間を割くことを意味していました。プロダクトチームとベータテストを行ったとき、ほかのエンジニアにセールスピッチをさせたり、デモをつくらせたり、チームづくりを任せたりしました。

現在、そのトレーシングシステムは社内で広く使われていて、SRE および可観測性グループが管理しています。当時いっしょに働いていた人々は、今ではパフォーマンスの問題が生じたときに頼るべき相談相手になりました。

もっと個人的なレベルでは、ほかの人々にスポットライトを当てる方法はいくらでもあります。スポンサーシップの機会は小さなことから始まります。特にキャリアの初期にある人に対しては、新しいシステムのデザインで未開の部分を担当したり、新規文書の草稿を書いたり、グループミーティングで結果のデモを発表したりするように促します。

この小さな後押しは、彼らにとってはそれだけでキャリアの前進につながるのかもしれませんが、私はメンターと協力関係を築くよいきっかけになると考えています。たとえばスライドデッキ（プレゼンのスライド集）を初めて作成する場合など、自分で数回実行してみないと身につかない事柄では、スポンサーシップとメンターシップの両方がとても重要だと思います。

また、個人に適したポジションに到達するのも簡単ではないと思います。私たちはみんなに、もっと大きな責任を担い、システムのための決断を下せる地位に到達してもらいたいと願っていますが、同時にそうした決断は、会社が目指している方向と一致していなければなりません。これは難しい仕事で、人々を締め出すことなく、満足のいく結果を得るために細心の注意を払う必要があります。

**あなたは今の会社でスタッフエンジニアの肩書きを得ました。スタッフエンジニアとして雇用されたのでしょうか？　そうでないなら、スタッフエンジニアになるまでの経緯を教えてください。**

私が入社したとき、会社にはICの役職がありませんでした。2019年初頭に導入されたことをきっかけに、私はスタッフエンジニアになりました。

チーム初期からエンジニアとして活動していたのが有利に働いたのでしょう。私は会社の過去の決断に精通していました。会社がどんな落とし穴にはまってきたかを知っていたので、どこで新しいプロジェクトを始めるべきかがわかったのです。

成長するにつれて会社は役職やマネジメントのレイヤー（階層）を増やしていきました。それは組織の仕組みを「再学習」する期間でもありました。そうこうするうちに、各チームは狭い範囲に集中するようになり、パズルのピースしか見なくなったのです。そんなとき、私はエンジニアリング部門の歴史を知っていましたので、各分野の範囲を超えた大きな視点でピースをつなぎ合わせることができたうえに、かつて私が協力していた人々が全社に広がっていました。当然ながら、その広がりが、会社に最も大きなインパクトを与えるために何をすべきかを知る助けになりました。

**スタッフプラスエンジニアになるのに最も重要だった要素を教えてください。これまで所属した会社、働いた場所、教育などはどの程度あなたのキャリアに影響したのでしょうか？**

私のバックグラウンドは少し特殊です。私はコンピュータサイエンスではなく、電子工学を学び、学位を得ることなく中退しました。そのため、経験を通じて独学する必要があったのですが、その際、インポスター症候群に苦しめられました。特別な資格がなかったので、初めのうち、ソフトウェア開発関連の面接試験には落ちつづけていました。キャリアの初期のころ、自分は本当の実力以上に高く評価されているというインポスター症候群特有の気持ちが拭えずにいたので、自分は何も知らないという思いをなくすために、できる限り多くを学ぼうとしました。

中退する直前の夏、私はStripeでインターンとして働きました。先入観からかもしれませんが、そこでの「顧客の体験に集中し、そのためのテクノロジーを構築することに胸を躍らせる」エンジニアリング文化がすばらしく、本当に刺激的でした。その経験が、就職先選びに大きな影響を与えたと言えます。

のちに大学を去った私は、小さなスタートアップにフルタイムの従業員として就職したのですが、自分がそこで何をしているのか、本当にわからなかったのです。そこで過ごした時間、たくさんの紆余曲折を経験しましたが、幸運なことに、私を指導してくれる思慮深いシニアエンジニアと密に交流することができました。そこで働いていると、私は自分が学びたいことを柔軟に選ぶことができたのですが、それはおそらく会社が望んでいたことではなかったのだと思います。

また、私は夏に2回、高校生用のコンピュータキャンプで、生徒たちにコンピュータの基礎を教えたことがあります。間違いなくこの経験が、人がコンピュータシステムをどう理解して使えるようになるのかを知るきっかけになりました。

そうした経験から、どんな仕事をしたいかをはっきりと意識するようになり、まだ若いSamsaraに入社したことで、その願いを形にすることができたのです。

バックグラウンドを構成する最後のピースは、Samsaraに入社してからの3年間でした。思いやりのある数多くの仲間たちと仕事ができて、本当に幸運でした。私の今の仕事ぶり、考え方、行動パターンの多くは、当時の仲間から学んだものです。彼らがいなければ、今のポジションにはたどり着けなかったでしょう。

**スタッフエンジニアになるには「スタッフプロジェクト」を成功させなければならない、という考えが広まっています。あなたはスタッフプロジェクトを実行しましたか？ それはどんなものでしたか？**

これがスタッフプロジェクトだと指定された仕事はありませんでした。数年にわたって実行してきた数々のプロジェクトを総合すれば、1つのスタッフプロジェクトに相当すると言えるかもしれませんが、そのあたりについてはっきりと話し合ったことはありません。

考え方としては、私は特定の重要プロジェクトというアイデアに賛同できません。そのようなプロジェクトは人々にヒーローのマインドセット[234]を育むからです。私たちが本当に評価するのは組織をつくる力のあるエンジニアであって、組織を担う者ではありません。私が見たいのは、頻繁な改善と一貫した行動、つまり、思慮深いエンジニアリングの実績なのです。

喜ばしいことに、この点ではSamsaraも私と同じ考えのようです。私たちのキャリア文書は、単独の大型プロジェクトよりも、一貫して行われる小さなプロジェクトで占められています。

**スタッフエンジニアになったばかりの人たちに、何かアドバイスがありますか？**

次の点が思い浮かびます。

「たくさん話をすることに慣れる」 シニアエンジニアとスタッフエンジニアの大きな違いは、人へのフォーカスだと思います。競合する優先事項を調整し、誤解を解き、人々の足並みをそろえるのがスタッフエンジニアの役目です。基本的に、スタッフエンジニアには直属の部下がいませんが、テクノロジーと人間関係の両方に携わることになります。その両方に影響するという点が、スタッフエンジニアの最大のインパクトなのです。

「疲れ果てることなく、最善を尽くす」 スタッフエンジニアになったばかりのころ、私はあらゆることに責任を感じて、すべてのことに時間と集中力を分けなければならないと思い込みがちでした。この役職に求められているのは、何にでも手を出して以前よりも何倍も必死に働くことではなく、組織の人々とともに変化を促すことなのだと気づくまで、しばらく時間がかかりました。人々を信じて、彼ら自身がこちらの指摘する問題を解決するのを期待すればいいのです。

**エンジニアリングマネジメントの道を進むことも検討しましたか？ もししたなら、マネジメントではなくスタッフエンジニアの道を選んだ決め手は何でしたか？**

2016年、私は上司と、ICの道を進むべきか、マネジメント路線へ行くべきかを話し合いました。当時の私は、自分をまだ新米だと感じていたので、もっと技術の経験を集めたいと考えました。

その後は毎年、この問題について検討したのですが、結論はいつも同じで、「まだまだ技術を学び尽くしていない」でした。そうこうするうちに、私の仕事の多くは同僚の開発経験の構築と関係するようになっていました。その結果として、私はスタッフエンジニアに求められる仕事を多くするようになり、当然の成り行きとして、実際にスタッフエンジニアの役職を得ることになったのです。

**どんなリソース（書籍、ブログ、知人など）を学習に用いましたか？ あなたにとって、誰が手本になりましたか？**

私は、フィクションかノンフィクションかに関係なく、複雑なトピックを簡単な文章で説明する文献を高く評価します。

村上春樹[235]が小説を書くとき、まず英語で書いてから日本語に書き直すという話を読んだことがあります。それが彼の文体を形成したのです。村上はこう書いています。「私には（英語で）単純で短い文しか書くことができない。そのため、頭のなかの思考がどれほど複雑で大量でも、それをそのままの形で文章にすることができないのである。言葉は単純にならざるをえず、発想は理解しやすい形で表現されることになる」

小説とソフトウェアはまったく別物ですが、この感覚は私がコミュニケーションについて大事にしている考え方と共通していると思います。自分の考えを理解するのは半分に過ぎず、それを理解しやすい形で表現するのが本当に難しくて、価値のあることなのだ、という考えです。

技術分野を深く掘り下げるブログや論文もたくさん読みます。過去数年、参考にしたものとして、次の例を挙げることができます。

- ボブ・ナイストロムによるプログラミング言語に関するブログ投稿[236]
- ヴャチェスラフ・エゴロフによるコンパイラとV8 internals（ChromeのJSエンジン）に関するブログ[237]
- さまざまなシステムに関するブランダーのブログ[238]
- ネルソン・エルヘージのAccidentally Quadratic[239]
- ゲームボーイアドバンス・エミュレータの開発に関するヴィッキー・プファウのブログ[240]
- コンソールアーキテクチャとエクスプロイトに関するfail0overflowのブログ[241]とトーク
- Haloのオリジナルゲームの開発と制作に関するBungieのエンジニアリング文書[242]

余談ですが、就職したてのころ、私はプログラミング言語そのものに興味が湧いたので、コンパイラに関する教科書『コンパイラ―原理・技法・ツール』を読みました。とにかく難しかったです。できれば、教授や学生仲間といっしょに読むほうがいいでしょう。私はその本を読んでも頭のなかにモデルを組み立てるのが本当に難しく感じました。のちに、私はボブ・ナイストロムのCrafting Interpreters[243]に出会いました。こちらのほうがはるかに実用的で、本当に新鮮に感じました。

私はコードベースを読むのも好きです。キャリアの初期、Reactで生じたやっかいな問題に対処したことがあります。私が想定する順番でコールバックが起こらなかったのです。文書を読んでも役に立ちませんでした。print文を挿入してもだめです。私の当時のメンターは、ソースコードを読んで問題の原因を突き止めるように指示しました。それが私の頭から霧を追い払ってくれました。バグの修正ができただけでなく、Reactの仕組みも深く理解できたのです。

この経験がターニングポイントになりました。見知らぬコードにためらわずに飛び込める能力を身につけたのは、超能力を手に入れたような感覚で、ソフトウェアデザインに対するさまざまなアプローチで活用できる手段を一気に増やしてくれました。最近は、超高速のJavaScriptのバンドラー[訳注1]として知られるesbuild[244]のデザインとコードを読むことにはまっています。

ここ数年では、『BART』[245]、あるいはXerox PARCの歴史[246]や日本の現代文化[247]について書いた本がおもしろかったです。どれも狭い範囲の話ですが、その歴史や文脈には心を引かれます。一見したところちっぽけでバラバラな事象や決断が積み重なって、今の世界を形づくっているのです。

訳注1 複数のファイル（スクリプト）をまとめるビルドツールのこと。

## 宇佐美ゆう
### — 元 CircleCI 社のスタッフエンジニア

2023 年 3 月取材。宇佐美氏についての詳細は Twitter[345]、LinkedIn[346] で。

**会社における役割について教えてください。役職名は何でしょうか？　あなたはチームを率いてどんなことをやっているのでしょうか？**

私は、CI/CD ジョブを実行するサービスを提供する CircleCI という会社でスタッフエンジニアをしていました（注：2023 年 2 月まで。同年 4 月から別の会社に勤務予定。本インタビューは CircleCI での活動内容にもとづく）。サービスを提供するインフラのコスト削減という特殊な目的をもつ、私を含めスタッフエンジニアが 3 人、マネジャーが 1 人という 4 人のチームで動いていました。データの分析、アーキテクチャの見直しをしたうえで、どこを変えるとどれだけコスト削減できるかを提案して、最終的に実装まで行います。自分たちで実装する場合もあれば、小さなチームなのでほかのチームといっしょにやることもあります。

私はアーキテクトを志向していたので、それに近い振る舞いをしていました。いろいろなデータを分析して課題や大きなコストがかかっている場所を見つけ、その仕組みの悪い部分を改善する設計を行って提案をするという仕事です。

具体例を挙げましょう。CircleCI では AWS と GCP の両方をヘビーに使っていたので、自社サービス間で GCP から AWS、AWS から GCP へのトラフィックがけっこう発生していました。そのクラウド間のネットワーク転送量をデータで出してみたら、思っていたより大きなコストがかかっていました。どちらも自社のインフラなのに、こんなにコストがかかるのはよくないということで、GCP と AWS のインフラ間で専用線のネットワークを導入する計画を立てました。そのため、インフラストラクチャチームのエンジニアを借り受けて、またアプリケーションチームのエンジニアの助けも得ながら、複数のチームを巻き込んで設計から実装、本番環境へのロールアウトまで持っていきました。

**あなたの会社では、“普通の”スタッフプラスエンジニアはどんなことをしていますか？　あなたの仕事も同じようなものですか？　それともまったく違いますか？**

チームによってスタッフプラスの働き方は違いますが、ICであることに変わりはなく、基本的には手を動かすことを止めてはいませんし、人をマネジメントする必要も責任もありません。ただ、チームとその周りに対する責任はあり、自分個人の成果を上げていくだけでなく、チームや、もっと大きなエンジニアリング全体の価値を高める成果を出すことが求められる役割だと、私は認識していました。

ちなみにCircleCIでは、スタッフプラスとして3つのレベル（職位）、具体的にはスタッフ、シニアスタッフ、プリンシパルがあります。エンジニア全体では6段階のレベルがあり、上の3段階がスタッフプラスです。

**あなたの役職では、ほかのエンジニアに対するスポンサー活動が重視されますか？**

ほかのエンジニアを支援すると同時に、影響を与える振る舞い、働き方を要求されますね。社内にはメンター制度（メンターを求めるエンジニアとメンターを務めてもよいエンジニアをマッチングするシステム）がありました。必須ではありませんが、メンターになることも推奨されています。私も、ステップアップを目指すサポートエンジニアの方と週に1回、コードリーディングなどをしながらメンタリングしていました。

**スタッフレベルになるまでの道のりを教えてください。また、何が決め手になりましたか？**

前職でシニアエンジニアになり、CircleCIに転職してからも2〜3年はシニアとして働いていました。次の段階にスタッフエンジニアがあることは社内で決まっていて、なるための条件もきちんと定められていました。1年ごとの評価を見て、ここは達成しているから、次にここを達成できれば文句なしにスタッフエンジニアになれるよね、みたいにマネジャーと話しながら目標を立て、ちょうどいいサイズのプロジェクトを担当して、必要な条件を満たしていきます。そうして十分な能力を示して、スタッフエンジニアになりました。CircleCI 入社後３年目ぐらいだったかと思います。

### 「スタッフプロジェクト」を行いましたか？

マネジャーとはほぼ毎週ミーティングをしていたので、スタッフになるために足りていないものは何かをフィードバックしてもらい、それを文章に残しつつ課題をマネジャーと共有したうえで、ちょっと大きめのプロジェクトを希望してこなしていく、ということをしていました。年次の評価では、自分がしたことをすべて詰め込んだ文章をつくってマネジャーに送りました。前年の課題に対して、こういうことを行ったので条件を満たしましたよね、と納得してもらえる内容です。マネジャーは、それを上にレポートします。マネジャーが「やれることはやったね」と話してくれたことを覚えています。

### スタッフエンジニアには、自分からなりたいと名乗り出るのでしょうか、それとも会社のほうから、そろそろスタッフエンジニアとして活躍してくれないかと言われるのでしょうか？

私は早い時期からスタッフエンジニアを目指したい気持ちを担当マネジャーと共有していました。途中でマネジャーが替わっても、最初にそれを伝えて、これまでの積み上げもきちんと共有してもらうようにしていました。

ほかのスタッフエンジニアがどうやってなったのかは、わかりません。また、スタッフを目指さない人もいます。長く在籍しているのにずっとシニアエンジニアという方もいます。スタッフになると働き方はずいぶん違ってくるのでそれが苦手だという人もいます。スタッフを目指すかどうかは、個人の希望が優先されます。

### スタッフ以上になると、働き方はどう変わりますか？

評価されるのが個人ではなく、チーム単位の成果になるので、周囲とコミュニケーションをとることが増えますし、ほかのチームとやりとりすることも増えます。なので、自分一人でチケットをとってプロジェクトを進めるというだけでは完結しなくなります。

**スタッフレベルになって何が一番困難でしたか？**

難しい決断を迫られる局面がありました。諸々を変更するには、どうしてもトレードオフが生じます。どこまで許容してどこまで詰めていくか、決定権は自分にあるので、自分が責任をもって決めなければいけません。また、複数のチームを巻き込んで全体のシステムを変更するようなプロジェクトでは利害関係者が多くなるので、そうした方々に話をして合意を得るのが難しかったですね。私たちのチームはコスト削減の達成がOKR（目標と主要な結果）なのですが、ほかのチームはコストに関することがOKRにはないので、コストダウンのプライオリティを上げてもらうのに苦労しました。コスト削減は重要なのですが、きちんと説明をして合意にいたるのは大変でした。

**スポンサー活動が増えることで、コードを書く機会が減ったり、技術に対する感度が下がるようなことはありませんか？**

確かにコードを書く時間は減りましたが、それでも重要なプロトタイプを作って見せるなどは日々行っていたので、手を動かさなくなることはありませんでした。また、コードを書く時間は減った半面、読む時間はとても増えました。社内のそれまで見ていなかったところを見ながら問題点を見つけ、その解決方法を考える時間も増えました。いい解決策を模索するなかで、今はどんなソフトウェアがあるのか、新しいオブジェクトストレージはなんだろうか、などと調べたり試したりする機会が多くあり、技術にキャッチアップできなくなったとは感じていません。

**エンジニアリングマネジメント分野でのキャリアを検討したことがありますか？**

前職でマネジャーにならないかと打診されたことがあったのですが、すぐに断りました。技術者としてもっと専門性を高めたい気持ちもありましたし、コードを書くのが好きだったからです。その会社ではICとしてのキャリアパスがきちんとできあがっていたので、ICとして技術者の道を進みたいと希望していました。それ以降もマネジメントには行かないと決めて活動しています。

今回、転職するにあたって、マネジャーではなくICとして、アーキテクトとしての専門性を高めたいということを各社に伝えてきました。それを納得してくれる会社と話を進めてきたので、次の会社へはアーキテクトの仕事を期待される形で入ることになります。

**スタッフプラスエンジニアを目指す人やなったばかりの人に、何かアドバイスがありますか？**

まずはどのアーキタイプのスタッフプラスを目指すのかある程度定めたうえで、チーム内でその役割を一部でも任せてもらえるように積極的に働きかけていくことが第一歩かと思います。ある日突然「あなたは今日からスタッフエンジニアです」と言われて、急にスタッフプラスの役割を求められる人は誰もいません。スタッフプラスの役割をこなすようになり、あとから役職がついてくるパターンがほとんどかと思います。ですので、普段から少しずつ目指すアーキタイプの役割を担当してみたり、小さなプロジェクトでもいいので役割を買って出るという積み重ねが大事ではないでしょうか。

また、目指すアーキタイプの役割がより必要とされるチームやプロジェクトに異動する、ということもひとつの手段かと思います。私も開発主体のチームからコスト削減チームへ移りましたが、アーキテクトを志向していたからこそ、より設計やプロジェクトリードの立場を任せてもらえそうだという点で異動を希望した経緯があります。

## 三上悟
## ― 株式会社 Voicy のスタッフエンジニア

2023年３月取材。三上氏についての詳細は Twitter[347]、Facebook[348] で。

**会社における今の役割について教えてください。役職名は何でしょうか？あなたはチームを率いてどんなことをやっているのでしょうか？**

肩書きはテックリードです。Voicy は 50～60 人ぐらいの会社組織で、エンジニアは現在 20 人ほどいますが、テックリードは私と創業エンジニアの２人です。Voicy には、音声を聞いてもらうリスナー向けのプロダクトと、音声配信をしてくれるパーソナリティ向けのプロダクトの２つがあります。私はパーソナリティ向けプロダクトを担当しています。そのチームには、私のほかに、アプリ側のエンジニアが２人、バックエンド側のエンジニアが１人います。

私の場合は、品質改善に注力しています。サービスダウンへの対応や、パフォーマンスの向上なども行います。監視システムでシステムエラーをモニターして、ユーザーに影響がある箇所は早期に改善するといった、プロジェクト全体の品質を上げるための仕事が中心です。最近では品質面が安定してきたので、事業的な課題を直接支援するようなこともしています。

**いっしょに働いているエンジニアは、三上さんの部下になりますか？**

いえ、ほとんど上下関係はなく、完全にフラットです。

エンジニアのキャリアステップとしては、エンジニアリングマネジャーを目指すキャリアと、技術に特化したテックリードを目指すキャリア、もしくは PM や TPdM など企画や管理側に進むキャリアに分かれます。テックリードはスペシャリストの役割のため、いわゆる部下はいません。テックリードの肩書きがあるのは、チームでは私だけで、ほかのエンジニアは、スクラムチームをまとめるリードエンジニアや、バックエンドやアプリなど各分野のソフトウェアエンジニアとして働いています。

**テックリードになった経緯と、テックリードを目指すようになったきっかけを教えてください。**

私は、Voicyが6社目になります。最初は300人ぐらいの規模のSIerで客先常駐をしました。その後、スタートアップ1社をはさんで、受託開発を行った後、スタートアップ2社を経験しました。直近のスタートアップ2社では、バックエンド担当として入社し、シニアエンジニアとして働いていました。また、スタートアップのうちの2社では、上司であるCTOの退職に伴い、私が代わりにCTOとして開発責任者を務めました。ただ、私はもともと、マネジャーを志望していたわけでありません。

Voicyでは、CTO経験を評価してもらい、テックリードという肩書きをもらいました。具体的なキャリアとしてテックリードを目指したわけではありませんでしたが、会社のなかでCTOの次に開発部門を任せられる人として歩んできました。

**テックリードに求められるものは何でしょう。ほかのエンジニアの支援も含まれますか？**

個々のエンジニアのキャリアを考えるのはエンジニアリングマネジャーの役割です。テックリードとして求められるのは、エンジニアリング組織全体の開発力の向上や組織文化の形成などで、これにはソフトウェアのソースコードのレビューも含まれます。ジュニアエンジニアのコードをチームを超えてレビューして、技術的な問題がないかチェックしたり、技術が足りていないところがあれば教えたりもします。

プロダクト開発に直接は関与しないことも行います。エンジニアの開発体験そのものを向上させるために、たとえばソースコードのコンフリクトが発生したら、そもそもそれが発生しない仕組みをつくります。また、ソースコードのコンパイル時に、自動的にテストを実行するCIの高速化も行います。たとえば、10分かかっていたところを半分の時間にすることで、リリースするまでの時間短縮ができます。求められるのは、エンジニアの開発生産性を上げるための支援です。技術を教えることで、エンジニアひとりひとりの平均的なレベルを上げる活動をしています。

自分でコードを書いてシェアすることもありますが、設計の過程を共有するように気をつけています。ほかのメンバーがテックリードの働き方を見て、真似て、結果的に成長してもらうためです。自分が設計したとおりに不具合が起きずに安定して動く状態をつくれるかどうか、私の行動を見て真似してくれたらいいなと思います。そこは自分でコントロールできない部分なので難しくはありますが、面白いところでもあります。

**マネジャーの道へ進もうと思われたことはありますか？**

何度かあります。小さい組織でCTOを経験したことはあるので、今後マネジメントをするとしたら、もっと大きな組織に入って、複数いるエンジニアリングマネジャーの上のVPoE（Vice President of Engineering）やCTOを目指すというパスだと思います。しかし、私は現場でメンバーといっしょに開発するほうが価値を提供しやすいと感じているので、マネジメントへのパスから外れてICであるスタッフエンジニアの役割で働いています。

私は、経営や事業部門の非エンジニアとのコミュニケーションはそれほど得意ではなくて、パフォーマンスを出し切れませんでした。それもあり、CTOやVPoEのパスは目指していないというのが現状です。

マネジメントの経験があるのはよいことだと考えています。経験したことがあるので、一般のエンジニアとは視野や視座が違います。マネジャーの考え方がわかるため、同じ目線で会話ができ、それぞれの役割を円滑に分担できます。

**スタッフエンジニアとして技術の道を究めたい人へのアドバイスはありますか？**

事業、プロダクト、組織の３つを意識することが大切です。

事業に関して言えば、テックリードはプロダクト開発の実行に責任を持つ人だと思います。なぜそれをつくるのか、何をつくるのかはプロダクトマネジャーや経営者が決めることですが、それを実行に移すときに、技術的に解決可能なのか、本当に必要なもの、逆に不要なものは何かを見極める人が求められます。そこでビジネス領域を理解したうえで、今必要な技術を選ぶのがテックリードです。

テックリードになれる人は技術への好奇心が強いので、最先端の技術や流行りの技術を学んできて採用する傾向があります。しかし、一度冷静に考えて、広い視野で、今の会社の規模に合った最適な技術を選定することが大切です。もちろん、ユーザーファーストも忘れてはいけません。

プロダクトに関しては、品質を維持する仕組みを継続的につくっていくことが重要です。サービスを提供する企業の場合は、つくったらそれで終わりではなく、何年も運用していくためにつくればつくるほど技術的負債が蓄積します。負債をどのタイミングで返済するか、いやまだ返済しなくていいから事業を進めようとか、そこを見極めるためにしっかり動けるかどうかが問われます。

組織については、いっしょに働くエンジニアメンバーの働きやすさに貢献できるかどうかが大事です。それには、自分が使っている技術や手がけてきた作業を言語化し公開すること。具体的には、体系的なドキュメントの執筆、社内向けの勉強会の開催、社外のカンファレンスへの登壇、などを進んでやることです。カンファレンスではプロポーザルを提出して採用されないと発表の機会が得られないのですが、自ら率先して見せて、ほかのメンバーもプロポーザルを出して登壇機会を得られるようにしていく、そうした行動が評価される文化をつくることを大事にしています。

今は自社プロダクトを使った音声発信を毎日やっています。300回ほど放送しています。こうしたカルチャーづくりのための活動を通して、社内チームと良好な環境をつくったり、社外にもよい影響を与える――これもスタッフプラスエンジニアに求められる行動指針だと思います。

## 竹添直樹
### ― トレジャーデータ株式会社のスタッフエンジニア

2023年3月取材。竹添氏についての詳細はTwitter[349]、Facebook[350]で。

**今の役割について教えてください。役職名は何でしょうか？　会社は？あなたはチームを率いてどんなことをやっているのでしょうか？**

私はトレジャーデータのサービスのバックエンドで動いているPrestoとHiveという2種類の分散クエリエンジンを開発運用するチームのエンジニアをしています。おもにPresto担当チームで、Presto本体を拡張してトレジャーデータならではの機能を組み込んだり、周辺システムの開発運用も行っています。

**現在の肩書きと、チームの構成を教えてください。**

肩書きはスタッフエンジニアです。チーム内は大きくHiveを扱うメンバーとPrestoを扱うメンバーとに分かれています。クエリエンジンのチーム全体では、日本、アメリカ、カナダ、韓国にエンジニアが分散していて、マネジャーはアメリカにいます。レポートライン上は、私の上がマネジャーとなります。チーム内には私のほかにもスタッフエンジニアと、プリンシパルエンジニアという肩書きのエンジニアがいます。

スタッフエンジニアになったからこういう仕事をしますよ、というようにキッチリ決められているわけではなく、シニアエンジニアでも一般のエンジニアでも、プロジェクトによってはスタッフのような動きをすることもあります。反対に、そのような動きをしている人が評価されてスタッフプラスに昇進するというケースもあります。実際にやっている仕事に合わせて肩書きが付くという、後追いのようなケースが多いように思います。

**そのようなスタッフエンジニアになる道と、それとは別にマネジメントの道があるのですか？**

エンジニアとマネジメントのパスは分かれていますが、行き来することは可能です。私の個人的な印象だと、トレジャーデータのエンジニアはエンジニアリングが好きな人が多く、積極的にマネジメントのパスを選ぶ人は少ないようです。しかし、エンジニアからエンジニアリングマネジャーのパスを選ぶ人もいます。また、エンジニアリングマネジャーと言ってもマネジメントに特化するわけではなく、引き続きエンジニアリングに軸足を置くケースもあり、スタイルは人それぞれです。

**ではエンジニアは、昇進するとスタッフエンジニアになって、次にプリンシパルエンジニアになるという形ですか？　その延長線上にはCTOはないということでしょうか？**

そうです。スタッフの次がプリンシパルです。

一方、CTOは経営層の役職なので、一般社員とは大きく異なる視点が必要です。また、今のCTOも2代目で、入れ替わりがそうあるわけではありません。そのためでしょうか、エンジニアリングのスペシャリストのキャリアパス上にCTOがあるというのはイメージしづらいところがあります。

**あなたのチーム以外にもスタッフエンジニアはいますか？　その人たちはどんな仕事をしていますか？**

別のチームにもスタッフエンジニアはいます。スタッフエンジニアという同じ肩書の人でも、チームや状況によってやることはさまざまです。マネジメント寄りのことをやる人もいれば、技術的に難易度の高いことを特化してやる一点突破型のエンジニアもいます。チームやプロジェクトの状況や、向き不向きなどもあって、やっていることは千差万別です。

私自身は他のチームと共同で進めなければならないプロジェクトのリードをしたり、それ以外にも、落ちているものを拾ったり、ちょっと危なさそうなところを先回りしたりとか、自分がアサインされているプロジェクト以外のところも、チーム内のことであればなんでもやります。

### スタッフエンジニアになった経緯を教えてください。

だいぶ遡りますが、前前職ではSIerにいて、最後はプロジェクトマネジメントや営業的な仕事もしていました。しかし、ソフトウェアエンジニアとして仕事をしたいという気持ちがあり前職に転職し、そこでは本書で「右腕（ライトハンド）」と書かれているようなCTO直属のポジションで仕事をしていました。開発バリバリというロールではなかったこと、また年齢的なこともあり、ソフトウェアエンジニアとしてガッツリ開発をやるなら、そろそろタイムリミットかもしれないと考えて、今のトレジャーデータにICとして転職しました。

トレジャーデータにはソフトウェアエンジニアとして入社しました。当時はまだチームも小さく、普通に一開発者としてやっていました。やがて人も増えてチームが大きくなり、自然に今のような動きになっていきました。何か大きなきっかけがあったというよりは、組織の成長に合わせて今の役割になったという感じです。

### 肩書きにはあまりこだわらず、自分で手を動かして技術を追求することにフォーカスしているという印象を受けましたが、ご自身もそう考えていますか？　マネジメントに進む可能性は？

肩書きにはまったくこだわりがありません。会社としても、スタッフだからプリンシパルだからと肩書きで職務内容が規定されることがあまりなく、普通のエンジニアでもリードをとったり、難しい技術的課題に取り組めたりします。意欲があれば機会が与えられる組織なのです。

年齢的なこともあり、個人的に今後どうしようかと悩むこともあります。成り行きですが、スタッフエンジニアとしてリードやプロジェクトマネジメントのようなことを、またやるようになってきました。過去にマネジメントをやった経験があるので、そこでバリューが出せるという認識もあります。

エンジニアリングのスペシャリストのパスにも、マネジメントやチームでアウトプットするためのロールがあり、エンジニアリングかマネジメントかと単純に分けるだけではなく、エンジニアリングのキャリアパスにもマネジメント寄りのロールがあることを理解してきました。

そのため、完全にマネジメントの道へいくのもひとつの選択肢だとは思うのですが、エンジニアリングのパスのなかでマネジメントスキルを活かしていくという道もあるのではないかと考えています。

**スタッフの次のプリンシパルになると、仕事の比重をマネジメントに傾けることが可能になるのでしょうか？**

それも人によります。トレジャーデータの場合、プリンシパルと呼ばれている人たちは、マネジメントよりも技術寄りのエンジニアが多いようです。しかし、ここでもプリンシパルだからどうこうというのは、会社として明確に決まっていないように思います。

たとえばプランニングの会議などで、今後の方向性を決めるときに呼ばれて意見を聞かれることはありますが、別にそれはスタッフだからそういう機会が与えられるというわけではなく、必要な人が呼ばれるだけのことです。先に述べたように、むしろそういう動きをする人に適切な肩書きを与えるというパターンが多いですね。

**自分の存在感をアピールするという意識は、みなさん持たれているのですか？**

自分をアピールしようと意識してやっている人は、あまりいないと思います。実際に仕事をしていくなかで、必要だからやっているだけです。ほかのチームとプロジェクトを進めるときにコミュニケーションをとったり、お客様やサポートチームからの質問に答えたり、そうしたことは積極的にやりますが、アピールのためではなく必要だからです。結果として、自然にそういう役割になっていくのです。

**スタッフエンジニアになりたいと願っている人に、アドバイスをもらえますか？**

エンジニアのスペシャリストのパスと言っても、いろいろな役割やタイプがあります。技術を掘り下げていく人もいれば、コミュニケーションのスキルを活かす人もいます。チームで成果を出すのが得意な人もいます。私としては過去にマネジメントをしたり、経営に近いところで仕事をした経験が活きているので、キャリアの前半でいろいろ経験できたのがよかったと感じています。

ある程度キャリアを重ねてしまうとアンラーニングが難しくなるので、できるだけ早い時期に、さまざまなポジションやロールや組織を見ておくのが、エンジニアに限らず重要だと思います。とくにスタッフロールは、チームとして個人ではできないレバレッジを効かせたアウトプットが決め手になります。そうした意味で、マネジメントとコミュニケーションはレバレッジの効くスキルになるので重要です。

組織のなかでスタッフプラスは、短期間にアウトプットを出すのが難しいロールです。火事場プロジェクトを引き継ぐなどというケースであれば短期間で成果を出すことが可能かもしれませんが、通常はアウトプットに時間がかかります。そのため、この場所でスタッフとして仕事をするぞと決めたら、ある程度腰を据えて取り組まなければなりません。それまでにできるだけ、いろいろな経験を積んでおくとよいでしょう。

## 野島裕輔
### ― サイボウズ株式会社のエンジニアリーダー

2023年3月取材。野島氏についての詳細はTwitter[351]、GitHub[352]で。

**会社における今の役割について教えてください。役職名は何でしょうか？あなたはチームを率いてどんなことをやっているのでしょうか？**

2021年ごろから使っている基盤システムを新しいものに移行するプロジェクトを進めていて、私はそれを担当しています。現行の基盤が作られたのはイミュータブルインフラストラクチャの考え方が普及する10年以上前で、VM（仮想マシン）の上にアプリケーションやデータベースを載せて動かすという形ですが、それを新しく構築したKubernetesをベースにした基盤上で各種製品が使えるよう、移行作業をしています。

現行基盤と新しい基盤とではアーキテクチャがまったく違うので、現行基盤からサービスをそのまま載せ替えることができません。そのため、アーキテクチャを設計し直して、それに沿ってサービスを作り替えています。

移行プロジェクトは開発本部と運用本部の２つの本部で進めていますが、私は運用本部側のリーダーのような立ち位置です。開発本部のリーダーと協力してまとめていく体制です。

リーダーは、プロジェクトごとにそれを起案した人がなりますが、組織図に示されるような上下関係はなく、みんな同じエンジニアとしてフラットに並んでいます。どこまでをプロジェクトのメンバーに含めるかが難しいところですが、チームは30名ほどの規模です。

基本的に（スタッフエンジニアやテックリードなどの）肩書きはないのです。昔はCTOがいたらしいのですが、私が入社したときにはもう不在でした。エンジニアはみなフラットで、そのなかからプロジェクトごとにふさわしい人間がリーダーに選ばれるようになっています。好きな肩書きを名乗っていいと言われているので、私はその場その場でそれっぽいものを名乗っています。役割としては、アーキテクトやソルバーに近いかと思います。

### リーダーになると、一般のエンジニアとは働き方はどう変わりますか？

プロジェクトのリーダーになると、当然ですが、そのプロジェクトを明確に進めなければなりません。そこで何をすべきかを考える仕事、および、移行するうえで生じた問題を技術的にどう解決するかを考えて意思決定する役割を担います。移行プロジェクトの場合は、主要製品がすべて載っている基盤を移行するわけで、多大な影響を及ぼします。あとから非難されないように、ちゃんと考えなければなりません。

具体的、技術的に考えて意思決定することも求められます。上司の指示は技術的なものではないので、そこからプロジェクトで何をするかを具体的に決めていきます。たとえば、経営層から「データセンターが火事になったときに別の場所から復帰できるように」といった要件が下りてきたら、周りと密接にコミュニケーションを取りながら、具現化していきます。

リーダーになると、きちんと意思決定ができる人間なのだと見られるようになります。また、全体の技術レベルが上がるように後輩を育ててほしいとも期待されます。それは今の自分の課題で、あまりうまくできていないのですが……。以前は自分のアウトプットを増やすことが求められましたが、今はチーム全体の成果があなたの評価だと言われています。

### どのようにしてエンジニアのリーダーになったのですか？　このキャリアラダーを続けて登っていくつもりですか？

これまでに関与した２つのプロジェクトを通して、自然にリーダーになった形です。

最初は、日本のデータセンターにあった米国向けリージョンのシステムを米国のデータセンターに移行するプロジェクトに参加しました。ここではエンジニアの一人として参加し、けっこううまくできたと思います。続く日本リージョンの移行プロジェクトでは、自分で起案してプロジェクトがスタートしたので、計画を書いた流れで自然にリーダー的な役割が求められました。そのため、ある日突然リーダーに任命されるのではなく、私の場合は、USリージョンでうまくいったから日本リージョンも任せてみよう、みたいな感じです。振り返ってみると、これらがスタッフプロジェクトだったのかな、と思います。

キャリアパスに関しては、マネジメントに興味はあるか、このままエンジニアを続けたいかを聞かれることがあります。エンジニアを続けたいと答えています。

サイボウズではエンジニアの肩書は明確に定義されていないので、今日からあなたはシニアです、などと言われるようなことはありません。給料が上がって、チームリーダーに選ばれることが多くなる、といった感じです。

一口にエンジニアと言っても、マネジメントに近い人や、特定の問題にすごく詳しいソルバーのような人とか、いろんな種類の人がいます。エンジニアのまま突っ走っている先輩もいますし、私もマネジメントではなく、今の延長線上でエンジニアとして最後までいくと思います。

**リーダーになってチームメンバーのサポートやチーム外の人たちとのコミュニケーションが増えて、自らコードを書く時間は減りましたか？　また、技術面で変わったところはありますか？**

コードを書く時間は以前と比べて明らかに減っています。アーキテクチャは１人では決められないので、関係者を集めて話を聞いて、まず問題を理解することが重要になります。なので、話を聞いて考えるという時間が増えました。また、コードレビューをする時間も増えました。自分でコードを書くこともちろんあるのですが、それ以外のことをやる時間がかなり長いです。

私はもともとアーキテクチャや技術の選定などを考えるのが好きでしたから、技術的な姿勢は昔からあまり変わっていません。しかし、「実際に仕事として手がけられること」が変わった点だと感じています。以前は、ある技術に思い入れがあったとしても、仕事で関与できるかわからなかったのに対して、今はやりたいと思えば関与できるようになりました。

また、私はひとつのモノを手がけるのが好きなのですが、個人のエンジニアとしてよりもリーダーとしてのほうが影響力の大きなモノを扱えます。プレッシャーも大きいですが、プロジェクトが終わったときの達成感というか、よいものを作ったぞ、といった感覚が得られるようになりました。

**リーダーとして、一エンジニアのときにはなかった困難はありますか？**

プロジェクトが影響する範囲の見積もりや調整が難しいです。

タスクにどれくらいのコストが必要かを考えるとき、たとえば製品内の修正だけならやりやすいのですが、(その製品を用いた) 顧客のサービスに関係した変更になると、その影響範囲やコストの見積もりが難しくなります。そのときは、できる変更とできない変更を判断し、調整する必要があります。

また、どこを変更するかは、できるだけ技術的な問題に落とし込めるようにしています。技術の問題になれば自分でなんとかできると思うからです。変更が経営的、営業的な問題にならないように頑張ります。

**若いエンジニアがエンジニアリーダーになるためのアドバイスはありますか?**

上から振ってくる仕事をやるだけのような人もいますが、それよりは、やりたい仕事を自分から取りにいくほうがいいですね。私は、「このプロジェクトがしたい」と上司に直接話してきました。サイボウズでは、本部長といった上の人たちに気軽に話しかけられる雰囲気があります。日本リージョンの移行プロジェクトでは、チームが編成される前に「興味があります」と訴えました。そうしていると自分のやりたいことができるようになります。最初は与えられた仕事をやるだけでしたが、4年目ぐらいからは意識して手を上げるようになりました。

今私がいるチームは、タスクの選択にある程度の裁量があり、普段のタスクでは上司に断らなくても好きなものを選べます。たとえば、MySQL と nginx と Elasticsearch があるときに、満遍なく取る人もいますが、MySQL ばかり偏って取るという手もあります。するとこの人は MySQL がやりたいんだなという認識が広がって、結果的に MySQL スペシャリストみたいな立ち位置になっていきます。そうした人がたくさんいます。

私は入社したときから、ずっとエンジニアとしてやっていきたいと考えていました。エンジニアの仕事が楽しいからです。ひとつの問題を考えるのが好きで、アーキテクチャを考えるのが好きなのです。アーキテクチャはあとに残るものなので、よいものを残したいという気持ちもあります。入社1年目か2年目に当時の開発本部長に言われたことがあります。「仕様は大抵テキトーに決まるけれども、それを直すには理由が必要になる。だからテキトーな仕様がいつまでも直らない」と。

製品の変更プロジェクトでは、何を意図して書かれたのかわからない古いコードがたくさんあって、それを読み解くのに苦労します。テキトーなコードや仕様があると、それを直すのは難しいのです。仕様をおざなりに決めるのは本当にヤバいことなのだと実感します。なので、仕様を書くときには、ベストを尽くすべきです。

時間がなくてテキトーに決めてしまうこともあると思います。しかし、そういうことをしていると、あとで振り返ってみても、学びがありません。ベストを尽くしたうえでの失敗なら、どこで失敗したかを振り返って学べます。だからアーキテクチャを決めるときはベストを尽くしましょう。

# 第6章　最後に

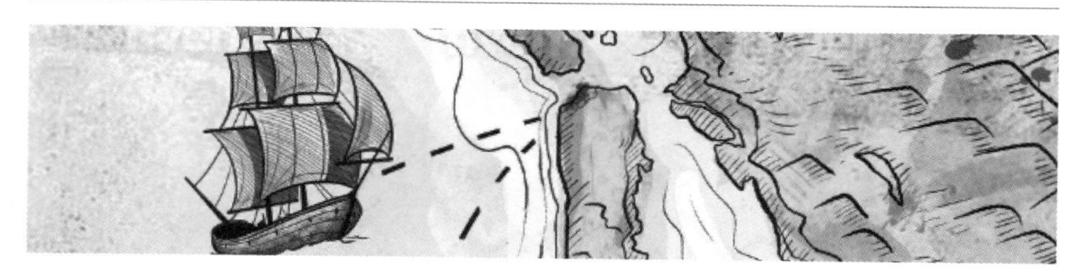

スタッフプラスエンジニアたちが雑談していると、必ずと言っていいほど、IT業界では技術リーダーとしてのキャリアパスが閉ざされてしまった、という嘆きが聞かれる。この言葉は真実だ。だが、絶対に避けられないわけではない。この業界は、スタッフプラスエンジニアとして働いている人々、スタッフプラスエンジニアになろうとしている人々、あるいはスタッフプラスエンジニアを管理している人々の日々の行動の総和をテクニカルリーダーシップとみなしている。私たちは習慣とアプローチを変えるだけで、業界全体を変えることができるのだ。

私たちが自分を磨けば、業界はよりよくなる。社内の誰かを計画的に支援しよう。ほかの人の意見を聞きながら、戦略文書をつくろう。仲間とネットワークをつくって、それをどんどん広げていこう。あなたがそうした活動に打ち込めば、組織のほうがあなたから多くを学ぶだろう。

あなたの上司や経営幹部もあなたを手本にするに違いない。管理職の多くは、有能なスタッフプラスエンジニアといっしょに仕事をした経験がない。以前の失敗から、偏見をもってしまっている。管理職と協力して、彼らの優先事項を理解し、足並みをそろえる方法を模索しよう。あなたの上司が受ける圧力には、あなたも責任を負うのである。「スタッフプラスエンジニア職を導入したところで何もうまくいかないかもしれない」という不安に対して、協力して立ち向かい、うまくいくという興奮を分かち合おう。

スタッフプラスエンジニアに対する不安についてここで論じるのはおかしなことだろうか？　確かにそう言えるかもしれないが、必要なことだ。なぜなら、多くの企業がスタッフプラスエンジニアの役職の導入に踏み切れないのは、スタッフプラスエンジニアが暴君のようなアーキテクトになってしまうのではないかと恐れるからだ。かつて、テクニカルリーダーに中途半端に権限を与えたことで痛い目に遭った経験から、この不安は生じている。この不安を消し去るには、私たちエンジニアのほうが優れたスタッフプラスモデルを提示しなければならない。

本書を通じて、あなたがスタッフプラスエンジニアへの道を選ぶのは、もしくは進みつづけるのはすばらしいことだと感じてもらえたのなら幸いだ。ソフトウェア開発業界はまだ若い。その成長は私たちの手にかかっている。

# 補章　スタッフになるための情報源

## スタッフプラスエンジニアリングに関する情報源

自分だけの力でスタッフエンジニアになった者はいない。スタッフエンジニアになるには、貪欲なまでの読書や強力なネットワークづくりが欠かせない。以下、代表的なリソースを列挙する。

### ネットワークづくり

書籍やブログ、講演や論文も大切だが、ほぼすべてのスタッフプラスエンジニアが最も貴重な情報源として仲間やメンターのネットワークを挙げる。エンジニアとしての成長のために使える時間が1時間しかないのなら、自分と同じ役割を担う人々とのネットワークづくりがその1時間を最も有効に使う方法だろう。

Slackコミュニティを探しているなら、Rands Leadership Slackの#staff-principal-engineeringが優れている。

### スタッフエンプラスエンジニアの仕事は？

・「Being a principal engineer at Skyscanner」[248]　Nicky Wrightson
・「Defining a Distinguished Engineer」[249]　Jessie Frazelle
・「How I operated as a Staff engineer at Heroku」[250]　Amy Unger
・「Not all engineering leaders are engineering managers」[251]　Tanya Reilly
・「The Nuts and Bolts with Tanya Reilly」[252]
・「On Being A Principal Engineer」[253]　Silvia Botros
・「On Being a Senior Engineer」[254]　John Allspaw
・「Staff Engineering」[255]　Sam Kleinman
・「Staff Software Engineer Responsibilities」[256]　David Xiang
・「Thriving on the Technical Leadership Path」　Keavy McMinn

- 「What's a senior engineer's job?」[257] Julia Evans
- 「What a Senior Staff Software Engineer Actually Does, Part 1: The Role and My Tasks」[258] と「Part 2: The Mindset and Focus of the Role」[259] Joy Ebertz
- 「What does Staff level mean at GitLab?」[260] Charlie Ablett

## スタッフプラスエンジニアになるために

- 「Becoming a Staff Engineer - Interview with Kristina Fox, Staff iOS Engineer at Intuit」[261] Kaya Thomas
- 「On becoming a senior technical leader」[262] Jesse Pollak
- 「On Mid-Career and Managers」[263] Ryn Daniels
- 「How does one become a Staff Software Engineer at Google?」[264] Quora
- 「The Engineer/Manager Pendulum」 Charity Majors
- 「Things to Know About Engineering Levels」[265] Charity Majors

## スタッフプラスエンジニアとしての活動

- 「Being Glue」 Tanya Reilly
- 「Computers can be understood」[266] Nelson Elhage
- 「Effective Mental Models for Code and Systems」[267] Cindy Sridharan
- 「"I Wouldn't Start From Here." How to Make a Big Technical Change」[268] Tanya Reilly
- 「Migrations: the sole scalable fix to tech-debt」[269] Will Larson
- 「On Mid-Career and Team Dynamics」[270] Ryn Daniels
- 「Surviving the Organisational Side Quest」[271] Tanya Reilly
- 「Systems that defy detailed understanding」[272] Nelson Elhage
- 「Team Objectives」[273] Marty Cagan
- 「Technical Decision Making」[274] Cindy Sridharan
- 「Technical Research and Preparation」[275] Keavy McMinn
- 「The Behind-the-scenes Work of Tech Leadership」[276] Jean Hsu
- 「Understanding Project Management Will Improve Your Developer Job」[277] Daniel Na
- 「What Does Sponsorship Look Like?」 Lara Hogan
- 「Where to Start」[278] Keavy McMinn

・「Design Docs, Markdown and Git」 Caitie McCaffrey

### 技術仕様

・「A practical guide to writing technical specs」[279]
・「Design Docs at Google」
・「Design Docs, Markdown, and Git」
・「Documenting Architecture Decisions」[280]
・「How to write a better technical design document」[281]
・「Technical Decision-Making and Alignment in a Remote Culture」
・「Writing Technical Design Docs」[282]

### エンジニアリング戦略

・「A Framework For Responsible Innovation」
・「How Big Technical Changes Happen at Slack - Several People Are Coding」[283]
・「On Drafting an Engineering Strategy」[284]
・「Defining a Tech Strategy」[285]
・「Delivering on an architecture strategy」
・「Stepping Stones not Milestones」
・「Achieving Alignment and Efficiency Through a Technical Strategy」
・「The difficult teenage years: Setting tech strategy after a launch」[286] Anna Shipman
・「Learning to have an engineering vision」[287]

### エンジニアリング戦略の例

・「Run less software by Rich Archibold」

戦略に関しては、Marty Caganの「Product Strategy」シリーズ[288]など、ほかにも優れたリソースが多い。

### 書籍

エンジニアの多くはあまり本を読まないようだが、私が声をかけたスタッフエンジニアは例外なく、貴重な情報源としてメンターと書籍を挙げた。具体的な問題に関してはブログ記事や講演をリソースとして挙げるが、大きな意味では書籍によって考え方を改めることが多いようだ。
以下が推薦できる。

- 『A Philosophy of Software Design』[289] John Ousterhout
- 『Accelerate: Building and Scaling High Performing Technology Organizations』 Forsgren, Humble, and Kim 日本語版『Lean と DevOps の科学［Accelerate］テクノロジーの戦略的活用が組織変革を加速する』
- 『Becoming a Technical Leader: An Organic Problem-Solving Approach』[290] Gerald Weinberg 日本語版『スーパーエンジニアへの道―技術リーダーシップの人間学』
- 『Building Evolutionary Architectures』[291] Ford, Parsons, and Kua 日本語版『進化的アーキテクチャ ―絶え間ない変化を支える』
- 『Escaping the Build Trap: How Effective Product Management Creates Real Value』[292] Melissa Perri 日本語版『プロダクトマネジメント ―ビルドトラップを避け顧客に価値を届ける』
- 『Good Strategy Bad Strategy: The Difference and Why it Matters』 Richard Rumelt 日本語版『良い戦略、悪い戦略』
- 『High Output Management』 Andy Grove 日本語訳『HIGH OUTPUT MANAGEMENT（ハイアウトプット マネジメント）人を育て、成果を最大にするマネジメント』
- 『The Manager's Path: A Guide for Tech Leaders Navigating Growth and Change』 Camille Fournier 日本語訳『エンジニアのためのマネジメントキャリアパス』
- 『The Mythical Man-Month』[293] Fred Brooks 日本語版『人月の神話【新装版】』
- 『The Phoenix Project』 Kim, Behr, and Spafford 日本語版『The DevOps 逆転だ！究極の継続的デリバリー』
- 『The Passionate Programmer』[294] Chad Fowler 日本語版『情熱プログラマー ソフトウェア開発者の幸せな生き方』
- 『The Pragmatic Programmer』[295] Hunt and Thomas 日本語版『達人プログラマー（第２版）熟達に向けたあなたの旅』
- 『Resilient Management』 Lara Hogan
- 『Software Design X-Rays: Fix Technical Debt with Behavioral Code

Analysis』[296] Adam Tornhill
・『Thinking in Systems: A Primer』[297] Donella Meadows

ほかにも私のブログ「Irrational Exuberance」内の「Best Books」[298]など、推薦書籍のリストを参考にしよう。

### 見るべき講演

私が話したスタッフプラスエンジニアは講演を聴くよりも講演をするほうが自分のためになると指摘するが、もちろん聴いてためになる優れた講演も多く存在している。Cindy Sridharan[299]（Twitter[300]）が優れた講演のリストを作成していて、特に「Best of 2019 in Tech Talks」[301]、「Best of 2018 in Tech Talks」[302]、「Best of 2017 in Tech Talks」[303]が役に立つ。

### 読むべき論文

コンピュータサイエンスの論文を熱心に読むスタッフプラスエンジニアは少ないようだ。しかしながら、彼らのほとんどは基本的な論文には精通している。また、数こそ少ないとはいえ、論文から多くを得ているエンジニアもいる。

論文に興味があるなら、まずはAdrian Colyerの「the morning paper」[304]をチェックしよう。平日に毎日コンピュータサイエンス論文のサマリーを送ってくれる。これから基本的な論文を読むことを検討しているなら、入門としてPeter Kleinの「How to Read an Academic Article」[305]とS. Keshavの「How to Read a Paper」[306]を参考にするのがいいだろう。そのあとは以下の論文が推薦できる。

・「Dynamo: Amazon's Highly Available Key-value Store」[307]
・「On Designing and Deploying Internet-Scale Services」[308]
・「No Silver Bullet - Essence and Accident in Software Engineering」[309]
・「Out of the Tar Pit」[310]
・「The Chubby lock service for loosely-coupled distributed systems」[311]
・「Bigtable: A Distributed Storage System for Structured Data」[312]
・「Raft: In Search of an Understandable Consensus Algorithm」[313]
・「Paxos Made Simple」[314]

・「SWIM: Scalable Weakly-consistent Infection-style Process Group Membership Protocol」[315]
・「Hints for Computer System Design」[316]
・「Big Ball of Mud」[317]
・「The Google File System」[318]
・「CAP Twelve Years Later: How the Rules Have Changed」[319]
・「Harvest, Yield, and Scalable Tolerant Systems」[320]
・「MapReduce: Simplified Data Processing on Large Clusters」[321]
・「Dapper, a Large-Scale Distributed Systems Tracing Infrastructure」[322]
・「Kafka: a Distributed Messaging System for Log Processing」[323]
・「Large-scale cluster management at Google with Borg」[324]
・「Mesos: A Platform for Fine-Grained Resource Sharing in the Data Center」[325]

一読すべき質の高い論文を見つけるのに最も適した場所は「Papers We Love」[326]だろう。同サイトでは論文に関する討論会も行われている。ほかには、「ACM SIGOPS Hall of Fame Award list」[327]や「Irrational Exuberance's paper collection」[328]などがある。

**その他の情報**

上記のカテゴリーには当てはまらないが、大いに参考にできるリソースもいくつか存在する。

・「Testing in Production, the safe way」[329]と「Testing in Production: the hard parts」[330]　Cindy Sridharan
・「A decade in review in tech」[331]　Cindy Sridharan
・「Boogeyman Problems」[332]　Dan Na

ほかにも何かを見つけたら、私に教えてください！

## スタッフプラスエンジニアは組織のどこに適しているのか？

エンジニアリング組織のあり方に取り組んでいるとき、私はいつも「組織の数学」について考える。どのチームにもマネジャーが1人と6人から8人のエンジニアがいて、どのマネジャーのマネジャーも4人から6人のマネジャーを管理するのが好ましいとする考え方のことだ。このガイドラインから、自分の組織に見合った形をただちに構想することができる。完璧とまではいかないが、実用的な考え方だ。

いくつかの組織でこの方法を試してみたところ、いつも共通する疑問が生じた。最も上級のエンジニア（最上のシニアエンジニア）を誰の下に組み込むかという問題だ。「組織の数学」が語るように、中間的なマネジャーの下に入れるべきだろうか？　それとも彼らは組織の主要リーダーなのだから、それに見合った働きをするために、もっと上級のマネジャーの下につけて、多くの情報や権限に直接アクセスさせたほうがいいのだろうか？

その答えを見つけるためには、まずは現在の企業の一般的な形態を知り、スタッフプラスエンジニアのアーキタイプごとにどのような違いが見られるかを理解しておいたほうがいいだろう。

- **テックリード**は通常1つのチームを管理するマネジャーの下につく。まれではあるが、2つから4つのチームを担当するマネジャーに直属することもある。いずれの場合も、テックリードはマネジャーと同じスコープを有する。〈例〉ダン・ナは国際化プラットフォームを担当するマネジャーに直属する。
- **アーキテクト**はより上級のマネジャーの下に入ることが多い。アーキテクトは、マネジャーの責任分野（データモデリングなど）全般にかかわる事柄を水平的に担当する。〈例〉キーヴィー・マクミンはCTOに直属する。
- **ソルバー**はおもに「ウィークチーム・コンセプト」を採用する企業で重宝される。そのような会社では主従関係はあまり明確に定義されていないことが多い。ソルバーはチームマネジャーの部下になるのが一般的なようだが、例外も多い。また、複数のソルバーが「CTOオフィス」や「CEOオフィス」に集められて、経営幹部から直接指揮されるパターンもある。〈例〉リトゥ・ヴィンセントはCEOの下でインキュベーターとして活動している。

- **右腕**は上級リーダー（おもに100人以上を管理するマネジャー）の部下として、同リーダーの権限を借りて活動する。〈例〉リック・ブーンはインフラストラクチャ副社長の右腕として、ミシェル・ブーは最高プロダクト責任者の右腕として活動している。

一見したところ、スタッフプラスエンジニアの位置づけはでたらめに見えるが、このようにアーキタイプによって組織内での位置づけが異なっている。

### CTOオフィス

余談になるが、「CTOオフィス」という考え方に出会ったことがある人はほとんどいないだろう。通常、CTOは（ときにはCEOも）は2人から8人のスタッフプラスエンジニアを直属の部下として抱えている。CTO直下のスタッフプラスエンジニアは上級のリーダーとみなされ、問題や機会を追求し、基本的にはマネジメントの後ろ盾なしで活動するが、必要なときには幹部のサポートを得ることができる。

CTOオフィス内では、アーキテクトとソルバーと右腕が混在していることが多い。ほとんどの場合、たとえばスタッフプラスエンジニアとマネジメントチーム間の不信、CTOの委任能力の欠如などといった、対処が難しい既存の組織的問題を解消する目的で、会社の進化の比較的遅い段階で「CTOオフィス」が設置される。もし、会社がまだ若いのにCTOオフィスのメンバーになりたいなどと考えている場合は、そのような構造を会社に導入するよりも、まずは自分が問題の解決を避けているのではないかと自問したほうがいいだろう。

### ところが実際は……

理論的には、アーキタイプごとに組織内における適した位置づけがあるのだが、実際には、そのような理屈どおりの構造を敷いている会社はほとんど存在しない。

マネジメントチームが組織構造に十分に注意を払っていないからかもしれないし、適切な人員を適切なポジションで管理する能力が欠けている場合もあるだろう。たとえば、“適正な”マネジャーがすでに12人のチームを管理していて、それ以上のエンジニアを抱え込む余裕がないケースなども想定できる。もう1つのよくあるシナリオは、組織構造が頻繁に変わるため、マネジメントチームがエンジニアの担当マネジャーを再度変更することにためらうケースだ。マネジャーを変えると、抽象的で細かいパフォーマンスレビューを行う必要が生じることが多いので、特に面倒に感じられる。

自分は間違った上司に直属していると思うなら、その点について上司と話し合うのが理にかなっているが、上司の多くはそのような会話では守りの態勢に入りがちな事実を忘れないこと。上司に理解があり、良好な関係が築けているのなら、率直に意見を交換しよう。そのような関係が成り立っていないのなら、上司の上司に対して、会社におけるスタッフプラスエンジニアの位置づけについて一般的な会話をもちかけるほうがリスクは少ないだろう。

組織構造の変更を進言する前に、そのような変化が生じれば、自分にとって何が変わるか、よく考えること。上下関係は権威や権限と関係している。そして、人は権限というものを過大に評価しがちだ。典型的な有害パターンは、変化によって最も多くの権限を得ることができるであろう人々——マイノリティや女性——が変化を要求すると、彼らのマネジャーがより強く守りの態勢を固めようとすることである。

### では、どうすればいい？

組織構造の修正を行うようにマネジメントチームに進言するつもりなら、以下の点を考慮すべきだろう。可能な限り、“変更は即座に行われるべき”だ。移行期間が長引くと、以前の役割と新しい役割のあいだで立ち往生することになり、余計な面倒が生じる。たとえ、新しい上司が仕事に追われていて新しく部下になるあなたを十分にサポートできない場合でも、一気に移行を済ませたほうがリスクは少ない。

それができない場合は、適正な上司の部下になる“日時を必ず決める”こと。日時を決めなければ、変更そのものが行われる可能性は低くなる。

ほとんどの企業は、このような組織インフラストラクチャを設定していないので、スタッフプラスエンジニアを真のリーダーとしてしっかりとサポートする態勢がとれていない。したがって、これは一晩で解決される問題ではなく、何年にもわたって進めていかなければならない問題とみなす必要がある。問題がすぐに解決して永遠に消えてなくなると思っていては、大きな面倒に巻き込まれるだろう。

## スタッフプラスエンジニアの管理

StaffEng[333]へ送られてくるフィードバックのなかに、「もっとスタッフプラスエンジニアの管理に関するコンテンツを」という要望があった。この話題は本書——会社やマネジャーではなく、スタッフプラスエンジニアをテーマとした本——で扱うには適していないが、興味深いトピックなので、ここで付録として論じたいと思う。

もちろん、スタッフプラスエンジニアの管理術はそのレベルごとに完全に異なっているわけではなく、どの役割にも有効な共通点も存在する。たとえば効果的な面談[334]やフィードバック[335]だ。そうした点については、ララ・ホーガンの『Resilient Management』やカミーユ・フルニエの『エンジニアのためのマネジメントキャリアパス』[336]が参考になるだろう。ここでは、スタッフプラスエンジニアの管理が、たとえばシニアエンジニアなど、ほかのエンジニアの管理とどう違うのかに注目することにする。

スタッフプラスエンジニアの役割は会社によって違っているし、会社ごとに採用するアーキタイプが異なり、組織内での位置づけも一貫していないので、管理の方法もさまざまではあるが、ほとんどの場合で有効なアプローチもいくつか存在する。

- **指示ではなく後見と支援を。**もしあなたがスタッフエンジニアに毎日のように指示を与えているのであれば、彼らの使い方を間違っていると言える。週に１度もフィードバックを与えないのであれば、成長を遅らせている。彼らの活動にスポンサーとして力を貸さないのであれば、彼らから率先力を奪うことになるだろう。
- **成功の定義の修正を手伝う。**エンジニアとして能率の高いプロダクトエンジニアリングチームで働いていると、次々と好ましいフィードバックが返ってくる。プロダクトマネジャーはチームの仕事を高く評価する。エンジニアリングマネジャーは積極的にチームにかかわる。同僚たちはいっしょに仕事をするのが楽しい。ユーザーはプロダクトに満足。満足したユーザーを見て、会社も大喜びだ。逆に、スタッフエンジニアが受け取るフィードバックはそれほど直接的ではない。やっかいな問題に費やす時間が増える。長期的な課題に取り組む。重要項目を優先するには、ほかの事業やプロダクト目標の優先度を下げる必要もある。スタッフプラスエンジニアの多くはそのような変化に積極的に対応しないので、1年ほど時間がたったころには、自分の仕事を嫌いになっているのだ。したがって、マネジャーであるあなたが彼らをそのような変化に気づかせ、対策をとるように促すべきだろう。

- **フィードバックを与える。**スタッフプラスエンジニアに成功の定義を修正させるうえで、そしてさらなる成長を促すうえで、とても重要になるのが、マネジャーであるあなたからの頻繁なフィードバックだ。彼らが間違った戦いを挑もうとしているのなら、あるいは優先度の低い仕事をしようとするなら、理由を添えてそれが間違っていると指摘する。有能な者にとって、自分がどの程度役に立っているのかがわからないことほどストレスが大きい状況はない！　マネジャーがフィードバックを与えなければ、とりわけ、最高の仕事に対して何の反応も示さなければ、彼らはフィードバックを得たいがために、やり方を変えてしまうだろう（そしてだいたい失敗する）。
- **情報を与える。**マネジャーはエンジニアよりもはるかに多くの情報を得る。ところが、この事実をマネジャーは見落としがちだ。実際、ほとんどの組織はマネジャーを中心にインフォメーションフローを構築する。つまり、マネジャーがほかのマネジャーに重要な情報を伝える。したがって、マネジャーが自発的にスタッフプラスエンジニアに情報を共有する仕組みをつくらなければ、彼らは身動きがとれなくなってしまう。マネジャーのなかには個人的な面談で情報の共有を行う者もいるが、私はチームのチャットチャンネルで情報を拡散したり、毎週アップデートメールを送信したりする方法のほうを好む。
- **スタッフプラスエンジニアを計画や優先順位付けに関与させる。**エンジニアの多くは「仕事の優先順位が間違っている」と不満を漏らす。それに対する最高の解決策はエンジニアを計画に関与させることだ。これは2つの面で機能する。まず、エンジニアたちは仕事の競合について理解を深め、どの仕事がなぜ重要なのか判断できるようになる。次に、自分たちに欠けていると思われる種類の仕事をすることに積極的になる。
- **独立して活動しながらも、会社と足並みをそろえる方法について話し合う。**部下にあたるスタッフプラスエンジニアにリーダーシップを発揮するように仕向ける機会を増やせば、彼らは実際にリーダーとして働くようになるだろう。ときにはその発展に驚かされることもあるに違いない。驚きがないようなら、彼らはまだ十分に独立ができていないということ。一方、あまりにも驚く機会が多いときは、もう少し手綱を締めるほうがいいだろう。

- **スタッフプラスエンジニアに——彼らを日々の現実から切り離すことなく——自由に考えるスペースを与える。** スタッフプラスの役職にある人々は会社にインパクトを与え、「正しいことをする」動機がひときわ高いため、外部からの介入がなければ、自分をすり減らしてしまう。ここで言う「外部」とは、マネジャーであるあなたのことだ。もし彼らが緊急対応や火消し役にあまりにも多くの時間を費やしているようなら、あなたが手を貸して、彼らに深く考える時間をもっと多く確保させる必要がある。逆に、彼らが考えてばかりいるのなら、文脈を見失い、仲間や事業への尊重意識をなくしている可能性が高い。
- **スタッフプラスエンジニアに自分は手本であると意識させる。** エンジニアたちは、マネジャーに対してと同じように、スタッフプラスエンジニアにも注目し、どんな態度や行動が評価され、何が容認されるかを学ぼうとする。責任重大だ。しかし、インパクトを残す大きな機会でもある。優れた手本を示すことで、ポジティブな組織をつくることができるのだ。
- **マネジャーのオーバーフロー（処理できずにあふれた仕事）を最小にする。** 有効性よりも効率[337]を求めるあまり、企業の多くは膨大な量の折衝および管理の仕事をマネジャーに押しつけている。あまりの多さに溺れそうになったときは、助けを求める必要があるが、多くの場合で、マネジャーはスタッフエンジニアに管理仕事の一部を託すことになる。あなたにとってスタッフプラスエンジニアはパートナーなのだから、これは避けられないことではあるのだが、彼らに託す量は最小限に抑え、そのような状況が当たり前にならないように気をつけること。
- **手つかずの問題を託す。** スタッフプラスエンジニアは上級職なのだから、彼らには問題となる領域のみを示し、より具体的な問題点やソリューションは彼ら自身に見つけさせるべきだろう。スタッフプラスエンジニアはマネジャーよりも技術的な知識が豊富なので、マネジャーが問題点を指摘してしまうと、彼らの判断力を活かせなくなる。正しい問題点を見つけるのは、適切なソリューションを見つけるのと同じぐらい重要だ。マネジャーが自由に考えるスペースを与えたときにのみ、それが可能になる。
- **リーダーシップを発揮させる。** スタッフプラスエンジニアを管理するなら、マネジャーの責任の一端を彼らの責任下に置くように工夫しよう。たとえば、あなたではなく、スタッフプラスエンジニアがチームの技術品質に責任を負うようにできないだろうか？　これはあなたにとってもありがたいことだし、スタッフプラスエンジニアの責任感を育むことにも通じる。

- **感謝を示す。**優れたスタッフプラスエンジニアはほぼ完全に独立して活動するので、会社が大変で忙しいときには、マネジャーは彼らから目を離しがちだ。最も貴重な人材である彼らから目を離すのは、マネジャーの「スナッキング」行為であり、ときにはそうすることが大切だと思えるが、ほとんどの場合、正しいことではない。だから、定期的な面談を欠かさないほうがいいだろう。相手が会って話すことを要求してくるタイプではないときには、特に注意が必要だ。
- **会社との足並みをそろえ、維持する。**エンジニアのなかには、ビジネスよりも技術的な仕事のほうが重要だと思い込んでいるにもかかわらず、成功している者もいる。この考え方はつねに有害だが、スタッフプラスエンジニアがそのような考えをもつときは特に猛毒になる。スタッフプラスエンジニアは会社全体にとってロールモデルになる人々だ。そして、会社全体のロールモデルとして育って初めて、彼らはリーダーとしての役割を担いつづけることができる。ビジネスと足並みをそろえようとしないリーダーは会社で立場を失い、最後には追い出されることになる。
- **役割に責任をもたせる。**技術的に大きな弱点があるのにスタッフプラスになった人はほとんどいないが、私の個人的な経験から、リーダーシップや行動に大きな問題点があるにもかかわらずそうした地位に昇進した人は多いと言える。そうした人々は肩書きこそ手に入れるが、リーダーシップが期待される場所でリーダーシップを発揮する機会から遠ざけられるという地獄のような状況に陥ることになる。彼らは信用されず、「関与させたら損をする」とみなされてしまうのだ。マネジャーは、そうした者たちに何が欠けているかのフィードバックを与えながら、彼らに期待どおりの役割をこなす責任をもたせる必要がある。彼らを「リーダーもどき」としての立場に長居させてはならない。たとえ、彼らが肩書きのインフレ[338]を通じてその役職を手に入れたのだとしても、彼らに欠けた部分をあなたが埋めてはならない。その代わりにサポート計画を立てて足りない部分を改善させ、自分で責任を担えるように成長を促すのである[339]。
- **部屋へのアクセスを認めるが、それをステータスシンボルにしない。**人はステータスシンボルが大好きだ。そしてエンジニアにとっては「特定の部屋へのアクセス」がステータスシンボルになる。ミーティングの一部はとても重要だが、定期的な報告会議の大半は参加者があまりにも多いため、マネジャーとスタッフプラスエンジニアの両方が出席するのではなく、会議ごとにどちらか一方だけが出席するようにすれば、双方にとって時間と余裕の増加につながるだろう。

シニアエンジニアまでの昇進では仕事の範囲のみが拡大するが、スタッフプラスエンジニアへの昇進は、仕事の内容すら変わる大きな変化である。エンジニアの多くはこの変化に戸惑い、マネジャーにはサポート方法がわからない。ここで挙げた項目は完全なものではないが、スタッフプラスエンジニアをサポートする方法として有効だ。これらが有益なスタート地点になることを願っている。

## スタッフプラスの面接ループ

スタッフプラスエンジニアの面接ループ（インタビューループ：複数の面接官による1対1の面接の繰り返し）のやり方に関して、まず指摘しておかなければならないのは、そのような面接ループがうまく機能すると誰も考えていない点だ。ループの大半は、問題を迅速に解く能力のある上級エンジニアを見つけることに終始してしまう。しかし、問題解決能力はスタッフプラスエンジニアに求められる実際の働きではない。コミュニケーションが重視されることも多いが、コミュニケーション能力はスタッフプラスエンジニアにとって重要な能力ではあるものの、それがすべてではない。スタッフプラスエンジニア候補者が既存の上級エンジニアチームのメンバーになじめるかどうかを面接での評価の基準にしている会社もある。才能と親しみやすさが区別できていないのだ。

誰も面接ループに満足していないのではあるが、それでもこれまでの学習から、実施する際に取り入れたほうがいい点がいくつか知られている。それをここで紹介する。まず、スタッフプラス面接ループでよく見られる失敗を確認してから、自らのループでチェックすべきシグナルについて論じ、最後にそれらのシグナルに対処した面接フォーマットを明らかにすることにしよう。

### 面接時の問題点

技術分野の面接はだいたいいつも混乱しているが、上級の候補者が相手の場合はとりわけ問題点が山積みだと言える。うまく機能する面接について論じる前に、一般的な問題点の所在を知っておいたほうがいいだろう。

- **普通のシニアエンジニアよりも優れたシニアエンジニア。**面接の多くは、スタッフプラスエンジニアを普通のシニアエンジニアよりも少しばかり優れたシニアエンジニアとみなしている。仕事が少し速いシニアエンジニア。コミュニケーションが少し得意なシニアエンジニア。アーキテクチャについて少しばかりニュアンスに富むシニアエンジニア。これは多くの人がスタッフプラスエンジニアの役割についてあまりよく理解していないことが原因で、そのような面接ループではスタッフプラスエンジニアは本領を発揮できない。実際のところ、スタッフプラスエンジニアはシニアエンジニアほど多くプログラミングに携わらないのだから、プログラミングの速さという点では、ほとんどの場合でシニアエンジニアよりも劣るのだ。スタッフプラスエンジニアになってからもプログラミングの速さに衰えを見せない人もいるかもしれないが、基本的にスピードとインパクトは相関しない。
- **普通のシニアエンジニアに劣るシニアエンジニア。**逆に、スタッフプラスエンジニアはプログラミングに携わる時間が減るという事実を認め、それゆえにごく平凡なプログラミングでもたいしたパフォーマンスは得られないという予測のうえで面接が行われることもある。スタッフプラスエンジニアにとっては有利な話だが、そのような面接ループでは彼らにどれほどのインパクトを残せる力があるのかを知ることはできない。彼らの長所を見つけるための追加の面接を行わないのであれば、プログラミングスピードの低下はある程度は年齢からきていると理解されることになるが、実際にはほかのさまざまな要素が強く関係しているのである。
- **オファーを受け入れるシニアエンジニア。**もう１つのよくある失敗は、シニアエンジニアの採用に苦労している会社が、彼らに期待する役割を変えることなく、より高い肩書きだけを与えようとするパターンだ。このケースでは、実際の仕事内容に見合った面接が行われるのではあるが、肩書きと仕事の内容が一致していない。会社も候補者も肩書きのインフレが生じていることを認めようとしないとき、その会社における将来のスタッフプラスエンジニアの雇用は不透明さが増す。

- **私たちのような誰か。**面接ループの多くが、スタッフプラスエンジニア候補が既存のスタッフプラスエンジニアと同等の知識と自信を“発散”しているか否かに注目する。そのような面接では面接後の評価文書に「彼らはチームにすぐになじむだろう」などと書かれる。このアプローチでは、候補者の能力ではなく、自信に満ちた態度などといった半一時的な要素にもとづいた評価が行われてしまう。
- **私ほど有能ではない誰か。**特にスタッフプラスエンジニアを初めて採用するとき、まだキャリアの浅い面接担当者は自分の今の役職における能力を基準にして、候補者の長所を過小に評価してしまうことが多い。優れた候補者を相手にしているのに、面接官チームが候補者の中間レベルエンジニアとしての才能に確証がもてないのだ。この点は、女性とマイノリティの候補者に特に当てはまるようだ。
- **逆フィルター。**なかには、会社のほうが明らかにスタッフプラスエンジニアの利用価値を理解していない事実を明らかにしている面接もある。ホワイトボードコーディング面接や、面接官チームの大部分をキャリアの浅い者が占めているケースなどだ。そのようなスタッフプラス面接の多くでは、最高の候補者が自ら辞退する。そのため、悪影響が採用数値に表れることもない。
- **肩書きにこだわりすぎ？**　ある程度のレベルに達すると十分な報酬を得るため、多くの人は社内の肩書きにはあまりこだわらなくなる。すると、スタッフプラスレベルに到達した人々はキャリア志向や肩書き志向が強い人物とみなされるのを避ける圧力を感じ、さらに上を目指そうとしなくなる。そのため、今後スタッフプラスエンジニアになろうとする人にとっては門が狭くなる。

こうした問題には対処が難しいものも簡単なものもあるが、いずれにせよ、スタッフプラスの面接プロセスを構築または修正する際には、考慮すべきである。

### 面接時の重要なシグナル

最高の面接ループ[340]とは、得たいシグナルを出発点にして、面接の話題や形式を構成したものだ。したがって、最初に問うべきは「有能なスタッフプラスエンジニアを採用する際に重要なシグナル（兆し）は何か？」である。
次のシグナルに注目することを勧める。

・**自己認識。**候補者はミスの責任を認めるだろうか？　以前は弱点だった分野で成長しただろうか？
・**判断力。**隅々にまで目を光らせて問題を特定する能力があるだろうか？　広大で漠然とした問題にうまく対処できるだろうか？　問題解決に伴うトレードオフや実施方法に関する議論で、対立する人々の仲裁をする能力があるか？　困難な問題に取り組む際にリスクを減らせるだろうか？
・**コラボレーション能力。**ほかの人とうまく協力できるだろうか？　候補者自身よりも経験の浅い人々と付き合っていけるのか？　自分よりももっと経験の豊富な人とは？　上司との関係は？　ほかの部署とは？　経営陣と協調できるだろうか？
・**コミュニケーション能力。**他人が指摘する内容をよく聞き、理解できるだろうか？　自分のアイデアをはっきりと表現できるか？　会社が信頼できる形で（口頭や筆記で）コミュニケーションする力があるだろうか？
・**発展力。**候補者にはまわりの人々を育てる能力があるだろうか？　彼らがリーダーになれば「組織のベンチマーク」は成長するだろうか？　それとも萎縮する？　壊れたシステムやプロセスを排除できるだろうか？

興味深いのは、多くの人はここに挙げた項目を技術スキルとみなさない点だ。どの分野でも、専門知識は成功にとって欠かせない要素ではあるが、経験を積んだシニアエンジニアがスタッフプラスエンジニアになれるかどうかの決め手は、その専門知識をほかの重要なスキルや行動とうまく組み合わせられるかどうかにかかっている。

### 面接ループの実施方法

面接ループのやり方を決めるときには、次の２点を必ず問うこと。

1. 日々の業務をうまくこなすために、候補者はどんなタスクや行動を必要とするだろうか？
2. 実際にそれを実行する力があることを、どうやって証明させればいいだろうか？

候補者の多くは経験を積めば積むほど面接での受け答えも巧みになるため、彼らに仕事について直接尋ねるだけでは本当の力はわからない。彼らの仕事ぶりを実際に見る必要がある。

たとえば、メンターシップが最も重要な課題になる役職への面接なら、メンターシップについて尋ねるだけではなく、彼らがどのような方法で若手を指導しているかを実際に見てみるのである。アーキテクチャが重要なら、現状のシステムを提示して、質問させ、彼らが自分の考えとは違う決断にどう反応するかを確かめる。そうすることで、具体的な形で面接を行うことができる。

典型的な1対1の面談やプログラミングインタビューを離れて、面接に次のような形式や構造を取り入れることがスタッフプラスエンジニアの評価に効果的である。

- **形式的なプレゼンテーション。**候補者に狭い範囲のトピックに関する20分から30分程度のプレゼンテーションを準備させて、同僚のグループの前で発表させる。これにより、思考構造、コミュニケーション力、質問に対応する姿勢などがよくわかる。選んだトピックに応じて、特定分野に関する強力なシグナルを得ることもできる。この形式は、候補者が同僚や従業員にどのような態度で話すかを知る効果的な方法である。
- **コードレビュー。**プルリクエストを用意して、候補者にそれに対するフィードバックをさせる。その際、共感、わかりやすさ、実用性に注目する。
- **データモデリング、インターフェース、アーキテクチャ。**候補者にあるシステムの設計をさせる。通常は、要件の変化に合わせるためのシステムの進化に重点が置かれる。この形の面接では多くのことをやろうとする傾向が強くなりすぎる場合があるので、焦点をできるだけ絞り、質問をする機会を増やし、大きな進展を見せた候補者にはさらに深く掘り下げる機会を与えるのがいいだろう。
- **専門知識と能力。**候補者の専門分野に関する知識と能力をテストする。たとえば、フロントエンドエンジニアには、デザイナーやプロダクトマネジャーとともに、技術的な制約が実現方法やローンチの日程案にどれほどの影響を及ぼすかを検討させる。バックエンドエンジニアの場合は、不具合のあるソフトウェアや環境を託して、問題をデバッグして修正させてみるのもいいだろう。

- **メンターシップパネル。**面接官チームがまだキャリアの浅い人々だけで構成されているとき、スタッフプラスエンジニア候補を評価するのは難しい。同様に、それまでのキャリアでメンターシップ能力を発揮してこなかった者をスタッフプラスエンジニアとして採用するのもリスクが高い。そこで、メンターになることが期待される3、4人のパネルを設け、質問をさせる。大ざっぱな質問から有益な議論を導き出すことができる人物は、新しい役職に就いてもメンターとして活躍できると考えられる。

ここで紹介した形でも不十分なら、まわりの人々にいろいろと尋ねてみよう！　企業の多くはスタッフプラス面接ループに対して独自のアプローチを採用しているので、多くを学ぶことができるだろう。

## すべてをまとめあげる

あなたは本章を通じて、スタッフプラスエンジニアを評価するために手軽に使える面接ループの定型が手に入ると期待していたかもしれない。しかし残念ながら、話はそれほど単純ではない。結局のところ肝心なのは、自分にとってどのシグナルが重要かをよく考え、あなたと会社にとって最適な形でそのシグナルを得るための形式を考えることだ。

どのような面接を行うにしても、実践し、検証し、候補者からフィードバックを集め、たゆまぬ改善に努めよう！

## スタッフプラスのキャリアラダーで参考になる情報

最近ではあらゆる形のキャリアラダーに関する情報が公開されている。そのため、独自のキャリアラダーを構想する際に、さまざまな情報を頼りにすることができる。

以下の3つは、特に参考にする価値がある。

・Rent the Runway[341]
・Kickstarter[342]
・Patreon[343]

progression.fyi[344]でも多くの例を見ることができる。チャリティ・メジャーズもエンジニアリング部門のレベルについて有益なガイドを書いている。

しかし、私の考えでは、キャリアラダーは集団にのみ該当する。個人に適用可能なケースは極めてまれだろう。このことはスタッフプラスレベルで特に顕著になる。なぜなら、このレベルで活動する人の数は少なく、集団を形成するほどではないからだ。ラダーという考えは重要だ。しかし、ラダーを物事の筋道を示す地図とみなしてはならない。それらはむしろ、物事はこうあるべきだという空想に過ぎない。

# 参考文献


1 キャリアレベル
https://lethain.com/mailbag-beyond-career-level/

2 『エンジニアのためのマネジメントキャリアパス』
https://www.oreilly.com/library/view/the-managers-path/9781491973882/
https://www.oreilly.co.jp/books/9784873118482/（日本語版）

3 『フェイスブック流 最強の上司』
https://www.amazon.com/dp/0735219567/
https://magazineworld.jp/books/digital/?83873122AAA000000000（日本語版）

4 『Resilient Management』
https://resilient-management.com

5 『An Elegant Puzzle』
https://www.amazon.com/dp/1732265186

6 キャリアラダー
https://lethain.com/perf-management-system/

7 企画や担当の最小単位はチームではなく個人
https://lethain.com/weak-and-strong-team-concepts/

8 王の手
https://awoiaf.westeros.org/index.php/Hand_of_the_King

9 レオ・マクギャリー
https://westwing.fandom.com/wiki/Leo_McGarry

10 自分を合わせなければならない
https://lethain.com/staying-aligned-with-authority/

11 40年以上続く
https://lethain.com/forty-year-career/

12 ターニャ・ライリー
https://noidea.dog

13 接着剤
https://noidea.dog/glue

14 ロラックス（おじさん）
https://en.wikipedia.org/wiki/The_Lorax

15 「What does sponsorship look like?」
https://larahogan.me/blog/what-sponsorship-looks-like/

16 組織の再編
https://lethain.com/running-an-engineering-reorg/

17 ヒルクライミング
https://en.wikipedia.org/wiki/Hill_climbing

18 ほかの新しい事業を優先するのが難しい
https://en.Wikipedia.org/wiki/The_Innovator's_Dilemma

19 探索仕事
https://lethain.com/how-to-invest-technical-infrastructure/

20 キャリアレベル
https://lethain.com/career-levels-and-more/

21 大きい場合もある
https://www.levels.fyi/

22 REPL
https://en.wikipedia.org/wiki/Read-eval-print loop

23 「スナッキング」を避ける
https://hunterwalk.com/2016/06/18/the-best-startups-resists-snacks-im-not-talking-about-food/

24 キャリアの成長
https://yenkel.dev/posts/how-to-achieve-career-growth-opportunities-skills-sponsors

25 今の役割がもっと複雑になった場合
https://lethain.com/growing-with-your-company/

26 目の前の課題の根本を誤解したうえで戦略の転換を図る
https://lethain.com/grand-migration/

27 永遠に繰り返す勝ち抜きトーナメント
https://lethain.com/iterative-elimination-tournaments/

28 Digg で私自身が経験した
https://lethain.com/digg-v4/

29 Twitter のフェイルホエール（fail whale）の安定性問題
https://www.theatlantic.com/technology/archive/2015/01/the-story-behind-twitters-fail-whale/384313/

30 採用ファネル
https://lethain.com/hiring-funnel/

31 会社のエンジニアリングスピードにとって雇用と同じぐらいの影響力がある
https://lethain.com/productivity-in-the-age-of-hypergrowth/

32 プロジェクトは完了して初めて価値を生む：『The DevOps 逆転だ！』
https://www.amazon.com/dp/B078Y98RG8/
https://bookplus.nikkei.com/atcl/catalog/14/P85350/（日本語版）

33 技術戦略を書く
https://lethain.com/magnitudes-of-exploration/

34 優れた API を作成する
https://increment.com/apis/api-design-for-eager-discering-developers/

35 カミーユ・フルニエ
https://twitter.com/skamille/status/1328763503973429250

36 「RFC」に一本化
https://blog.pragmaticengineer.com/scaling-engineering-teams-via-writing-things-down-rfcs/

37 Design Docs, Markdown, and Git
https://caitiem.com/2020/03/29/design-docs-markdown-and-git/

38 Design Docs at Google
https://www.industrialempathy.com/posts/design-docs-at-google/

39 Technical Decision-Making and Alignment in a Remote Culture
https://multithreaded.stitchfix.com/blog/2020/12/07/remote-decision-making/

40 A Framework for Responsible Innovation
https://multithreaded.stitchfix.com/blog/2019/08/19/framework-for-responsible-innovation/

41 How Big Technical Changes Happen at Slack
https://slack.engmeering/how-big-techmcal-changes-happen-at-slack/

42 『良い戦略、悪い戦略』
https://www.amazon.com/dp/B004J4WKEC
https://www.amazon.co.jp/gp/product/4532318092/（日本語版）

43 Run less software
https://www.intercom.com/blog/run-less-software/

44 ターニャ・ライリー
https://twitter.com/whereistanya

45 将来への固い信念
https://leaddev.com/technical-direction-strategy/sending-gifts-future-you

46 A Philosophy of Software Design
https://www.amazon.com/dp/1732102201/

47 RAM ディスク
https://en.wikipedia.org/wiki/RAM_drive

48 Software Design X-Rays
https://www.amazon.com/dp/1680502727

49 Systems thinking
https://lethain.com/systems-thinking/

50 Scrum
https://en.wikipedia.org/wiki/Scrum_（software_development）

51 優れたプラクティスは進化の結果
https://lethain.com/good-process-is-evolved/

52 『Lean と DevOps の科学[Accelerate] テクノロジーの戦略的活用が組織変革を加速する』
https://www.amazon.com/dp/B07B9F83WM/
https://book.impress.co.jp/books/1118101029（日本語版）

53 優れた社内文書
https://increment.com/documentation/why-investing-in-internal-docs-is-worth-it/

54 単純に同時に導入するベストプラクティスを増やす
https://lethain.com/limiting-wip/

55 アーキテクチャレビュー
https://lethain.com/scaling-consistency/

56 Building Evolutionary Architectures
https://www.amazon.com/Building-Evolutionary-Architectures-Support-Constant/dp/1491986360/

57 Reclaim unreasonable software
https://lethain.com/reclaim-unreasonable-software/

58 チームサイズの調節
https://lethain.com/sizing-engineering-teams/

59 偶有的複雑性
https://en.wikipedia.org/wiki/No_Silver_Bullet

60 標準化の恩恵と新しい何かにチャレンジした場合の恩恵をバランスよく考慮する
http://lethain.com/magnitudes-of-exploration/

61 割引キャッシュフロー法
https://en.wikipedia.org/wiki/Discounted_cash_flow

62 数多くの文献
https://lethain.com/programs-owning-the-unownable/

63 マイグレーションに有効なテクニックはプログラムにも通用する
http://lethain.com/migrations/

64 週に1回のアップデートメール
https://lethain.com/weekly-updates/

65 コントロール方法
https://lethain.com/identify-your-controls/

66 そのどちらも部屋から追い出すことなく
https://lethain.com/getting-in-the-room/

67 最初のフォロワーがリーダーをつくる
https://www.cornerstoneondemand.com/rework/ted-talk-tuesday-how-start-movement

68 フランクリン・フー
https://twitter.com/thisisfranklin

69 ミスを防ぐ
https://lethain.com/learn-to-never-be-wrong/

70 価値を証明
https://lethain.com/showing-value/

71 短期的に繁栄できるだけ
https://www.amazon.com/dp/B0058DRUV6/

72 ネットワークの構築方法
https://lethain.com/meeting-people/

73 Thriving on the Technical Leadership Path
https://keavy.com/work/thriving-on-the-technical-leadership-path/

74 Rands Leadership Slack
https://randsinrepose.com/welcome-to-rands-leadership-slack/

75 カミーユ・フルニエ
https://twitter.com/skamille

76 ララ・ホーガン
https://twitter.com/lara_hogan

77 ジョッシュ・ウィルズ
https://twitter.com/josh_wills

78 ヴィッキー・ボイキス
https://twitter.com/vboykis

79 デヴィッド・ガスカ
https://twitter.com/gasca

80 ジュリア・グレース
https://twitter.com/jewelia

81 ホールデン・カラウ
https://twitter.com/holdenkarau

82 ジョン・アルスポー
https://twitter.com/allspaw

83 チャリティ・メジャーズ
https://twitter.com/mipsytipsy

84 テオ・シュロスナーグル
https://twitter.com/postwait

85 ジェシカ・ジョイ・カー
https://twitter.com/jessitron

86 サラ・カタンザロ
https://twitter.com/sarahcat21

87 オレンジ・ブック
https://twitter.com/orangebook_

88 アフィール
https://twitter.com/aphyr

89 デヴィッド・ファウラー
https://twitter.com/davidfowl

90 The Pyramid Principle
https://www.amazon.com/Pyramid-Principle-Logic-Writing-Thmkmg/dp/0273710516/

91 根回し
https://blog.toyota.co.uk/nemawashi-toyota-production-system

92 エンジニアキャリアを管理
https://www.learninpublic.org/

93 分散オフィス
https://lethain.com/how-to-start-distributed-engineering-office/

94 The Engineer/Manager Pendulum
https://charity.wtf/2017/05/11/the-engineer-manager-pendulum/

95 ブログに詳しく書いています
https://code.likeagirl.io/why-i-left-management-the-engineering-technical-track-vs-management-track-abef5b1d914d

96 ブラッグドキュメント
https://jvns.ca/blog/brag-documents/

97 しっかりと定義されたゴール
https://lethain.com/goals-and-baselines/

98 接着剤
https://www.slideshare.net/TanyaReilly/being-glue

99 昇進プロセス
http://lethain.com/promo-pathologies/

100 それぞれ異なる目的
https://www.tablegroup.com/books/dbm/

101 ディスアグリー・アンド・コミット
https://en.wikipedia.org/wiki/Disagree_and_commit

102 ohshitgit
https://ohshitgit.com

103 High Growth Engineering
https://highgrowthengineering.substack.com

104 例外よりもポリシーを大切にする
https://lethain.com/work-policy-not-exceptions/

105 くさび形陣形
https://en.wikipedia.org/wiki/Flying_wedge

106 バリュー・オアシス
https://lethain.com/values-oasis/

107 業績を確認
https://thetechresume.com

108『世界で闘うプログラミング力を鍛える 150 問』
http://www.crackingthecodinginterview.com
https://book.mynavi.jp/ec/products/detail/id=22752（日本語版）

109 Salary Negotiation
https://www.kalzumeus.com/2012/01/23/salary-negotiation/

110 ブログ
http://blog.michellebu.com/

111 Twitter
https://twitter.com/hazelcough

112 LinkedIn
https://www.linkedin.com/in/michellebu/

113 Payment Intents API
https://stripe.com/docs/payments/payment-intents

114「ノー・ログ」
https://twitter.com/amyngyn/status/1224160724072558594

115 Stripe Radar
https://stripe.com/radar

116 Stripe Elements
https://stripe.com/payments/elements

117 柔軟なリーダーシップ
https://www.amazon.com/dp/B004OC071W/

118 マネジャーロボットをつくる
https://larahogan.me/blog/manager-voltron/

119 ジョン・マクフィーの『Draft No. 4』
https://www.amazon.com/dp/B06X18NHC1/

120 エド・キャットムルの『ピクサー流創造するちから』
https://www.amazon.com/Creativity-Inc-Overcoming-Unseen-Inspiration-ebook/dp/B00FUZQYBO/
https://www.diamond.co.jp/book/9784478016381.html（日本語版）

121 キース・ジョンストンの『インプロ』
https://www.amazon.com/Impro-Improvisation-Theatre-Keith-Johnstone/dp/0878301178

122 Linkedin
https://www.linkedin.com/in/raskasawilliams/

123 マーク・ヘドランド
https://twitter.com/marcprecipice

124 ダン・マッキンリー
https://mcfunley.com/

125 コーダ・ヘール
https://codahale.com/

126 ケルシー・ハイタワー
https://twitter.com/kelseyhightower

127 ピート・ホジソンの「Delivering on an architecture strategy」
https://blog.thepete.net/blog/2019/12/09/delivering-on-an-architecture-strategy/

128 ジェームズ・コーリングの「Stepping Stones not Milestones」
https://medium.com/@jamesacowling/stepping-stones-not-milestones-e6be0073563f

129 ブログ
https://keavy.com/

130 Twitter
https://twitter.com/keavy

131 Linkedin
https://www.linkedin.com/in/keavy/

132 Fastly
https://www.fastly.com/

133『情熱プログラマー ソフトウェア開発者の幸せな生き方』
https://www.amazon.com/Passionate-Programmer-Remarkable-Development-Pragmatic-ebook/dp/B00AYQNR5U/
https://www.ohmsha.co.jp/book/9784274067938/（日本語版）

134『達人プログラマー（第2版）熟達に向けたあなたの旅』
https://www.amazon.com/Pragmatic-Programmer-Journeyman-Master/dp/020161622X
https://www.ohmsha.co.jp/book/9784274226298/（日本語版）

135 ブログ
https://bert.org

136 Twitter
https://twitter.com/bertrandom

137 Linkedin
https://www.linkedin.com/in/bertrandom/

138 Slack App Directory
http://slack.com/apps

139 ウェブサイト
https://sylormiller.com/

140 LinkedIn
https://www.linkedin.com/in/ksylor/

141 Twitter
https://twitter.com/ksylor

142 ダン・ナが摩擦を乗り越える方法について語った講演
https://blog.danielna.com/talks/pushing-through-friction/

143 ララ・ホーガン
https://larahogan.me/

144 ダン・ナ
https://blog.danielna.com/

145 ジュリア・エヴァンス
https://jvns.ca/

146 リン・ダニエルズ
https://www.ryn.works/

147 ターニャ・ライリー
https://noidea.dog/

148 ニコール・サリヴァン
http://www.stubbornella.org/content/

149 ジェン・シモンズ
https://jensimmons.com/

150 イーサン・マーコット
https://ethanmarcotte.com/

151『エンジニアのためのマネジメントキャリアパス』
https://www.oreilly.com/library/view/the-managers-path/9781491973882/
https://www.oreilly.co.jp/books/9784873118482/（日本語版）

152 LinkedIn
https://www.linkedin.com/in/rituvincent/

153 グイド・ヴァンロッサム
https://en.wikipedia.org/wiki/Guido_van_Rossum

154 Linkedin
https://www.linkedin.com/in/kineticrick/

155 マシュー・メンゲリンク
https://eng.uber.com/core-infra-2018/

156 ロブ・パンクナス
https://www.linkedin.com/in/rob-punkunus-3791273/

157 スーザン・ファウラーのブログ記事
https://www.susanjfowler.com/blog/2017/2/19/reflecting-on-one-very-strange-year-at-uber

158 機械学習とサイト信頼性を組み合わせる絶好の機会
https://www.youtube.com/watch?v=9ool1BQybaE

159 ダニエル・カーネマン
https://en.wikipedia.org/wiki/Daniel_Kahneman

160 ティム・ハーフォード
https://en.wikipedia.org/wiki/Tim_Harford

161 ダン・アリエリー
https://en.wikipedia.org/wiki/Dan_Ariely

162 Freakonomics
https://freakonomics.com/archive/

163 Choice-ology
https://www.schwab.com/resource-center/insights/podcast

164 Hidden Brain
https://www.npr.org/podcasts/510308/hidden-brain

165 人間の脳と行動に関する書籍の読書リスト
https://docs.google.com/document/d/1WlqlYuSGfyoU_ZO-xZMDXfaaUmnG2tmnkHiGZQ7pvqg/edit?usp=sharing

166 r/linux
https://www.reddit.com/r/linux/

167 r/programming
https://www.reddit.com/r/programming/

168 Twitter
https://twitter.com/nelhage

169 ブログ
https://blog.nelhage.com/

170 Sorbet
https://sorbet.org/

171 Ksplice
https://en.wikipedia.org/wiki/Ksplice

172 ブログ
https://diana.dev/

173 Twitter
https://twitter.com/podiana

174 Linkedin
https://www.linkedin.com/in/dianapojar/

175 テクニカルリーダー
https://slack.engineering/technical-leadership-getting-started-e5161b1bf85c

176 ジョッシュ・ウィルズ
https://www.linkedin.com/in/josh-wills-13882b/

177 スタン・バボリン
https://www.linkedin.com/in/stanb/

178 ボグダン・ガザ
https://www.linkedin.com/in/bogdangaza/

179 トラビス・クロフォード
https://www.linkedin.com/in/traviscrawford/

180 Goodreads のアカウント
https://www.goodreads.com/user/show/11950463-diana-pojar

181『ハーバード　あなたを成長させるフィードバックの授業』
https://www.goodreads.com/book/show/20487821-thanks-for-the-feedback
https://str.toyokeizai.net/books/9784492045800/（日本語版）

182 Radical Candor
https://www.goodreads.com/book/show/32809138-radical-candor

183 The Manager's Path: A Guide for Tech Leaders Navigating Growth and Change
https://www.goodreads.com/book/show/34616805-the-manager-s-path

184 Leadership and Self-Deception: Getting Out of the Box
https://www.goodreads.com/book/show/18966789-leadership-and-self-deception

185 The Coaching Habit: Say Less, Ask More & Change the Way You Lead Forever
https://www.goodreads.com/book/show/29342515-the-coaching-habit

186『まず、ルールを破れ：すぐれたマネジャーはここが違う』
https://www.goodreads.com/book/show/30109687-first-break-all-the-rules
https://bookplus.nikkei.com/atcl/catalog/22/12/02/00534/（日本語版）

187 嫌われる勇気 自己啓発の源流「アドラー」の教え
https://www.goodreads.com/book/show/36752952-the-courage-to-be-disliked
https://www.diamond.co.jp/book/9784478025819.html（日本語版）

188『GIVE & TAKE「与える人」こそ成功する時代』
https://www.goodreads.com/book/show/16158498-give-and-take
https://www.mikasashobo.co.jp/c/books/?id=100574600（日本語版）

189 Mistakes Were Made（But Not by Me）: Why We Justify Foolish Beliefs, Bad Decisions, and Hurtful Acts
https://www.goodreads.com/book/show/9530608-mistakes-were-made-but-not-by-me

190 Twitter
https://twitter.com/dxna

191 LinkedIn
https://www.linkedin.com/in/danielna/

192「Building a System for Frontend Translations」
https://engineering.squarespace.com/blog/2018/building-a-system-for-front-end-translations

193 アンドリュー・S・グローブの『HIGH OUTPUT MANAGEMENT（ハイアウトプット マネジメント）人を育て、成果を最大にするマネジメント』
https://www.amazon.com/dp/B015VACHOK/
https://bookplus.nikkei.com/atcl/catalog/17/P55010/（日本語版）

194 ララ・ホーガン
http://larahogan.me

195 Resilient Management
https://resilient-management.com/

196 Irrational Exuberance
https://lethain.com/

197 Insights Blog
https://svpg.com/articles/

198 ダニエル・エスペセット
http://www.danielespeset.com

199 ターニャ・ライリー
http://noidea.dog

200 ブログ
https://medium.com/@jkebertz

201 Twitter
https://twitter.com/jkebertz

202 Linkedin
https://www.linkedin.com/in/joyebertz/

203 管理職を経験したことで多くを学ぶことができました
https://medium.com/box-tech-blog/no-regrets-my-time-in-management-wasnt-wasted-140b40ded0e6

204 ブログ
https://yenkel.dev

205 Twitter
https://twitter.com/dschenkelman

206 Linkedin
https://www.linkedin.com/in/damianschenkelman/

207 Auth0
https://auth0.com/

208 技術的戦略
https://yenkel.dev/posts/achieving-alignment-and-efficiency-through-a-technical-strategy

209 Identity and Access Management
https://auth0.com/learn/cloud-identity-access-management/

210 Scaling Up Excellence
https://www.amazon.com/dp/B00EGMQIDG/

211「根回し」
https://en.wikipedia.org/wiki/Nemawashi

212 マティアス・ウォロスキ
https://twitter.com/woloski

213 クリスチャン・マキャリック
https://twitter.com/cmccarrick

214 Southworks
https://www.southworks.com/

215 Jepsen
https://jepsen.io/

216 @Squarespace で発表した RFC プロセス
https://engineering.squarespace.com/blog/2019/the-power-of-yes-if

217 接着剤としての役割
https://www.youtube.com/watch?v=KClAPipnKqw

218 ASP.NET アーキテクト
https://channel9.msdn.com/Shows/Careers-Behind-the-Code/Becoming-the-ASPNET-Architect-with-David-Fowler

219 ジョン・アリー
https://www.linkedin.com/in/jon-allie-b250296

220『ソフトウェアアーキテクチャの基礎』
https://www.oreilly.com/library/view/fundamentals-of-software/9781492043447/
https://www.oreilly.co.jp/books/9784873119823/（日本語版）

221『Managing Humans』
https://www.amazon.com/Managing-Humans-Humorous-Software-Engineering/dp/1484221575/

222『7 つの習慣』
https://www.amazon.com/dp/B00GOZV3TM/
https://www.amazon.co.jp/dp/4863940920/（日本語版）

223 Twitter
https://twitter.com/darkdimius

224 LinkedIn
https://www.linkedin.com/in/darkdimius/

225 プレゼンテーション
https://d-d.me/site/presentations/

226 ポール・タージャン
https://paultarjan.com/

227 ネルソン
https://nelhage.com/

228 コードイエロー
https://www.usenix.org/conference/lisa18/presentation/kehoe

229 GitHub
https://github.com/stephen

230 Twitter
https://twitter.com/stpnwn

231 LinkedIn
https://www.linkedin.com/in/stephenwan/

232 Samsara
https://www.samsara.com/

233 シェーピング
https://basecamp.com/shapeup/1.1-chapter-02

234 ヒーローのマインドセット
https://lethain.com/doing-it-harder-and-hero-programming/

235 村上春樹
https://en.wikipedia.org/wiki/Haruki_Murakami

236 ボブ・ナイストロムのブログ投稿
http://journal.stuffwithstuff.com/category/language/

237 ヴャチェスラフ・エゴロフのブログ
https://mrale.ph/

238 ブランダーのブログ
https://brandur.org/articles

239 Accidentally Quadratic
https://accidentallyquadratic.tumblr.com/

240 ヴィッキー・プファウのブログ
https://mgba.io/tag/debugging/

241 fail0overflow のブログ
https://fail0verflow.com/blog/

242 Bungie のエンジニアリング文書
http://halo.bungie.net/inside/publications.aspx

243 Crafting Interpreters
https://craftinginterpreters.com/

244 esbuild
https://github.com/evanw/esbuild/blob/master/docs/architecture.md

245 BART
https://www.amazon.com/BART-Dramatic-History-Transit-System/dp/1597143707

246 Xerox PARC の歴史
https://press.stripe.com/the-dream-machine

247 日本の現代文化
https://www.amazon.com/Making-Common-Policy-Institutional-Studies/dp/0822955105

248 Being a principal engineer at Skyscanner
https://medium.com/@SkyscannerEng/being-a-principal-engineer-at-skyscanner-1830dfa17d30

249 Defining a Distinguished Engineer
https://blog.jessfraz.com/post/defining-a-distinguished-engineer/

250 How I operated as a Staff engineer at Heroku
https://amyunger.com/blog/2020/09/10/staff-engineer-at-heroku.html

251 Not all engineering leaders are engineering managers
https://leaddev.com/not-all-engineering-leaders-are-engineering-managers

252 The Nuts and Bolts with Tanya Reilly
https://engineering.squarespace.com/blog/2020/the-nuts-and-bolts-with-tanya-reilly

253 On Being A Principal Engineer
https://blog.dbsmasher.com/2019/01/28/on-being-a-principal-engineer.html

254 On Being a Senior Engineer
https://www.kitchensoap.com/2012/10/25/on-being-a-senior-engineer/

255 Staff Engineering
https://tychoish.com/post/staff-engineering/

256 Staff Software Engineer Responsibilities
https://davidxiang.com/2021/01/19/staff-software-engineer-responsibilities/

257 What's a senior engineer's job?
https://jvns.ca/blog/senior-engineer/

258 What a Senior Staff Software Engineer Actually Does, Part 1: The Role and My Tasks
https://medium.com/box-tech-blog/what-a-senior-staff-software-engineer-actually-does-f3fc140d5f33

259 Part 2: The Mindset and Focus of the Role
https://medium.com/box-tech-blog/what-a-senior-staff-software-engineer-actually-does-d55308fcdd41

260 What does Staff level mean at GitLab?
https://about.gitlab.com/blog/2020/02/18/staff-level-engineering-at-gitlab/

261 Becoming a Staff Engineer - Interview with Kristin a Fox, Staff iOS Engineer at Intuit
https://elpha.com/posts/4j56np6p/becoming-a-staff-engineer-interview-with-kristina-fox-staff-ios-engineer-at-intuit

262 On becoming a senior technical leader
https://blog.coinbase.com/on-becoming-a-senior-technical-leader-14106f1383b8

263 On Mid-Career and Managers
https://www.ryn.works/blog/on-mid-career-and-managers

264 How does one become a Staff Software Engineer at Google?
https://www.quora.com/How-does-one-become-a-Staff-Software-Engineer-at-Google-What-might-a-new-grad-entering-the-company-do-to-grow-their-career-to-reach-that-level

265 Things to Know About Engineering Levels
https://charity.wtf/2020/09/14/useful-things-to-know-about-engineering-levels/

266 Computers can be understood
https://blog.nelhage.com/post/computers-can-be-understood/

267 Effective Mental Models for Code and Systems
https://medium.com/@copyconstruct/effective-mental-models-for-code-and-systems-7c55918f1b3e

268 "I Wouldn't Start From Here." How to Make a Big Technical Change
https://noidea.dog/blog/getting-there-from-here

269 Migrations: the sole scalable fix to tech-debt
https://lethain.com/migrations/

270 On Mid-Career and Team Dynamics
https://lethain.com/migrations/

271 Surviving the Organisational Side Quest
https://noidea.dog/blog/surviving-the-organisational-side-quest

272 Systems that defy detailed understanding
https://blog.nelhage.com/post/systems-that-defy-understanding/

273 Team Objectives
https://svpg.com/team-objectives-overview/

274 Technical Decision Making
https://medium.com/@copyconstruct/technical-decision-making-9b2817c18da4

275 Technical Research and Preparation
https://keavy.com/work/technical-preparation/

276 The Behind-the-scenes Work of Tech Leadership
https://blog.coleadership.com/behind-the-scenes-tech-leadership/

277 Understanding Project Management Will Improve Your Developer Job
https://blog.danielna.com/understanding-project-management-will-improve-your-developer-job/

278 Where to Start
https://keavy.com/work/where-to-start/

279 A practical guide to writing technical specs
https://stackoverflow.blog/2020/04/06/a-practical-guide-to-writing-technical-specs/

280 Documenting Architecture Decisions
https://cognitect.com/blog/2011/11/15/documenting-architecture-decisions

281 How to write a better technical design document
https://www.range.co/blog/better-tech-specs

282 Writing Technical Design Docs
https://medium.com/machine-words/writing-technical-design-docs-71f446e42f2e

283 How Big Technical Changes Happen at Slack - Several People Are Coding
https://slack.engineering/how-big-technical-changes-happen-at-slack-f1569d25ee7b

284 On Drafting an Engineering Strategy
https://www.paperplanes.de/2020/1/31/on-draftmg-an-engineering-strategy.html

285 Defining a Tech Strategy
https://sarahtaraporewalla.com/agile/design/architecture/Defining-a-Tech-Strategy

286 The difficult teenage years: Setting tech strategy after a launch
https://medium.com/ft-product-technology/the-difficult-teenage-years-setting-tech-strategy-after-a-launch-7f42eb94a424

287 Learning to have an engineering vision
https://unwiredcouch.com/2018/01/03/engineering-vision.html

288 Product Strategy
https://svpg.com/product-strategy-overview/

289 A Philosophy of Software Design
https://lethain.com/notes-philosophy-software-design/

290 Becoming a Technical Leader: An Organic Problem-Solving Approach
https://www.amazon.com/dp/B004J4VV3I/

291『スーパーエンジニアへの道—技術リーダーシップの人間学』
https://lethain.com/building-evolutionary-architectures/
https://www.kyoritsu-pub.co.jp/book/b10011515.html（日本語版）

292『プロダクトマネジメント —ビルドトラップを避け顧客に価値を届ける』
https://www.amazon.com/dp/B07K3QBWG1/
https://www.oreilly.co.jp/books/9784873119250/（日本語版）

293『人月の神話　新装版』
https://www.amazon.com/dp/0201835959/
https://www.maruzen-publishing.co.jp/item/?book_no=294733（日本語版）

294『情熱プログラマー ソフトウェア開発者の幸せな生き方』
https://www.amazon.com/dp/B00AYQNR5U/（日本語版）

295『達人プログラマー（第２版）熟達に向けたあなたの旅』
https://www.amazon.com/Pragmatic-Programmer-Journeyman-Master/dp/020161622X
https://www.ohmsha.co.jp/book/9784274226298/（日本語版）

296 Software Design X-Rays: Fix Technical Debt with Behavioral Code Analysis
https://www.amazon.com/dp/B07BVRLZ87

297 Thinking in Systems: A Primer
https://www.amazon.com/dp/1603580557

298 Irrational Exuberance's Best Books
https://lethain.com/best-books

299 Cindy Sridharan
https://medium.com/@copyconstruct

300 Twitter
https://twitter.com/copyconstruct

301 Best of 2019 in Tech Talks
https://medium.com/@copyconstruct/best-of-2019-in-tech-talks-bac697c3ee13

302 Best of 2018 in Tech Talks
https://medium.com/@copyconstruct/best-of-2018-in-tech-talks-2970eb3097af

303 Best of 2017 in Tech Talks
https://medium.com/@copyconstruct/best-of-2017-in-tech-talks-8f78b34ff0b

304 the morning paper
https://blog.acolyer.org/

305 How to Read an Academic Article
https://organizationsandmarkets.com/2010/08/31/how-to-read-an-academic-article/

306 How to Read a Paper
https://blizzard.cs.uwaterloo.ca/keshav/home/Papers/data/07/paper-reading.pdf

307 Dynamo: Amazon's Highly Available Key-value Store
https://s3.amazonaws.com/systemsandpapers/papers/amazon-dynamo-sosp2007.pdf

308 On Designing and Deploying Internet-Scale Services
https://s3.amazonaws.com/systemsandpapers/papers/hamilton.pdf

309 No Silver Bullet - Essence and Accident in Software Engineering
https://s3.amazonaws.com/systemsandpapers/papers/Frederick_Brooks_87-No_Silver_Bullet_Essence_and_Accidents_of_Software_Engineering.pdf

310 Out of the Tar Pit
https://s3.amazonaws.com/systemsandpapers/papers/outofthetarpit.pdf

311 The Chubby lock service for loosely-coupled distributed systems
https://s3.amazonaws.com/systemsandpapers/papers/chubby-osdi06.pdf

312 Bigtable: A Distributed Storage System for Structured Data
https://static.googleusercontent.com/media/research.google.com/en//archive/bigtable-osdi06.pdf

313 Raft: In Search of an Understandable Consensus Algorithm
https://s3.amazonaws.com/systemsandpapers/papers/raft.pdf

314 Paxos Made Simple
https://s3.amazonaws.com/systemsandpapers/papers/paxos-made-simple.pdf

315 SWIM: Scalable Weakly-consistent Infection-style Process Group Membership Protocol
https://s3.amazonaws.com/systemsandpapers/papers/swim.pdf

316 Hints for Computer System Design
https://s3.amazonaws.com/systemsandpapers/papers/acrobat-17.pdf

317 Big Ball of Mud
https://s3.amazonaws.com/systemsandpapers/papers/bigballofmud.pdf

318 The Google File System
https://s3.amazonaws.com/systemsandpapers/papers/gfs.pdf

319 CAP Twelve Years Later: How the Rules Have Changed
https://www.infoq.com/articles/cap-twelve-years-later-how-the-rules-have-changed

320 Harvest, Yield, and Scalable Tolerant Systems
https://s3.amazonaws.com/systemsandpapers/papers/FOX_Brewer_99-Harvest_Yield_and_Scalable_Tolerant_Systems.pdf

321 MapReduce: Simplified Data Processing on Large Clusters
https://s3.amazonaws.com/systemsandpapers/papers/mapreduce.pdf

322 Dapper, a Large-Scale Distributed Systems Tracing Infrastructure
https://s3.amazonaws.com/systemsandpapers/papers/dapper.pdf

323 Kafka: a Distributed Messaging System for Log Processing
https://s3.amazonaws.com/systemsandpapers/papers/Kafka.pdf

324 Large-scale cluster management at Google with Borg
https://s3.amazonaws.com/systemsandpapers/papers/borg.pdf

325 Mesos: A Platform for Fine-Grained Resource Sharing in the Data Center
https://s3.amazonaws.com/systemsandpapers/papers/mesos.pdf

326 Papers We Love
https://paperswelove.org/

327 ACM SIGOPS Hall of Fame Award list
https://www.sigops.org/awards/hof/

328 Irrational Exuberance's paper collection
https://lethain.com/some-of-my-favorite-technical-papers/

329 Testing in Production, the safe way
https://medium.com/@copyconstruct/testing-in-production-the-safe-way-18ca102d0ef1

330 Testing in Production: the hard parts
https://medium.com/@copyconstruct/testing-in-production-the-hard-parts-3f06cefaf592

331 A decade in review in tech
https://medium.com/@copyconstruct/a-decade-in-review-in-tech-1cde76c9b43c

332 Boogeyman Problems
https://blog.danielna.com/boogeyman-problems/

333 StaffEng
http://staffeng.com

334 効果的な面談
https://marcorogers.com/blog/my-approach-to-1-on-1s

335 フィードバック
https://smallbigideas.substack.com/p/own-your-feedback-part-1

336『エンジニアのためのマネジメントキャリアパス』
https://www.oreilly.com/library/view/the-managers-path/9781491973882/
https://www.oreilly.co.jp/books/9784873118482/（日本語版）

337 有効性よりも効率
https://www.amazon.com/dp/B004SOVC2Y/ref=dp-kindle-redirect?_encoding=UTF8&btkr=1

338 肩書きのインフレ
https://charity.wtf/2020/11/01/questionable-advice-the-trap-of-the-premature-senior/

339 自分で責任を担えるように成長を促す
https://hbr.org/1999/11/management-time-whos-got-the-monkey

340 最高の面接ループ
https://lethain.com/designing-interview-loops/

341 Rent the Runway
https://docs.google.com/spreadsheets/d/1k4sO6pyCl_YYnf0PAXSBcX776rNcTjSOqDxZ5SDty-4/edit##gid=0

342 Kickstarter
https://gist.github.com/jamtur01/aef437a79fee5a9cefdc##junioreng

343 Patreon
https://levels.patreon.com
https://www.patreon.com/ja-JP（日本語版）

344 progression.fyi
https://www.progression.fyi

345 Twitter
https://twitter.com/yusmi

346 LinkedIn
https://www.linkedin.com/in/yuusami/

347 Twitter
https://twitter.com/saicologic

348 Facebook
https://www.facebook.com/saicologic/

349 Twitter
https://twitter.com/takezoen

350 Facebook
https://www.facebook.com/naoki.takezoe.37

351 Twitter
https://twitter.com/nojima

352 GitHub
https://github.com/nojima

# 謝辞

本書はその大半が2020年の大混乱のなかで書かれたこともあり、数多くの人の支援によって成り立っている。感謝を述べるべき相手があまりにも多いため誰から始めればいいのかわからないほどだが、やはりこの人たちから始めるのが当然だろう。それぞれの物語を共有してくれた方々だ。

ミシェル、カサ、ケヴィー、バート、ケイティ、リトゥ、リック、ネルソン、ダイアナ、ダン、ジョイ、ダミアン、ドミトリー、スティーブン、ありがとう。また、本書で紹介することはなかったが、「staffeng.com」にストーリーを投稿してくれた人々にも心より感謝している。どの話も唯一無二で、読みがいがあった。

本書のためにすばらしい序文を書いてくれたのはターニャ・ライリーだ。ターニャが本書に代わるスタッフエンジニアリングの聖典を発表する日を心待ちにしている。原著の表紙のイラストはルシアナ・ゲラが描いてくれた。昔の航海図を思い起こさせるイラスト[訳注1]が、かつての船乗りたちが漠然とした海図を頼りに航海したのと同じように、現代のスタッフエンジニアの役割も曖昧であることを示唆している。テックライターズ・ディスコード（TechWriters Discord）のグリグラスのおかげで、本書は適切なフォントとフォーマットを得ることができた。テックライターズ・ディスコードのコミュニティ、特にガーゲリー、ショーン、ユーマが無数のヒントやサポートを提供してくれた。本書全体を編集してくれたのはローレルだ。もし読者が第2章を読み終えたあとも本書を捨てることなく読みつづける気になったのなら、それはローレルの功績だ。

各セクションはたくさんの人に読み直してもらった。シド、ゲリー、パット、ガーゲリー、ピート、トミーに特に感謝している。また、本書を宣伝してくれたみなさんや、プルリクエストに貢献してくれた20人以上の人々にも感謝している。

---

訳注1 本書では138ページに掲載。

# 解説　増井雄一郎

本書『スタッフエンジニア　マネジメントを超えるリーダーシップ』は、米国で2021年に出版され米アマゾンで740以上のレビューおよび4.4という高評価（2023年4月現在）を誇る「Staff Engineer: Leadership beyond the management track」の邦訳です。この「Staff Engineer（スタッフエンジニア）」は、マネジャーやCTO（最高技術責任者）といったマネジメント職に就くのではなく、技術を武器に「生涯現役のエンジニアでありたい」とする「テクニカルリーダー」にぴったりの職種です。「第1章 全体像」で説明されているように、本書は、スタッフエンジニアとしてテクニカルリーダーシップのキャリアパスを歩んで行くための「指針」と「あり方」を示しています。

エンジニアとして成熟に向かい今後のキャリアについて悩んだとき、「ずっと手を動かせるエンジニアでいたい」「マネジャーなどの管理職には就きたくない」という人はけっこういるのではないでしょうか。そういう人でも“スタッフエンジニア”という言葉を聞いたことのある人はまだあまり多くないと思います。私が初めて聞いたときは、「スタッフ ＝ 社員」ととらえ、「一般社員のエンジニア」かと思いました。変だなと思い辞書を引いたり検索すると、Staffには参謀といった意味もあり、「エンジニアのリーダー」および「幹部の補佐役」として米国では定着している役職であることを知りました。

エンジニアに限ったことではありませんが、一般社員がマネジメントに向かうとき、ピープルマネジメントの手法、例えば1on1などの面談や評価の方法などに関する数多くの本が存在します。しかし、マネジメントトラックではなくエンジニアリングリーダーシップを発揮しつづける道を選んだときには、参考になる文献はほとんど見当たりません。技術進化が激しい業界で10年先まで通用する具体的な手法が存在しにくいことに加えて、そうした役職自体がまだ認知されていないためと思われます。そうした状況だからこそ、技術を軸に据えたキャリアパスの築き方を示す本書は米国で多くの支持を得たのでしょう。

本書は2部構成になっており、第1部でスタッフエンジニアの役割とあり方を解説。第２部（おもに第５章）で現役のスタッフエンジニアのインタビューを通してその実像を掘り下げています。

私のおすすめの読み方は、まず第５章のインタビューを２～３人分読んでから、第１部を読み進めることです。とくにある程度経験を積まれたエンジニアの方は、第５章に登場するスタッフエンジニアの具体的なエピソードに大いに共感されることと思います。その共感を胸に第１部を読むことで、スタッフエンジニアに求められる役割が自然と腑に落ちるのではないでしょうか。

原書では14人のスタッフエンジニアのインタビューが掲載されています。いずれも個人的な経験にもとづいた具体的な内容で、これからスタッフエンジニアを目指す人にとって大いに参考になるでしょう。ただし、これらは米国での話であり、日本周辺での現状も気になるところです。そこで日本語版では、日本人のスタッフエンジニア４人に新たにインタビューし、貴重な経験とそれを支える志を明かしてもらいました。

日本人のインタビューの１人目は、Circle CIに務めていた宇佐美ゆうさん。インフラ領域を中心にスタッフエンジニアとして勤務されていました。インフラ領域は事業や部門を跨ぎ、コストにも直結するため、スタッフエンジニアの特徴のひとつである組織を横断した調整が求められるそうです。そうした活動を教えていただきました。

２人目は、toCスタートアップのVoicyに勤める三上悟さんにお話を伺いました。現在の職種はテックリード。多くのスタートアップのエンジニアがそうであるように、ピープルマネジメントよりも、テクノロジーリーダーとしての役割が明確に求められているそうです。その具体像を明かしていただきました。

３人目は日本発のシリコンバレー企業といえるトレジャーデータのスタッフエンジニア、竹添直樹さん。竹添さんはIC（Individual Contributor：管理職ではない上級専門職）として同社に入社されたそうです。そのあとで正式にスタッフエンジニアという役職ができたそう。その経緯と役割をお聞きしました。

４人目はサイボウズの野島裕輔さんです。エンジニアリーダーという肩書で、基盤システムの移行チームを率いています。リーダーになってからコードを書く時間は減ったけれど、ピープルマネジメントに過剰に時間が取られることはなく、技術的なやりとりや設計、課題解決に時間を使えているそうです。

宇佐美さん、三上さん、竹添さん、野島さん、お忙しいなか貴重なお時間とお話をいただき、ありがとうございました。この場を借りて深くお礼申し上げます。

このように、彼ら４人だけを見ても、スタッフエンジニアの役割は異なります。重責を担う点は同じですが、活動内容は組織形態や責務に応じて、さまざまです。だからこそ、それらを包括的に解説している第１部の内容は斬新だと言えるでしょう。具体的には、スタッフエンジニアの役割を「テックリード」「アーキテクト」「ソルバー（解決者）」「右腕（ライトハンド）」に大別し、それぞれの責務と活動内容を解説しています。

スタッフエンジニアが比較的新しい役職であるため、こうした類型化はその実態をわかりやすく説明してくれる半面、型にはめることで融通を欠く恐れも伴います。それでも第２部のスタッフエンジニアたちの実像を読めば、軸となる役割を担いながら、それを果たすため柔軟にさまざまな活動を行っていることがわかるでしょう。その意味では、マネジメントすらスタッフエンジニアの活動の一部であり（もちろんそこに軸足はありませんが）、本書のサブタイトル「マネジメントを越えるリーダーシップ」の意味が見えてきます。

本書を通じて「スタッフエンジニア」という役職名がエンジニア内外から認知されることにより、その役割の重要性と今後の選択肢としての可能性が高まればいいなと思います。名前が広がることで、その地位が確立することがあるからです。たとえば、近年ではSRE（Site Reliability Engineering：サイト信頼性エンジニアリング）がそれに相当するのではないでしょうか。こちらはシステム運用のアプローチ名ですが、SREという呼び名が定着することで、そのアプローチが確立すると同時に、従来の運用方法やDevOpsとの差異が明確になったと思います。同じように、スタッフエンジニアという役職名とその立場が広まり確立することで、シニアエンジニアやエンジニアリングマネジャーとの違いが際立ち、それぞれの役割がより鮮明になっていくのではないでしょうか。

本書が、スタッフエンジニアという重責を担うエンジニアにとっての道標となり、キャリアを歩むうえでの参考になればとてもうれしいです。さらに、IT業界全体がこの役職を認知することにより、さらなる業界発展につながることを願っています。

■ 著者について

## ウィル・ラーソン（Will Larson）

米 Calm、米 Stripe、米 Uber など、さまざまな業態および規模のテクノロジー企業でエンジニアリングリーダーあるいはソフトウェアエンジニアとして働いてきた。現在は著述家でもあり、著書『An Elegant Puzzle』は３万部超を誇る。
ノースカロライナ州出身。ケンタッキー州のセンター・カレッジでコンピューターサイエンスを学び、JET プログラム（語学指導等を行う外国青年招致事業）を通じて１年間日本で英語を教えた経験もある。2009 年からはサンフランシスコ在住。
ブログ「Irrational Exuberance（lethain.com）」も頻繁に更新している。

■ 監修者について

## 増井 雄一郎（ますい・ゆういちろう）

札幌大学経営学部卒。大学在学中の 1999 年にウェブ制作会社を起業。2008 年に渡米、iPhone アプリを開発する会社を設立。2011 年に米 Appcelerator のプラットフォーム・エバンジェリストに就任。2012 年に株式会社ミイル、2013 年に株式会社トレタを立ち上げ、CTO として開発組織構築とアプリ開発をリード。2019 年にマーケティング支援の株式会社 Bloom&Co. に入社、CTO に就任。

■ 訳者について

## 長谷川 圭（はせがわ・けい）

高知大学卒業後、ドイツのイエナ大学でドイツ語と英語の文法理論を専攻し、修士号取得。同大学で講師を務めたあと、翻訳家および日本語教師として独立。訳書に、『10％起業』、『邪悪に堕ちた GAFA』（以上、日経 BP）、『GE のリーダーシップ　ジェフ・イメルト回顧録』（光文社）、『ポール・ゲティの大富豪になる方法』（パンローリング）、『ラディカル・プロダクト・シンキング』（翔泳社）などがある。

# スタッフエンジニア
## マネジメントを超えるリーダーシップ

2023年5月8日　第1版第1刷発行
2023年5月22日　第1版第3刷発行

**著　者**　ウィル・ラーソン
**訳　者**　長谷川 圭
**監修・解説**　増井 雄一郎
**発行者**　中川 ヒロミ
**発　行**　株式会社日経BP
**発　売**　株式会社日経BPマーケティング
〒105-8308
東京都港区虎ノ門4-3-12
**装　丁**　小口 翔平＋阿部 早紀子（tobufune）
**制　作**　相羽 裕太（株式会社明昌堂）
**翻訳協力**　株式会社リベル
**編集協力**　金井 哲夫
**編　集**　田島 篤
**印刷・製本**　図書印刷株式会社



ISBN978-4-296-07055-8
Printed in Japan